Sherlock Holmes

Arthur Conan Doyle

Volume 2

Memórias de Sherlock Holmes

O cão dos Baskerville

Sherlock Holmes

Arthur Conan Doyle

Volume 2

Memórias de Sherlock Holmes
O cão dos Baskerville

Tradução:
Áurea Brito Wissenberg
Arnaldo Viriato Medeiros

Harper Collins

Rio de Janeiro, 2024

Título original: *Memoirs of Sherlock Holmes; The Hound of the Baskervilles.*

Publisher: *Samuel Coto*

Editora executiva: *Alice Mello*

Editora: *Lara Berruezo*

Editoras assistentes: *Anna Clara Gonçalves e Camila Carneiro*

Assistência editorial: *Yasmin Montebello*

Revisão: *Vanessa Sawada*

Design de capa: *Túlio Cerquize*

Diagramação: *Abreu's System*

Dados Internacionais de Catalogação na Publicação (CIP)
(Câmara Brasileira do Livro, SP, Brasil)

Doyle, Arthur Conan, 1859-1930
Sherlock Holmes : volume 2 / Arthur Conan Doyle ; tradução Áurea Brito Wissenberg, Arnaldo Viriato Medeiros. – Rio de Janeiro, RJ : HarperCollins Brasil, 2024. – (Box Sherlock Holmes ; 2)

Título original: Memoirs of Sherlock Holmes; The Hound of the Baskervilles.
ISBN 978-65-6005-101-0

1. Ficção policial e de mistério (Literatura inglesa) 2. Holmes, Sherlock (Personagem fictício) I. Título. II. Série.

23-176422 CDD-823.0872

Índices para catálogo sistemático:

1. Ficção policial e de mistério : Literatura inglesa 823.0872

Tábata Alves da Silva – Bibliotecária – CRB-8/9253

Palavras e expressões ofensivas utilizadas pelo autor foram mantidas nesta edição para fins de fidelidade à obra.

Os pontos de vista desta obra são de responsabilidade de seu autor, não refletindo necessariamente a posição da HarperCollins Brasil, da HarperCollins Publishers ou de sua equipe editorial.

HarperCollins Brasil é uma marca licenciada à Casa dos Livros Editora LTDA.
Todos os direitos reservados à Casa dos Livros Editora LTDA.
Rua da Quitanda, 86, sala 601A – Centro
Rio de Janeiro, RJ – CEP 20091-005
Tel.: (21) 3175-1030
www.harpercollins.com.br

Printed in China

Sumário

Memórias de Sherlock Holmes

Silver Blaze

— Lamento, Watson, mas preciso ir — disse Holmes, quando nos sentávamos para o café da manhã, certa manhã.

— Ir! Para onde?

— Dartmoor. King's Pyland.

Não me surpreendi. Na verdade, o que me espantava era o fato de ele ainda não ter se envolvido naquele caso extraordinário, tema das conversas de um extremo a outro da Inglaterra. Meu amigo havia passado o dia inteiro perambulando pela sala, cabisbaixo, testa franzida, abastecendo e reabastecendo o cachimbo com fumo escuro e forte, surdo a minhas perguntas ou observações. Novas edições de todos os jornais nos eram enviadas pelo jornaleiro e atiradas a um canto depois de uma olhada superficial. Apesar do seu silêncio, eu sabia perfeitamente sobre o que ele estava meditando. Perante o público havia apenas um problema capaz de desafiar a sua capacidade analítica: o estranho desaparecimento do favorito da Copa Wessex e o trágico assassinato do seu treinador. Quando Holmes anunciou de repente a intenção de ir até o local da tragédia, fez, portanto, apenas o que eu previa e esperava que fizesse.

— Teria muito prazer em acompanhá-lo, caso não atrapalhe — falei.

— Meu caro Watson, você me faria um imenso favor se viesse comigo. E creio que não desperdiçará seu tempo, porque há aspectos deste caso que o tornam absolutamente singular. Acho que chegaremos no momento exato de pegar o trem em Paddington. Explicarei melhor o assunto durante o trajeto. E eu ficaria grato se você levasse o seu excelente binóculo.

E foi assim que, cerca de uma hora mais tarde, eu estava num canto de um vagão de primeira classe a caminho de Exeter, enquanto Sherlock Holmes, com o rosto atento contornado pelo boné de viagem com protetor de orelhas, mergulhava rapidamente na pilha de edições recentes dos jornais que havia comprado em Paddington. Reading já tinha ficado para trás quando ele atirou a última debaixo do banco e ofereceu-me a sua charuteira.

— Estamos andando bem — disse, olhando pela janela e depois verificando o relógio. — Nossa velocidade no momento é de oitenta quilômetros por hora.

— Não reparei nos postes de marcação da estrada.

— Nem eu. Mas os postes telegráficos desta linha ficam a sessenta metros um do outro, o que simplifica o cálculo. Suponho que já tenha lido a respeito do assassinato de John Straker e do desaparecimento de Silver Blaze.

— Li o que publicaram o *Telegraph* e o *Chronicle*.

— É um desses casos em que a arte do raciocínio deve ser usada mais para a triagem de detalhes que para a obtenção de novas evidências. A tragédia foi tão incomum, tão completa e de tamanha importância pessoal para tanta gente, que estamos sofrendo de um excesso de suposições, conjecturas e hipóteses. A dificuldade é distinguir entre estrutura do fato, do fato absoluto, inegável, e os acréscimos de teóricos e repórteres. E então, situando-nos sobre essa base sólida, é nosso dever verificar quais as conclusões que podem ser tiradas e quais os pontos especiais que servem de eixo a todo o mistério. Na noite de terça-feira, recebi telegramas do coronel Ross, o proprietário do cavalo, e do inspetor Gregory, encarregado de investigar o caso, solicitando a minha cooperação.

— Terça à noite! Mas hoje é quinta de manhã. Por que não viajou ontem?

— Porque cometi um erro, meu caro Watson, uma ocorrência mais frequente do que pensaria quem me conhecesse apenas por meio de memórias. O fato é que não acreditei na possibilidade de que o cavalo mais extraordinário da Inglaterra permanecesse oculto por muito tempo, principalmente numa região tão escassamente povoada como o norte de Dartmoor. Ontem, hora após hora, esperei ouvir a notícia de que ele fora encontrado e de que a pessoa que o roubou era também o assassino de John Straker. Mas quando despontou outro dia e descobri que, além de prenderem o jovem Fitzroy Simpson, nada fora feito, achei que era hora de agir. Mesmo assim, acho que, de certo modo, o dia de ontem não foi perdido.

— Elaborou alguma teoria?

— Pelo menos consegui captar os fatos essenciais do caso. Vou enumerá-los para você, pois não há nada melhor para esclarecer uma situação do que expô-la a outra pessoa. E dificilmente poderia esperar a sua colaboração se não lhe mostrar o nosso ponto de partida.

Recostei-me nas almofadas fumando um charuto enquanto Holmes, inclinando-se para a frente, com o indicador longo e fino sublinhando os pontos na palma da mão esquerda, fez um resumo dos acontecimentos que resultaram na nossa viagem.

— Silver Blaze é descendente de Somomy e tem uma ficha tão brilhante quanto o seu famoso antepassado. Está agora com cinco anos e conquistou para o coronel Ross, seu feliz proprietário, todos os prêmios do turfe. Até o momento da catástrofe ele era o favorito da Copa Wessex, pagando três para um. Sempre foi um dos grandes favoritos do público das corridas e até agora nunca o desapontou, de modo que, mesmo quando o risco era grande, imensas somas de dinheiro eram apostadas nele. É óbvio, portanto, que há muita gente interessada em impedir que Silver Blaze esteja presente ao ser dada a partida na próxima terça-feira.

“Este fato, naturalmente, é bem conhecido em King's Pyland, onde fica o haras de treinamento do coronel. Todas as precauções foram tomadas para proteger o favorito. O treinador, John Straker, é um jóquei aposentado que correu com as cores de Ross até ficar pesado demais. Trabalhou para o coronel durante cinco anos como jóquei e sete como treinador, e sempre demonstrou que era zeloso e honesto. Ele tinha três rapazes sob suas ordens, porque o haras é pequeno, com apenas quatro cavalos no total. Um dos rapazes fica sempre de vigia à noite na cavalariça, enquanto os outros dormem no celeiro. Os três têm um caráter irrepreensível. John Straker, que é casado, mora numa casa pequena, a cerca de duzentos metros da cavalariça. Sem filhos, tem uma criada e vive confortavelmente. A região é muito deserta, mas cerca de um quilômetro ao norte há um punhado de casinhas construídas por um empreiteiro de Tavistock, para serem usadas por enfermos e outras pessoas que queiram desfrutar o ar puro de Dartmoor. A própria Tavistock fica cerca de três quilômetros a oeste, enquanto do outro lado do pântano, também a três quilômetros, fica um haras de treinamento maior, Mapleton, que pertence a lorde Backwater e é dirigido por Silas Brown. Em todas as outras direções, a região é completamente deserta, habitada apenas por um punhado de ciganos. Essa era a situação geral na noite de segunda-feira, quando ocorreu a catástrofe.

"Ao anoitecer, os cavalos foram exercitados e levados como sempre, e, às nove horas, as cavalariças foram trancadas. Dois dos rapazes foram até a casa do treinador, onde cearam na cozinha, enquanto o terceiro, Ned Hunter, permaneceu de guarda. Alguns minutos depois das nove, a empregada, Edith Baxter, levou para a cavalariça a ceia dele, que consistia num prato de carneiro ao curry. Não levou bebida, porque havia um poço na cavalariça e, pelo regulamento, o rapaz que fica de vigia só pode beber água. A empregada levava uma lanterna, porque estava muito escuro e o caminho atravessava a área descampada do pântano.

"Edith Baxter estava a trinta metros da cavalariça quando um homem surgiu da escuridão e mandou que ela parasse. Quando ele penetrou no círculo de luz amarelada da lanterna, ela notou que se tratava de uma pessoa com a aparência de um cavalheiro, vestindo um terno cinza de tweed e boné de pano. Usava polainas e carregava uma pesada bengala de castão redondo. Mas ela ficou muito impressionada com a extrema palidez do rosto e com o seu nervosismo. Quanto à idade, achou que passava dos trinta.

"'Pode me dizer onde estou?', perguntou ele. 'Estava quase decidido a dormir no pântano quando avistei a luz da sua lanterna.'

"'Está perto do haras de King's Pyland', respondeu a criada.

"'Verdade? Que sorte! Soube que um dos rapazes da cavalariça dorme sozinho ali todas as noites. Deve estar levando o jantar para ele. Tenho certeza de que não é orgulhosa a ponto de recusar um vestido novo, não é mesmo?' E tirando do bolso do colete um papel branco dobrado: 'Entregue isto ao rapaz e terá o mais lindo vestido que o dinheiro pode comprar'.

"Assustada com a veemência dele, a moça correu até a janela pela qual costumava entregar as refeições. Encontrou-a já aberta, e Hunter estava sentado a uma mesinha, no interior. Tinha começado a contar a ele o que havia acontecido, quando o estranho tornou a se aproximar.

"'Boa noite', disse, espiando pela janela. 'Gostaria de falar com você.'

"A moça jura que, enquanto ele falava, notou a ponta de um papel que saía da mão fechada do homem.

"'O que você quer?', perguntou o rapaz.

"'Um negócio que talvez encha de dinheiro o seu bolso', respondeu o homem. 'Vocês têm dois cavalos inscritos na Copa Wessex: Silver Blaze e Bayard. Dê um palpite e não sairá perdendo. É verdade que, no peso, Bayard poderia dar ao outro uma vantagem de cerca de noventa metros a cada quilômetro, e que o haras apostou tudo nele?'

"'Então é um daqueles malditos vendedores de palpites?', perguntou o rapaz. 'Vou mostrar o que fazemos com eles em King's Pyland.' Levantando-se de um salto, atravessou correndo a cavalariça para soltar o cachorro. A moça fugiu para casa, mas, enquanto corria, olhou para trás e viu o estranho debruçado na janela. Um minuto depois, quando Hunter saiu com o cão, ele havia desaparecido e, embora o rapaz tivesse procurado em volta dos prédios, não encontrou nenhum vestígio dele."

— Um momento! — interrompi. — O rapaz deixou a porta destrancada quando saiu correndo com o cachorro?

— Excelente, Watson, excelente! — murmurou meu amigo. — A importância do detalhe me impressionou tanto que mandei um telegrama urgente a Dartmoor, ontem, a fim de esclarecer a questão. O rapaz trancou a porta antes de sair. Quanto à janela, não era suficientemente larga para permitir a passagem de um homem.

"Hunter esperou até que os companheiros voltassem e mandou um recado ao treinador, contando o que havia acontecido. Straker ficou preocupado, embora aparentemente não tenha percebido o verdadeiro significado da ocorrência. Mas ficou vagamente inquieto, e a sra. Straker, acordando à uma hora, viu que ele estava se vestindo. Em resposta às perguntas da mulher, disse que não conseguia dormir, preocupado com os cavalos, e que iria até as cavalariças verificar se estava tudo em ordem. Ela suplicou-lhe que ficasse em casa, porque ouvia a chuva tamborilando nas vidraças, mas, sem dar ouvidos, ele vestiu um pesado impermeável e saiu.

"A sra. Straker acordou às sete horas e percebeu que o marido não tinha voltado. Vestiu-se depressa, chamou a empregada, e dirigiram-se para as cavalariças. A porta estava aberta; dentro, encolhido sobre uma cadeira, estava Hunter, mergulhado num estado de profundo estupor. A baia do favorito estava vazia e não havia sinal do treinador.

"Os dois rapazes que dormiam no celeiro sobre a sala dos arreios foram despertados rapidamente. Não tinham ouvido nada durante a noite, porque ambos têm sono pesado. Hunter estava, obviamente, sob o efeito de alguma droga poderosa, e como não conseguiam extrair dele algo que fizesse sentido, deixaram-no dormir, e os dois rapazes e as duas mulheres saíram em busca dos desaparecidos. Ainda acreditavam na possibilidade de que o treinador, por algum motivo, tivesse levado o cavalo para um exercício matinal, mas ao subirem a colina próxima à casa, de onde se avista todo o pântano ao redor, não viram sinal do favorito, mas perceberam algo que os advertiu de que estavam diante de uma tragédia.

"A cerca de quinhentos metros das cavalariças, o sobretudo de John Straker pendia de um arbusto, balançando ao vento. Pouco adiante havia uma depressão circular no solo e no fundo dela encontraram o corpo do infeliz treinador. Tinha a cabeça despedaçada por um golpe violento desferido por um objeto pesado e estava com um ferimento na coxa, um corte longo e limpo, evidentemente causado por algum instrumento muito afiado. Mas era evidente que Straker tinha se defendido com valentia dos atacantes, pois segurava na mão direita uma faca pequena manchada de sangue até o cabo e na esquerda uma gravata de seda vermelha e preta, que a empregada reconheceu como a usada na noite anterior pelo estranho que estivera nas cavalariças.

"Hunter, ao voltar a si do estupor, confirmou quem era o dono da gravata. Tinha certeza também de que o mesmo estranho, pela janela, havia colocado alguma droga na sua comida, deixando assim as cavalariças sem o vigia.

"Quanto ao cavalo desaparecido, havia provas abundantes na lama que cobria o fundo da depressão de que ele estivera ali no momento da luta. Mas desde aquela manhã continuava desaparecido e, embora tivesse sido oferecida uma grande recompensa a quem encontrá-lo e todos os ciganos de Dartmoor estivessem alertados, não havia notícias dele. Finalmente, uma análise mostrou que os restos da ceia ingerida pelo cavalariço continham uma grande quantidade de ópio, embora o pessoal da casa tivesse comido o mesmo carneiro sem qualquer efeito desagradável.

"Estes são os fatos principais do caso, sem o acréscimo de qualquer suposição, e narrados da maneira mais objetiva possível. Vou agora recapitular o que a polícia já fez em relação ao assunto.

"O inspetor Gregory, a quem o caso foi confiado, é um policial de extrema competência. Se fosse dotado de alguma imaginação, poderia alcançar os postos mais elevados da profissão. Ao chegar, logo descobriu e prendeu o homem sobre o qual recaem naturalmente as suspeitas. Não foi difícil encontrá-lo porque morava em uma das casinhas nas redondezas. Parece que seu nome é Fitzroy Simpson. É um homem bem-nascido e educado, que esbanjou a fortuna no turfe e agora se sustenta fazendo algum trabalho discreto e distinto de corretagem de apostas nos clubes esportivos de Londres. Um exame de seu livro revela que apostas no montante de cinco mil libras foram registradas por ele contra o favorito.

"Ao ser preso, declarou que fora a Dartmoor na esperança de obter informações sobre os cavalos de King's Pyland e também sobre Desborough, o segundo favorito, que estava aos cuidados de Silas Brown, do haras de Mapleton. Não tentou negar que agira na noite anterior conforme haviam descrito, mas afirmou que não tinha más intenções. Desejava apenas obter informações diretas. Quando lhe mostraram a gravata, ficou muito pálido e foi incapaz de explicar sua presença na mão do homem assassinado. Suas roupas úmidas revelavam que estivera sob a tempestade na véspera e a bengala, uma Penang com castão de chumbo, seria uma arma que, com golpes repetidos, poderia provocar os ferimentos horríveis que haviam sido a causa da morte do treinador.

"Por outro lado, ele não tinha nenhum ferimento, embora o estado da faca de Straker revelasse que pelo menos um dos assaltantes devia apresentar sua marca. Em resumo, este é o caso, Watson, e se você puder me ajudar a esclarecer alguma coisa, eu ficarei eternamente grato."

Ouvi com o maior interesse a narrativa que Holmes, com sua precisão característica, me fez. Embora a maioria dos fatos já fosse do meu conhecimento, eu não avaliara suficientemente a relativa importância, ou a conexão entre eles.

— Não seria possível que o corte em Straker tivesse sido causado pela própria faca, em consequência das convulsões decorrentes de qualquer ferimento no cérebro?

— É mais do que possível. É provável — disse Holmes. — Neste caso, desaparece um dos principais pontos a favor do acusado.

— Ainda assim não consigo compreender qual é a teoria da polícia.

— Temo que, seja qual for a teoria que apresentemos, haverá sérias objeções a ela — replicou meu amigo. — A polícia imagina, suponho, que esse Fitzroy Simpson, depois de colocar a droga na comida do rapaz e conseguir de algum modo uma duplicata da chave, abriu a porta da estrebaria e retirou o cavalo com a intenção de fazê-lo desaparecer. Os arreios sumiram, de modo que Simpson deve tê-los colocado no animal. Deixando a porta aberta, ele estava conduzindo o cavalo pelo pântano, quando encontrou, ou foi alcançado, pelo treinador. Houve uma luta, naturalmente. Simpson estourou os miolos do treinador com a bengala pesada sem receber qualquer ferimento da faquinha que Straker usou para se defender, e em seguida levou o cavalo para algum esconderijo. É possível também que o animal tenha fugido durante a luta e esteja vagueando pelo pântano. Este é o caso como a polícia o vê e, por mais improvável que pareça, todas as outras explicações são mais improváveis ainda. No entanto, vou verificar rapidamente a questão quando estiver no local, e até lá não vejo como podemos fazer algum progresso.

Já era noite quando chegamos à cidadezinha de Tavistock, que fica, como um relevo num escudo, em meio ao amplo círculo de Dartmoor. Dois cavalheiros nos aguardavam na estação: um era alto e loiro, cabeleira e barba leoninas, olhos azuis penetrantes; o outro era baixo e vivo, de aparência esmerada e elegante, usando casaco longo e polainas e ostentando monóculo e suíças pequenas e bem cuidadas. O último era o coronel Ross, o conhecido desportista, e o primeiro, o inspetor Gregory, um homem que estava adquirindo fama rapidamente no corpo de detetives da polícia inglesa.

— Estou encantado em vê-lo aqui, sr. Holmes — disse o coronel. — O inspetor fez tudo o que se poderia sugerir, mas não deixarei pedra sobre pedra para vingar o pobre Straker e recuperar meu cavalo.

— Alguma nova ocorrência? — perguntou Holmes.

— Lamento dizer que fizemos pouco progresso — respondeu o inspetor. — Temos uma carruagem lá fora, e como acredito que gostaria de ver o local antes de escurecer, podemos conversar no trajeto.

Um minuto depois estávamos instalados num confortável landau e atravessando a pitoresca e antiga cidadezinha de Devonshire. O inspetor Gregory estava mergulhado no caso e despejou uma torrente de observações, que Holmes intercalava com uma ou outra pergunta ou interjeição. O coronel Ross recostou-se, com os braços cruzados e o chapéu caído sobre os olhos, enquanto eu escutava interessado o diálogo entre os dois detetives. Gregory formulava a sua teoria, que era quase igual a que Holmes antecipara no trem.

— A rede está se fechando em torno de Fitzroy Simpson e, na minha opinião, ele é o nosso homem. Ao mesmo tempo reconheço que as provas são puramente circunstanciais, e que uma nova ocorrência poderia mudar tudo.

— E a faca de Straker?

— Chegamos à conclusão de que ele próprio se feriu ao cair.

— Meu amigo, o dr. Watson, sugeriu essa hipótese quando vínhamos para cá. Neste caso, o detalhe prejudicaria Simpson.

— Sem dúvida. Ele não tem faca nem qualquer sinal de ferimento. A evidência contra ele é muito forte. Ele tinha muito interesse no desaparecimento do favorito e é suspeito de ter drogado o cavalariço; esteve, sem dúvida, exposto à tempestade, andava armado com uma bengala pesada e a gravata foi encontrada na mão do morto. Creio que temos o suficiente para colocá-lo diante do júri.

Holmes meneou a cabeça.

— Um advogado esperto destruiria tudo isso. Por que ele tiraria o cavalo da cavalariça? Se quisesse aleijá-lo, por que não o faria ali mesmo? Foi encontrada com ele uma duplicata da chave? Qual foi o farmacêutico que lhe vendeu ópio em pó? Acima de tudo, onde poderia ele, um estranho na região, esconder um cavalo, e um cavalo como aquele? Qual a explicação dele para o papel que pediu à empregada para entregar ao rapaz da cavalariça?

— Diz ele que foi uma nota de dez libras. A nota foi encontrada no bolso dele. Mas os outros obstáculos não são tão formidáveis como parecem. Ele conhece a região. Por duas vezes hospedou-se em Tavistock no verão. O ópio provavelmente foi trazido de Londres. A chave, depois de servir à sua finalidade, foi jogada fora. O cavalo pode estar no fundo de um dos poços, ou nas velhas minas da região.

— O que ele diz a respeito da gravata?

— Reconhece que é dele e afirma que a perdeu. Mas surgiu um novo elemento no caso que pode explicar por que ele levou o cavalo para fora da estrebaria.

Holmes aguçou os ouvidos.

— Encontramos vestígios que mostram que um grupo de ciganos acampou na noite de segunda-feira a cerca de 1,5 quilômetro do local do assassinato. Na terça, haviam desaparecido. Supondo que houvesse algum trato entre Simpson e esses ciganos, ele não poderia estar levando o cavalo até o acampamento quando foi surpreendido? E os ciganos não estariam agora com o animal?

— É bem possível.

— O pântano está sendo vasculhado em busca dos ciganos. Também examinei todas as estrebarias e cavalariças de Tavistock num raio de quinze quilômetros.

— Há um outro haras de treinamento bem próximo, não é?

— Sim, é um dado que não devemos desprezar. Como Desborough, o cavalo deles, estava em segundo nas apostas, eles tinham interesse no desaparecimento do favorito. Sabe-se que Silas Brown, o treinador, tem feito apostas elevadas, e não era amigo do pobre Straker. Mas examinamos as cavalariças e não há nada que o ligue ao caso.

— E nada que ligue Simpson aos interesses do haras Mapleton?

— Absolutamente nada.

Holmes recostou-se na carruagem e a conversa cessou. Minutos depois, nosso cocheiro parou diante de uma bonita casa de tijolos vermelhos, com telhado de beirais salientes, que ficava na margem da estrada. Um pouco adiante, do outro lado do paddock, havia um anexo de telhado cinzento. Em volta, os contornos sem relevo do pântano, coloridos de bronze pela vegetação crestada, estendiam-se até o horizonte, interrompidos apenas pelas torres de Tavistock e por um conjunto de casas a oeste, que indicavam as cavalariças Mapleton. Saltamos todos, com exceção de Holmes, que continuou recostado, olhos fixos no céu, inteiramente absorto em pensamentos. Só quando toquei em seu braço foi que ele despertou com um sobressalto e desceu da carruagem.

— Desculpe-me — disse, virando-se para o coronel Ross, que o olhava surpreso. — Estava devaneando.

Havia um brilho nos olhos e uma empolgação contida nas atitudes que me convenceram, habituado como eu estava ao seu jeito, de que encontrara uma pista, embora não pudesse imaginar onde.

— Prefere ir logo ao local do crime, sr. Holmes? — perguntou Gregory.

— Acho que prefiro ficar aqui mais um pouco, revendo alguns detalhes. Straker foi trazido para cá, eu presumo.

— Sim. Está lá em cima. A inquirição será amanhã.

— Ele trabalhou para o senhor vários anos, coronel Ross?

— E sempre o considerei um excelente empregado.

— Suponho que tenha feito um inventário do que encontrou nos bolsos dele no momento da morte, inspetor.

— Os objetos estão na sala, caso queira examiná-los.

— Gostaria muito.

Entramos todos na sala da frente e nos sentamos em volta da mesa, enquanto o inspetor abria uma caixa de metal e colocava diante de nós uma pequena pilha de objetos: uma caixa de fósforos, um toco de vela, um cachimbo A.D.P. de raiz de urze-branca, uma bolsa de pele de foca contendo alguns gramas de fumo Cavendish *long-cut*, um relógio de prata com corrente de ouro, cinco soberanos de ouro, um estojo de lápis de alumínio, alguns papéis e uma faca de cabo de marfim, de lâmina muito delicada e fixa, com a marca “Weiss & Co., Londres”.

— Uma faca pouco comum — disse Holmes, examinando-a com atenção. — Como está manchada de sangue, presumo que seja a faca encontrada na mão do morto. Watson, isto é especialidade sua, com certeza.

— É o que chamamos faca de catarata — disse ele.

— Foi o que pensei. Uma lâmina muito delicada, destinada a trabalho muito delicado. É um objeto estranho para um homem carregar numa saída que prometia problemas, principalmente porque não se fechava dentro do bolso.

— A ponta estava protegida por um disco de cortiça que encontramos ao lado do corpo — disse o inspetor. — A mulher de Straker disse que a faca estava havia dias na penteadeira, e que ele a pegou quando saiu do quarto. Como arma não era grande coisa, mas talvez tenha sido a melhor que ele conseguiu encontrar no momento.

— É possível. E estes papéis?

— Três deles são recibos de fornecedores de feno. Outro é uma carta de instruções do coronel Ross. Este é a conta de uma costureira, no valor de 37 libras e quinze pence, enviada por madame Lesurier, de Bond Street, para William Derbyshire. A sra. Straker disse que Derbyshire era amigo do marido e às vezes a correspondência dele era endereçada para cá.

— A sra. Derbyshire tem gostos dispendiosos — observou Holmes, olhando para a conta. — Vinte e dois guinéus é uma quantia elevada por um único vestido. Mas parece que não temos mais nada para descobrir aqui e podemos ir agora até o local do crime.

Quando saíamos da sala, uma mulher que devia estar esperando no corredor aproximou-se e pôs a mão no braço do inspetor. Tinha a fisionomia abatida, magra e ansiosa, com a marca de uma dor recente.

— Pegaram os criminosos? Já os encontraram? — perguntou, ofegante.

— Não, sra. Straker. Mas aqui está o sr. Holmes, que veio de Londres para nos ajudar. Faremos todo o possível para encontrá-los.

— Tenho certeza de que a conheci em Plymouth, numa *garden party*, há algum tempo, sra. Straker — falou Holmes.

— Não, senhor. Deve estar enganado.

— Ora, eu seria capaz de jurar. Usava um vestido de seda branca enfeitado com uma pena de pavão.

— Nunca tive um vestido assim, senhor.

— Ah, então estou enganado.

E com um pedido de desculpas, Holmes saiu atrás do inspetor. Depois de uma curta caminhada, chegamos à depressão do terreno onde fora encontrado o corpo. Na borda ficava a moita onde o casaco havia sido pendurado.

— Não ventava naquela noite, segundo eu soube — observou Holmes.

— Exato. Mas chovia muito.

— Nesse caso, o sobretudo não foi atirado pelo vento sobre a moita, e sim colocado ali.

— Sim, foi colocado sobre a moita.

— Isso me interessa bastante. Percebo que o solo tem numerosas marcas de pés. Sem dúvida, muita gente esteve aqui desde a noite de segunda-feira.

— Um pedaço de tapete foi colocado aqui ao lado, e todos nós ficamos sobre ele.

— Excelente.

— Nesta sacola trago as botas que Straker calçava, um dos sapatos de Fitzroy Simpson e uma ferradura de Silver Blaze.

— Meu caro inspetor, o senhor se supera!

Holmes pegou a sacola, desceu até o fundo da depressão e empurrou o tapete mais para o centro. Em seguida, deitando-se de bruços, queixo apoiado nas mãos, examinou atentamente a lama pisada.

— Ora! — exclamou de repente. — O que é isto?

Era um fósforo de cera meio queimado e tão recoberto de lama que a princípio parecia uma lasca de madeira.

— Não sei como me escapou — disse o inspetor, aborrecido.

— Estava invisível, enterrado na lama. Só o encontrei porque eu o estava procurando.

— O quê? Esperava encontrá-lo?

— Achei que seria provável.

Tirando as botas da sacola, comparou as marcas de cada uma com as pegadas impressas no solo. Em seguida subiu até a borda da depressão e pôs-se a rastejar entre as urzes e as moitas.

— Temo que não haja outras pegadas — disse o inspetor. — Examinei o solo cuidadosamente por cerca de duzentos metros em todas as direções.

— Verdade? — disse Holmes, levantando-se. — Eu não cometeria a impertinência de fazer isso novamente depois do que disse. Mas gostaria de percorrer o pântano antes que escureça, para reconhecer amanhã o terreno, e acho que vou pôr a ferradura no bolso para dar sorte.

O coronel Ross, que mostrava alguns sinais de impaciência diante do método de trabalho silencioso e sistemático do meu amigo, olhou para o relógio.

— Queria que voltasse comigo, inspetor — falou. — Há vários pontos sobre os quais gostaria de ouvir o seu conselho. Preciso saber, principalmente, se, em consideração ao público, devo retirar o nome do nosso cavalo da relação dos participantes da copa.

— Com certeza não! — exclamou Holmes, decidido. — Eu deixaria o nome na lista.

O coronel inclinou-se.

— É um prazer ouvir a sua opinião, senhor. Poderá encontrar-nos na casa do pobre Straker quando terminar o seu passeio, e então iremos juntos para Tavistock.

Ele voltou junto com o inspetor, enquanto Holmes e eu caminhávamos lentamente pelo pântano. O sol começava a desaparecer por trás das estrebarias de Mapleton, e a vasta planície que se estendia diante de nós coloria-se de dourado, que se transformava em castanho-avermelhado nos lugares onde as urzes e as sarças eram envolvidas pelo poente. Mas as belezas da paisagem pareciam inexistentes para o meu amigo, mergulhado em profunda meditação.

— É por aqui, Watson — disse por fim. — Podemos deixar um pouco de lado a questão de quem matou John Straker e nos concentrarmos em descobrir que fim levou o cavalo. Suponhamos agora que ele tenha se soltado durante ou depois da tragédia. Para onde iria? O cavalo é um animal muito gregário. Deixado à solta, os instintos o enviariam de volta a King's Pyland ou a Mapleton. Por que ficaria correndo pelo pântano? Já teria sido avistado a essa altura. E por que os ciganos o roubariam? Essa gente sempre desaparece quando ouve falar em complicações, porque não quer ser importunada pela polícia. Não poderiam vender um cavalo daqueles. Correriam um grande risco e não ganhariam nada ficando com ele. Isso é bem claro, com certeza.

— Então, onde ele está?

— Já disse que deve ter ido para King's Pyland ou para Mapleton. Não está em King's Pyland, portanto deve estar em Mapleton. Vamos trabalhar com esta hipótese e ver para onde ela nos leva. Nesta parte do pântano, como observou o inspetor, o solo é muito duro e seco. Mas há um declive na direção de Mapleton; e pode-se ver daqui que há uma longa depressão lá adiante, que devia estar muito úmida na noite de segunda-feira. Se a nossa hipótese estiver correta, o cavalo deve tê-la atravessado e é ali que devemos procurar sua pista.

Fomos caminhando rapidamente enquanto conversávamos e em poucos minutos chegamos à depressão do terreno. A pedido de Holmes, desci pelo declive da direita e ele pelo da esquerda, mas ainda não havia dado cinquenta passos quando o ouvi soltar um grito, enquanto acenava para mim. A pata de um cavalo era bem nítida na terra macia diante dele e a ferradura que retirou do bolso ajustava-se com perfeição à pegada.

— Veja o valor da imaginação — observou Holmes. — É esta qualidade que falta a Gregory. Imaginamos o que poderia ter acontecido, agimos baseados nessa hipótese e fomos recompensados. Vamos continuar.

Atravessamos a depressão pantanosa e percorremos mais de meio quilômetro de relva seca e dura. Novamente o terreno apresentou um declive e encontramos as marcas de ferradura. Tornamos a perdê-las por um quilômetro e a reencontrá-las bem perto de Mapleton. Foi Holmes quem as avistou primeiro e as apontou com expressão de triunfo. Uma pegada de homem era visível junto à do cavalo.

— Antes o cavalo estava sozinho! — exclamei.

— Exatamente. Antes estava sozinho. Ora, o que é isto?

As pegadas duplas voltavam-se de repente na direção de King's Pyland. Holmes assobiou e passamos a segui-las. Ele mantinha os olhos na trilha, mas eu estava um pouco afastado e notei, surpreso, que as mesmas pegadas seguiam na direção oposta.

— Um ponto para você, Watson — disse Holmes, quando fiz a observação. — Poupou-nos uma longa caminhada que nos faria voltar sobre os nossos próprios passos. Vamos seguir as pegadas de volta.

Não precisamos andar muito. Terminavam na pavimentação de asfalto que conduzia aos portões das cavalariças de Mapleton. Quando nos aproximávamos, um empregado veio correndo na nossa direção.

— Não queremos estranhos por aqui — disse ele.

— Eu só quero fazer uma pergunta — disse Holmes, enfiando o polegar no bolso do colete. — Cinco da manhã seria cedo demais para fazer uma visita ao seu patrão, o sr. Silas Brown, amanhã de manhã?

— Se alguém estiver acordado, será ele. É sempre o primeiro a se levantar. Mas aí vem ele, senhor, e poderá responder pessoalmente às suas perguntas. Não, não, senhor. Eu perderia o emprego se ele me visse aceitar o seu dinheiro. Mais tarde, se quiser.

Enquanto Sherlock Holmes tornava a colocar no bolso a meia coroa que havia tirado, um homem idoso de aparência feroz saiu pelo portão, sacudindo o chicote de montar.

— Que história é essa, Dawson? Nada de mexericos! Vá cuidar do seu trabalho! Que diabo querem aqui?

— Dez minutos de conversa, bom senhor — respondeu Holmes, com sua voz mais tranquila.

— Não tenho tempo para conversar com ociosos. Não quero saber de estranhos por aqui. Desapareçam, ou atiçarei os cães.

Inclinando-se para a frente, Holmes murmurou qualquer coisa no ouvido do treinador, que estremeceu violentamente e corou até a raiz do cabelo.

— É mentira! — gritou. — Uma mentira suja!

— Muito bem! Vamos discutir o caso aqui em público ou conversar na sua sala?

— Podem entrar, se quiserem.

Holmes sorriu.

— Vou demorar apenas alguns minutos, Watson. Sr. Brown, estou à sua disposição.

Passaram-se uns bons vinte minutos e o vermelho do horizonte se transformara em cinza quando Holmes e o treinador reapareceram. Jamais vi mudança tão grande em tão pouco tempo como a exibida por Silas Brown. O rosto estava pálido ao extremo, a testa coberta de suor, e a mão que segurava o chicote tremia como um galho de árvore ao vento. As maneiras agressivas haviam desaparecido, e ele se encolhia ao lado de meu amigo como um cão junto ao dono.

— Suas instruções serão cumpridas. Todas elas — disse.

— Não pode haver erros — insistiu Holmes, olhando-o fixamente.

O outro estremeceu ao perceber a ameaça nos olhos dele.

— Oh, não! Não haverá erros. Estará lá. Devo mudá-lo antes ou não?

Holmes pensou um pouco e depois começou a rir.

— Não, não — disse ele. — Vou escrever para você a respeito disso. Agora, nada de truques, ou...

— Pode confiar em mim! Pode confiar!

— Sim, acho que posso. Bem, terá notícias minhas amanhã.

Virando-se, ignorando a mão trêmula que o outro lhe estendia, partimos para King's Pyland.

— Poucas vezes encontrei um sujeito tão agressivo, covarde e falso quanto o Silas Brown — observou Holmes enquanto caminhávamos.

— Ele está com o cavalo?

— Tentou negar, mas descrevi com tanta exatidão a sua maneira de agir naquela manhã que ele se convenceu de que eu o estava observando. Você deve ter notado o formato peculiar, quadrado, das pegadas, que coincide exatamente com o das botas dele. Claro que nenhum subordinado ousaria fazer uma coisa dessas. Disse a ele que, como era seu hábito, fora o primeiro a levantar-se e que notara um cavalo vagueando pelo pântano. Ele foi buscá-lo e, para sua surpresa, reconheceu pela marca branca na testa, da qual vem o nome do favorito, que a sorte colocara em suas mãos o único cavalo capaz de derrotar aquele em que investira o dinheiro. Comentei que seu primeiro impulso fora levá-lo de volta a King's Pyland e que o demônio lhe havia sugerido sumir com o animal até depois da corrida, ocultando-o em Mapleton. Depois que descrevi todos esses detalhes, ele cedeu, pensando apenas em salvar a própria pele.

— Mas as cavalariças foram revistadas.

— Ora, um velho treinador de cavalos como ele deve conhecer muitos truques.

— Mas não tem medo de deixar o animal nas mãos dele, já que tem todo interesse em prejudicá-lo?

— Meu caro amigo, ele o guardará como a menina dos seus olhos. Sabe que sua única esperança de escapar é entregá-lo incólume.

— O coronel Ross não me pareceu um homem disposto a mostrar misericórdia em nenhuma situação.

— A questão não está nas mãos do coronel Ross. Sigo meus próprios métodos e revelo ou escondo o que quiser. É a vantagem de agir extraoficialmente. Não sei se observou, Watson, mas as atitudes do coronel foram um tanto ofensivas em relação a mim. Agora estou disposto a me divertir um pouco à custa dele. Não diga uma palavra a ele sobre o cavalo.

— Não sem a sua permissão, é claro.

— E este é um aspecto insignificante se comparado à questão de quem matou John Straker.

— E pretende se dedicar ao assunto?

— Pelo contrário. Voltaremos a Londres pelo trem noturno.

Fiquei perplexo com as palavras do meu amigo. Estávamos em Devonshire havia poucas horas e o fato de desistir de uma investigação iniciada de modo tão brilhante era totalmente incompreensível para mim. Não consegui arrancar-lhe uma única palavra até voltarmos à casa do treinador. O coronel e o inspetor nos aguardavam na sala.

— Meu amigo e eu voltaremos para a cidade pelo trem da meia-noite — disse Holmes. — Tivemos a oportunidade de respirar um pouco o excelente ar de Dartmoor.

O inspetor arregalou os olhos, e os lábios do coronel contorceram-se num sorriso de escárnio.

— Então não espera ser capaz de prender o assassino do pobre Straker — observou.

Holmes deu de ombros.

— Há sérias dificuldades — disse. — Mas tenho esperanças de que seu cavalo corra na terça-feira e peço que mantenha o seu jóquei preparado. Pode me conseguir uma foto do sr. Straker?

O inspetor tirou do bolso um envelope e entregou-o a Holmes.

— Meu caro Gregory, você prevê todos os meus pedidos. Se aguardarem aqui um instante, gostaria de fazer uma pergunta à empregada.

— Devo dizer que estou muito decepcionado com o nosso consultor de Londres — disse o coronel Ross sem rodeios, quando meu amigo saiu da sala. — Acho que não fizemos nenhum progresso com sua vinda aqui.

— Pelo menos tem a garantia dele de que seu cavalo correrá — observei.

— Sim, tenho a garantia dele — disse o coronel, dando de ombros. — Mas preferia ter o meu cavalo.

Eu estava prestes a dizer alguma coisa em defesa do meu amigo quando ele voltou à sala.

— Agora, senhores, vamos para Tavistock.

Quando entrávamos na carruagem, um dos cavalariços segurou a porta aberta para nós. Uma ideia repentina parecia ter ocorrido a Holmes, que se inclinou para a frente e tocou a manga do rapaz.

— Há algumas ovelhas no paddock. Quem cuida delas?

— Sou eu, senhor.

— Notou algo de estranho nelas nos últimos tempos?

— Bem, nada de muito importante. Mas três começaram a mancar, senhor.

Percebi que Holmes ficou extremamente satisfeito, porque soltou uma risadinha e esfregou as mãos.

— Um tiro de longo alcance, Watson. De longo alcance! — disse ele, beliscando o meu braço. — Gregory, permita que chame a sua atenção para essa estranha epidemia entre as ovelhas. Pode seguir, cocheiro!

O coronel Ross conservava a expressão de quem não tinha em alta conta a capacidade do meu amigo, mas percebi pela fisionomia do inspetor que ele ficou profundamente interessado.

— Considera o fato importante? — perguntou.

— Extremamente.

— Há algum ponto para o qual desejaria chamar a minha atenção?

— Para o estranho incidente do cachorro durante a noite.

— O cachorro não fez nada durante a noite.

— É esse o estranho incidente — observou Sherlock Holmes.

Quatro dias depois, Holmes e eu estávamos novamente no trem, a caminho de Winchester, para assistir às corridas da Copa Wessex. O coronel nos encontrou no local marcado, diante da estação, e seguimos em sua carruagem para a pista de corridas, que ficava fora da cidade. Ele estava muito sério e sua atitude era extremamente fria.

— Não tive notícias do meu cavalo — disse ele.

— Será capaz de reconhecê-lo quando o vir? — perguntou Holmes.

O coronel zangou-se.

— Estou no turfe há vinte anos e nunca me fizeram pergunta mais absurda. Até uma criança reconheceria Silver Blaze, com a mancha branca na testa e a perna dianteira malhada.

— Como vão as apostas?

— Bem, isso é que é estranho. Ontem seria possível obter quinze por um, mas a quantia foi se reduzindo e hoje mal se consegue três por um.

— Hum! — fez Holmes. — Alguém soube de alguma coisa, é claro.

Quando a carruagem se aproximava do palanque especial, olhei para o placar, a fim de verificar os páreos. Dizia o seguinte:

> Wessex Plate, cinquenta soberanos cada, com mil soberanos extras para cavalos de quatro e cinco anos. Segundo, trezentas libras. Terceiro, duzentas libras. Pista nova (1.615 metros).

1. The Negro, proprietário: sr. Heath Newton (boné vermelho, camisa mostarda).
2. Pugilist, coronel Wardlaw (boné rosa, camisa azul e preta).
3. Desborough, lorde Blackwater (boné e camisa amarelos).
4. Silver Blaze, coronel Ross (boné preto, camisa vermelha).
5. Iris, duque de Balmoral (amarelo com listas pretas).
6. Rasper, lorde Singleford (boné roxo, camisa preta).

— Retiramos o outro cavalo e depositamos todas as nossas esperanças na sua palavra — disse o coronel. — Como? Silver Blaze é o favorito?

"Cinco a quatro contra Silver Blaze!", gritou o alto-falante. "Cinco a quatro contra Silver Blaze! Quinze a cinco contra Desborough! Cinco a quatro na raia!"

— Lá estão os números! — exclamei. — E são seis.

— Seis! Então meu cavalo está correndo! — exclamou o coronel, muito agitado. — Mas não o vejo. Minhas cores ainda não desfilaram.

— Só desfilaram cinco. Ele deve vir agora.

No momento em que eu falava, um vigoroso cavalo baio saiu do recinto de pesagem e passou por nós, trazendo nas costas as conhecidas cores do coronel: vermelho e preto.

— Aquele não é o meu cavalo — exclamou o proprietário. — Aquele animal não tem um só fio branco no corpo. O que foi que fez, sr. Holmes?

— Bem, bem, vamos ver como ele se sai — disse o meu amigo, imperturbável.

E ficou observando por alguns minutos com o meu binóculo.

— Ótimo! Um excelente páreo! — exclamou de repente. — Lá vêm eles fazendo a curva.

Da nossa carruagem podíamos vê-los muito bem quando se aproximavam da reta. Os seis cavalos estavam tão próximos que um só tapete cobriria todos eles, mas no meio do percurso o amarelo do haras Mapleton começou a tomar a dianteira. Entretanto, antes de chegarem ao ponto onde estávamos, Desborough perdeu terreno, e o cavalo do coronel, adiantando-se, ultrapassou a marca da chegada com uns seis corpos de vantagem sobre o rival, e Iris, do duque de Balmoral, chegou em terceiro, com grande atraso.

— Ganhei a corrida, de qualquer modo! — exclamou o coronel, passando a mão nos olhos. — Confesso que não entendo nada. Não acha que está na hora de revelar o mistério, sr. Holmes?

— Sem dúvida, coronel. Saberá de tudo. Vamos todos dar uma espiada no cavalo. Aqui está ele — continuou, quando entramos no recinto da pesagem, onde só era permitido o ingresso dos proprietários e de seus amigos. — Basta lavar a cabeça e as pernas com álcool e encontrará o velho Silver Blaze de sempre.

— Estou abismado!

— Encontrei-o nas mãos de um impostor e tomei a liberdade de fazê-lo correr do jeito como foi enviado.

— Meu caro, o senhor fez maravilhas. O cavalo parece muito bem. Nunca o vi melhor em toda a sua vida. Peço mil desculpas por ter duvidado da sua capacidade. Prestou-me um grande favor recuperando o meu cavalo. E faria um favor ainda maior se pudesse descobrir o assassino de John Straker.

— Já descobri — disse Holmes com calma.

O coronel e eu olhamos para ele espantados.

— Já descobriu? Então, onde está?

— Aqui.

— Aqui! Onde?

— Em minha companhia, neste momento.

O coronel ficou vermelho de raiva.

— Reconheço que lhe devo favores, sr. Holmes, mas considero o que acaba de dizer uma piada de mau gosto, ou um insulto.

Sherlock Holmes riu.

— Garanto que não o associei ao crime, coronel. O verdadeiro assassino está exatamente atrás do senhor!

E avançando um passo, pousou a mão no pescoço brilhante do puro-sangue.

— O cavalo! — o coronel e eu gritamos.

— Sim, o cavalo. E sua culpa será menor se eu disser que agiu em defesa própria e que John Straker era totalmente indigno de sua confiança. Mas já soou o sinal. E como devo ganhar no próximo páreo, vou adiar a explicação mais detalhada para um momento mais conveniente.

Tínhamos uma parte de um vagão Pullman só para nós naquela noite, quando voltamos a Londres, e creio que a viagem foi curta tanto para o coronel como para mim, enquanto ouvíamos a narrativa dos fatos ocorridos no haras de treinamento de Dartmoor, na noite de segunda-feira, e como Holmes conseguira destrinchá-los.

— Confesso que todas as teorias que eu havia elaborado com base nas reportagens dos jornais eram totalmente equivocadas. Mas continham indícios e é pena que eles tenham sido ofuscados por detalhes que mascararam a sua verdadeira importância. Fui para Devonshire convencido de que Fitzroy Simpson era o verdadeiro culpado, embora percebesse que as provas contra ele não eram definitivas.

"Ainda na carruagem, no momento em que chegamos à casa do treinador, percebi a grande importância do carneiro ao curry. Talvez se lembrem de que eu estava distraído e continuei sentado depois que todos saltaram. Eu me perguntava como podia ter ignorado uma pista tão óbvia."

— Confesso que continuo sem saber de que modo isso nos ajudará — disse o coronel.

— Foi o primeiro elo na minha cadeia de raciocínio. O ópio em pó não é insípido. O sabor não é desagradável, mas é perceptível. Misturado a um prato comum, seria notado, e a pessoa com certeza deixaria de lado a comida. O curry era exatamente o condimento que disfarçaria o gosto. Fitzroy Simpson, um estranho, não podia ser absolutamente responsável pelo fato de servirem esse prato naquela noite, e seria absurdo supor que, por coincidência, ele apareceria com o ópio em pó justo na noite em que a comida disfarçaria o sabor. É inconcebível. Simpson fica, portanto, eliminado do caso, e a nossa atenção se concentra em Straker e sua mulher, as duas únicas pessoas que poderiam ter escolhido carneiro com curry naquela noite. O ópio foi acrescentado depois que o prato foi preparado para o cavalariço, já que os outros comeram o carneiro sem nenhum efeito desagradável. Quem se aproximaria daquele prato sem que a empregada percebesse?

"Antes de resolver essa questão, percebi a importância do silêncio do cachorro, pois uma conclusão verdadeira invariavelmente sugere outras. O incidente com Simpson demonstrou que um cão era mantido nas cavalariças e que, embora alguém tivesse entrado e retirado um cavalo, ele não latira o suficiente para despertar os dois rapazes que dormiam no celeiro. É óbvio que o visitante noturno era alguém que o cachorro conhecia muito bem.

"Eu já estava convencido, ou quase convencido, de que John Straker havia descido até as cavalariças durante a noite e retirado Silver Blaze dali. Com que finalidade? Desonesta, é evidente, caso contrário por que teria dopado o próprio cavalariço? Mas eu não descobria o motivo. Já houve casos de treinadores que ganharam muito dinheiro apostando contra os próprios cavalos por intermédio de agentes e depois impedindo-os de ganhar de modo fraudulento. Às vezes é um jóquei desonesto, às vezes são métodos mais seguros e sutis. No caso, o que seria? Eu esperava que o conteúdo de seus bolsos me ajudasse a chegar a uma conclusão.

"E ajudou. Não devem ter esquecido o punhal pouco comum encontrado na mão do morto, punhal que nenhum homem sensato escolheria como arma. Como disse o dr. Watson, era um instrumento usado para uma das mais delicadas operações cirúrgicas. E seria usado naquela noite para uma operação delicada. Com sua grande experiência no turfe, deve saber, coronel Ross, que é possível fazer um pequeno corte subcutâneo nos tendões da anca de um cavalo sem deixar nenhum vestígio. Um cavalo submetido a isso começaria a mancar ligeiramente, o que seria atribuído a excesso de exercício, ou a um reumatismo brando, mas nunca a uma ação criminosa."

— Bandido! Desgraçado! — exclamou o coronel.

— Esta é a explicação do motivo pelo qual John Straker queria levar o cavalo para o pântano. Um animal tão vivo teria despertado os rapazes, por mais profundo que fosse o seu sono, ao sentir a picada de uma lâmina. Era absolutamente necessário agir ao ar livre.

— Eu estava cego! — exclamou o coronel. — Foi para isso que precisou da vela e riscou o fósforo, é claro.

— Sem dúvida. Mas, ao examinar seus pertences, tive a sorte de descobrir não só o método do crime, mas também os motivos. Como homem de sociedade, coronel, sabe que ninguém carrega no bolso contas alheias. Todos nós já temos preocupações suficientes para manter em dia as nossas. Concluí imediatamente que Straker vivia uma vida dupla e mantinha uma outra casa. A natureza da conta revelava que havia uma mulher na história e que ela gostava de coisas caras. Por mais liberal que você seja com os seus empregados, não espera que eles comprem vestidos de 25 guinéus para as mulheres. Interroguei a sra. Straker em relação ao vestido sem que ela o percebesse e, tendo me certificado de que ela jamais o recebera, anotei o endereço da costureira e achei que, indo lá com uma foto de Straker, eliminaria com facilidade o fictício Derbyshire.

"Daí em diante tudo ficou fácil. Straker havia conduzido o cavalo até uma depressão do terreno onde a luz ficaria invisível. Simpson, na fuga, deixara cair a gravata e Straker a apanhara, talvez com a intenção de usá-la para amarrar a perna do cavalo. Na depressão, postou-se atrás do animal e riscou o fósforo, mas o cavalo, assustado pela claridade súbita e dotado do estranho instinto dos animais, que sentem quando algo os ameaça, soltou-se, e a ferradura de aço dele atingiu Straker em cheio na testa. Apesar da chuva, ele havia tirado o sobretudo para executar a delicada tarefa, de modo que, ao cair, a lâmina cortou-lhe a coxa. Deixei tudo bem claro?"

— Maravilhoso! — exclamou o coronel. — Maravilhoso! Como se tivesse visto a cena.

— Meu lance final, confesso, foi um tiro no escuro. Achei que um homem esperto como Straker não iria executar a tarefa delicada de perfurar um tendão sem praticar um pouco antes. Como teria praticado? Meu olhar caiu sobre as ovelhas, fiz uma pergunta e, para minha surpresa, percebi que a hipótese era correta.

— Esclareceu perfeitamente o caso, sr. Holmes.

— Voltando a Londres, visitei a costureira, que prontamente admitiu que Straker era um excelente freguês, chamado Derbyshire, cuja mulher era muito elegante e gostava de vestidos caros. Estou certo de que ela o afundou em dívidas, conduzindo-o, assim, a este plano infeliz.

— Explicou tudo, menos um detalhe! — exclamou o coronel. — Onde estava o cavalo?

— Saiu em disparada pelo pântano e foi recolhido por um dos seus vizinhos. Acho que precisamos de uma anistia neste caso... Estamos em Clapham Junction, se não me engano, e em menos de dez minutos chegaremos a Victoria. Se quiser fumar um charuto conosco, coronel, será um prazer fornecer-lhe qualquer outro detalhe que possa interessá-lo.

O rosto amarelo

Ao publicar estes resumos baseados nos numerosos casos em que fui testemunha dos dons especiais de meu amigo, e eventualmente ator em algum drama estranho, é natural que eu dê mais atenção aos êxitos do que aos fracassos. E faço isso não tanto por causa de sua reputação — pois quando estava sem saber o que fazer é que sua energia e versatilidade se mostravam mais extraordinárias —, mas porque, nos casos em que fracassou, ninguém mais teve êxito e a história permaneceu sem uma conclusão. Mas, de vez em quando, mesmo quando ele errava, a verdade vinha à tona. Guardo anotações de meia dúzia de casos desse tipo, entre os quais o do Ritual Musgrave e o que vou contar agora são os que apresentam características mais interessantes.

Sherlock Holmes era homem que em raras ocasiões fazia exercícios pelo simples prazer de se exercitar. Poucos seriam capazes de maior esforço muscular, e ele era, sem dúvida, um dos melhores boxeadores de sua categoria que jamais conheci; mas considerava o esforço físico sem objetivo pura perda de energia, e ele quase nunca se punha em movimento, a não ser quando havia algum motivo profissional. Nessas ocasiões mostrava-se absolutamente incansável. É extraordinário que se mantivesse em forma nessas circunstâncias, mas a dieta era, em geral, das mais frugais e os hábitos tão simples a ponto de serem quase austeros. Com exceção do uso ocasional da cocaína, não tinha vícios, e só recorria à droga em protesto contra a monotonia da existência, quando os casos eram raros e os jornais desprovidos de interesse.

Um dia, no início da primavera, ele cedeu a ponto de fazer um passeio comigo no parque, onde os primeiros brotos verdes despontavam nos olmos e os ramos dos castanheiros começavam a cobrir-se de folhas. Caminhamos durante duas horas, quase sempre em silêncio, como convém a duas pessoas que se conhecem intimamente. Eram quase cinco da tarde quando voltamos à Baker Street.

— Um cavalheiro esteve aqui perguntando pelo senhor — disse o criado ao abrir a porta.

Holmes lançou-me um olhar de censura.

— Veja para que servem os passeios à tarde! O cavalheiro já foi embora?

— Sim, senhor.

— Não o convidou a entrar?

— Sim, senhor, ele entrou.

— Quanto tempo esperou?

— Meia hora. Parecia muito agitado. Ficou andando de um lado para outro durante todo o tempo em que esteve aqui. Como eu estava esperando junto à porta, ouvi muito bem. Por fim, ele saiu para o vestíbulo, dizendo: "Esse homem não vai chegar nunca?". Foi assim mesmo que ele falou, senhor. "Espere um pouquinho", eu disse. "Então vou esperar lá fora. Tenho a impressão de que vou sufocar. Voltarei daqui a pouco." Saiu e eu não consegui detê-lo.

— Você fez o que pôde — disse Holmes, entrando na sala. — É muito irritante, Watson. Eu estava precisado com urgência de um caso e, pela impaciência do homem, este devia ser importante. Veja! O cachimbo que está na mesa não é o seu! Ele deve tê-lo esquecido. Um velho briar, com haste boa e longa, feita do que os especialistas chamam âmbar. Fico imaginando quantos bocais de âmbar verdadeiro existirão em Londres. Muita gente pensa que um ponto escuro é sinal do artigo genuíno, mas há uma verdadeira indústria especializada em colocar marcas falsas em falso âmbar. O homem devia estar bastante perturbado para esquecer um cachimbo de que, evidentemente, gosta muito.

— Como sabe que ele gosta do cachimbo? — perguntei.

— Bem, avalio o custo original do cachimbo em sete libras e seis pence. Ele foi consertado duas vezes, uma na haste de madeira e outra na biqueira do âmbar. Cada uma dessas emendas foi feita, como vê, com aros de prata, e pode ter custado mais que o preço original do cachimbo. O homem deve gostar muito dele, já que prefere consertá-lo a comprar um novo pelo mesmo preço.

— Mais alguma coisa? — perguntei, pois Holmes continuava a revirar o cachimbo e a observá-lo, pensativo, com o jeito peculiar.

Erguendo-o, deu-lhe pancadinhas com o dedo longo e fino, lembrando um professor discorrendo sobre um osso.

— Cachimbos apresentam, às vezes, um interesse extraordinário. Nada tem mais individualidade, à exceção de relógios e correias de botas. Nesse caso, os indícios não são nem muito marcantes nem muito importantes. O proprietário é evidentemente um homem musculoso, canhoto, de hábitos descuidados e não precisa economizar.

Meu amigo deu a informação em tom casual, mas notei que me olhava de relance para ver se eu acompanhava o raciocínio.

— Acha que é preciso ser rico para fumar um cachimbo de sete xelins? — perguntei.

— Esta mistura é Grosvenor e custa oito pence a onça — respondeu Holmes, derramando um pouco na palma da mão. — Como ele poderia obter um fumo excelente por metade do preço, não precisa economizar.

— E os outros detalhes?

— Ele tem o hábito de acender o cachimbo em lampiões ou chamas de gás. Veja como está queimado de um lado. Claro que um fósforo não provocaria essa mancha. Por que alguém encostaria uma chama na parte lateral do cachimbo? Mas é impossível acendê-lo num lampião sem chamuscá-lo. E está chamuscado do lado direito. Daí depreendo que se trata de um canhoto. Aproxime o seu cachimbo do lampião e veja como, sendo destro, inclina naturalmente o lado esquerdo para a chama. Você poderia inverter o gesto de vez em quando, mas não sempre. Este foi empunhado de modo constante dessa maneira. Além disso, o âmbar está profundamente mordido. Só um homem musculoso, enérgico e com bons dentes o conseguiria. Mas, se não me engano, ele vem subindo a escada. Teremos algo mais interessante do que o cachimbo para estudar.

Um instante depois a porta se abriu, e um rapaz alto entrou na sala. Vestia um terno cinza-escuro, de uma elegância discreta, e carregava uma bengala marrom. Calculei que tivesse uns trinta anos, embora na verdade fosse um pouco mais velho.

— Perdão — disse, um tanto embaraçado. — Creio que deveria ter batido antes de entrar. Sim, claro que deveria ter batido. O fato é que estou um tanto perturbado e devem me desculpar por isso.

Passou a mão pela cabeça como se estivesse meio aturdido e, em seguida, deixou-se cair numa cadeira.

— Vejo que não dorme há uma ou duas noites — observou Holmes, com o jeito tranquilo, cordial. — Isso abala mais os nervos do que o trabalho e ainda mais do que o prazer. Permita que pergunte como posso ajudá-lo.

— Gostaria de ouvir a sua opinião, sr. Holmes. Não sei o que fazer. Tenho a impressão de que toda a minha vida foi destruída.

— Quer me contratar como detetive?

— Não apenas isso. Quero sua opinião como homem judicioso, como homem do mundo. Quero saber como agir. Espero em Deus que possa me orientar.

Falava aos arrancos e fiquei com a impressão de que era doloroso para ele expressar-se, e que a vontade dominava o tempo todo a sua inclinação.

— Trata-se de um assunto muito delicado. Ninguém gosta de falar das questões domésticas com estranhos. Acho detestável discutir a conduta da minha mulher com duas pessoas que nunca vi antes. É horrível ter de fazer isso. Mas não sei a quem recorrer e preciso de conselho.

— Meu caro sr. Grant Munro... — começou Holmes. Nosso visitante levantou-se de um salto.

— O quê? Sabe meu nome?

— Quando quiser manter-se incógnito, sugiro que deixe de escrever seu nome no forro do chapéu, ou então vire a copa para a pessoa com quem está falando — disse Holmes, sorrindo. — Eu ia dizer que meu amigo e eu ouvimos nesta sala muitos segredos estranhos e que tivemos a sorte de levar paz a muitas almas atormentadas. Espero que possamos fazer o mesmo pelo senhor. Como o tempo talvez seja um fator importante, peço que me conte os fatos sem mais demora.

Nosso visitante passou de novo a mão pela testa, como se fosse extremamente difícil contar. Os gestos e as expressões mostravam que ele era um homem reservado, introvertido, com um traço de orgulho no temperamento, mais inclinado a esconder as dores que a expô-las. De repente, com um gesto brusco da mão fechada, como alguém que se liberta de toda a reserva, ele começou:

— Os fatos são os seguintes, sr. Holmes. Sou casado há três anos. Minha mulher e eu nos amamos profundamente e vivemos felizes durante esse período, tão felizes quanto podem ser duas pessoas unidas. Não tivemos nenhuma divergência, nem uma só, em pensamentos, palavras ou atos. Mas na última segunda-feira surgiu de repente uma barreira entre nós. Descobri que existe algo na vida e nos pensamentos de minha mulher que ignoro, como se ela fosse uma pessoa qualquer que passa por mim na rua. Estamos afastados um do outro e quero saber por quê.

"Antes de prosseguir, quero deixar bem claro, sr. Holmes. Effie me ama. Quanto a isso, não há dúvida. Ela me ama de todo o coração e agora mais do que nunca. Eu sei. Eu sinto. Não quero discutir sobre isto. Um homem sabe muito bem quando uma mulher o ama. Mas há este segredo entre nós, e nossa vida não voltará a ser a mesma até que ele se esclareça."

— Tenha a bondade de me apresentar os fatos, sr. Munro — disse Holmes, um tanto impaciente.

— Vou contar o que sei a respeito de Effie. Embora muito jovem, com 25 anos apenas, ela era viúva quando a conheci. Chamava-se sra. Hebron. Foi para os Estados Unidos ainda menina e morou na cidade de Atlanta, onde se casou com esse Hebron, advogado com uma grande clientela. Tiveram uma filha, mas quando houve um surto de febre amarela, o marido e a criança morreram. Vi o atestado de óbito. Muito desgostosa, Effie resolveu sair dos Estados Unidos e voltou para morar com uma tia solteira em Pinner, Middlesex. Devo dizer que o marido a deixou em boa situação financeira, e que ela tem um capital de 4.500 libras, investido tão bem por ele que rende em média sete por cento. Effie estava em Pinner havia seis meses quando a conheci. Nós nos apaixonamos e nos casamos algumas semanas depois.

"Sou representante de firmas comerciais, minha renda é de setecentas ou oitocentas libras, de modo que vivemos sem preocupações financeiras. Aluguei uma casa bonita, por oitenta libras anuais, em Norbury. A propriedade parece estar em pleno campo, embora se encontre bem perto da cidade. Há uma hospedaria, duas casas um pouco adiante e um chalé em frente, do outro lado do campo. Com exceção dessas construções, não há mais nada até a metade do caminho para a estação. Os negócios me obrigavam a ir à cidade em determinadas ocasiões, mas no verão eu tinha menos coisas para fazer, e nesses períodos, em nossa casa de campo, minha mulher e eu vivemos tão felizes quanto se possa desejar. Garanto que nunca houve uma sombra entre nós até que surgiu esse maldito caso.

"Há uma coisa que preciso dizer antes de continuar. Quando nos casamos, minha mulher transferiu para o meu nome todos os seus bens, contra a minha vontade, porque seria muito desagradável se meus negócios corressem mal. Mas Effie insistiu, e assim foi feito. Há cerca de seis semanas ela me procurou.

"'Jack, quando transferi meu dinheiro para o seu nome, você disse que se eu precisasse de alguma quantia, bastaria pedir.'

"'Certamente. O dinheiro é todo seu.'

"'Preciso de cem libras.'

"Fiquei espantado, porque pensei que ela queria um vestido novo, ou algo semelhante.

"'Para quê?'

"Com um jeito brincalhão, ela respondeu: 'Você disse que seria apenas o meu banqueiro, e banqueiros não fazem perguntas.'

"'Se quer mesmo a quantia, é claro que a terá', respondi.

"'Sim, estou falando sério.'

"'E não vai me dizer para que você quer o dinheiro?'

"'Um dia, talvez, Jack, mas não agora.'

"Tive de me contentar com isso, embora, pela primeira vez, surgisse um segredo entre nós. Entreguei-lhe um cheque e não pensei mais no assunto. Talvez isso nada tenha a ver com o que aconteceu em seguida, mas achei que devia mencioná-lo.

"Bem, acabei de contar que há um chalé perto da nossa casa. Há um descampado entre o chalé e a casa, mas para alcançá-lo é preciso ir até a estrada e depois entrar por uma alameda. Logo adiante fica um lindo bosque de abetos escoceses, onde eu gostava de passear, porque as árvores são sempre acolhedoras. O chalé estava desocupado havia oito meses, o que era uma pena, pois trata-se de uma construção simpática de dois andares, com uma varanda em estilo antigo, coberta de trepadeiras. Observei-a diversas vezes, pensando que seria muito agradável morar ali.

"Bem, na segunda-feira passada, ao anoitecer, eu passeava por aqueles lados quando encontrei um caminhão vazio vindo da casa e vi uma pilha de tapetes e objetos espalhados pelo gramado diante da varanda.

"Era evidente que o chalé finalmente fora alugado. Passei diante dele e depois parei para observá-lo, imaginando que tipo de gente teria vindo morar tão perto de nós. De repente, percebi que um rosto me observava de uma das janelas do andar superior.

"Não sei o que havia naquele rosto, sr. Holmes, mas o fato é que me provocou um calafrio. Eu estava a certa distância, de modo que não podia distinguir as feições, mas havia nele algo que não era natural nem humano. Foi a impressão que eu tive. Aproximei-me para olhar mais de perto a pessoa que me observava. Mas o rosto desapareceu de modo tão repentino que parecia ter sido absorvido pela escuridão do quarto. Permaneci ali uns cinco minutos, pensando no caso e tentando analisar as minhas impressões. Não seria capaz de dizer se o rosto era de homem ou de mulher, porém o que mais me impressionou foi a cor. Era de uma palidez amarelada, e com uma rigidez espantosamente anormal. Fiquei tão perturbado que decidi saber mais um pouco a respeito dos novos moradores da casa. Aproximei-me e bati na porta, que foi aberta de imediato por uma mulher alta e magra, de expressão severa e dura.

"'O que quer?', perguntou com um sotaque do norte.

"'Sou seu vizinho. Moro ali', disse, apontando para minha casa. 'Vejo que acabam de se mudar, e pensei que talvez pudesse ajudar em alguma coisa...'

"'Sim, nós pediremos ao senhor quando for necessário', disse ela, fechando a porta na minha cara.

"Aborrecido com aquela recepção grosseira, fiz meia-volta e fui para casa. À noite, embora tentasse pensar em outras coisas, a lembrança daquela aparição na janela e da grosseria da mulher voltou à minha mente. Decidi não contar nada à minha esposa, porque é uma pessoa nervosa e tensa, e eu não queria que ela ficasse com a mesma impressão desagradável que eu havia tido. Mas antes de adormecer, comentei que a casa vizinha fora alugada. Ela não disse nada.

"Em geral, tenho sono pesado. Minha família costumava brincar dizendo que nada seria capaz de me despertar durante a noite. Mas naquela noite, fosse por causa da ligeira euforia provocada pela minha pequena aventura ou por outro motivo qualquer, não sei, meu sono foi mais leve que de costume. Ainda meio adormecido, percebi que algo estava acontecendo no quarto e aos poucos percebi que minha mulher se vestira e estava pondo uma capa e o chapéu. Já iria dizer algumas palavras sonolentas de espanto ou censura por causa daqueles preparativos absurdos, quando meus olhos entreabertos fixaram-se no rosto dela, iluminado por uma vela. Mas fiquei mudo de surpresa. Effie estava com uma expressão que eu jamais vira e da qual a julgava incapaz. Estava mortalmente pálida, a respiração acelerada. Olhou furtivamente para a cama enquanto ajustava a capa, para ver se me despertara. Então, pensando que eu dormia, saiu silenciosamente do quarto, e instantes depois ouvi um áspero rangido que só podia ser o da porta de entrada. Sentei-me na cama e bati com os nós dos dedos na borda para verificar se eu estava de fato acordada. Então olhei para o relógio. Eram três horas. O que minha mulher estaria fazendo numa estrada deserta às três horas?

"Fiquei sentado na cama uns vinte minutos, remoendo o assunto e tentando encontrar uma explicação. Quanto mais pensava no caso, mais extraordinário e absurdo ele me parecia. Ainda estava remoendo o assunto quando ouvi a porta se abrindo devagar e passos subindo as escadas.

"'Onde esteve, Effie?', perguntei, mal ela entrou.

"Ela estremeceu violentamente e conteve um grito quando me ouviu falar, e o grito e o estremecimento perturbaram-me mais do que tudo, pois continham algo de profundamente culpado. Minha mulher sempre tivera uma natureza franca, aberta, e fiquei arrepiado ao vê-la esgueirar-se para o próprio quarto e conter um grito e um estremecimento quando o marido falou com ela.

"'Está acordado, Jack?', disse, com um riso nervoso. 'Pensei que nada seria capaz de despertá-lo.'

"'Onde esteve?', repeti, num tom mais severo.

"'Não admira que você esteja surpreso', disse, dedos trêmulos ao abrir o fecho da capa. 'Creio que nunca fiz uma coisa dessas na minha vida. O fato é que tive a impressão de sufocar aqui dentro e quis respirar um pouco de ar puro. Creio que teria desmaiado se não saísse. Fiquei à porta durante alguns minutos e agora estou me sentindo melhor.'

"Enquanto falava, não olhou para mim nem uma vez, e a voz não era a habitual. O que dizia era falso, evidentemente. Não respondi e virei o rosto para a parede sentindo-me doente, a cabeça cheia de dúvidas e suspeitas venenosas. O que minha mulher estaria escondendo de mim? Qual seria o objetivo da estranha saída? Estava convencido de que não descansaria até descobrir o mistério, mas não tinha ânimo para interrogá-la de novo depois de ter-me mentido. Passei o resto da noite me revirando na cama, elaborando uma teoria após outra, cada qual mais improvável que a anterior.

"Tinha de ir à cidade naquele dia, mas estava tão perturbado que não consegui concentrar-me nos negócios. Minha mulher parecia tão perturbada quanto eu, e pelos rápidos olhares que me lançava, percebi que sabia que eu não havia acreditado nas suas palavras e estava sem saber o que fazer. Mal trocamos uma palavra durante o café da manhã, e logo depois saí para dar um passeio e pensar no assunto ao ar fresco da manhã.

"Fui até o Palácio de Cristal, passei uma hora nos jardins e voltei a Norbury por volta das uma da tarde. Ao passar pelo chalé, parei um instante para observar as janelas e tentar ver novamente o estranho rosto que me olhara na véspera. Naquele momento, imagine a minha surpresa, sr. Holmes, quando a porta se abriu de repente e minha mulher saiu para o jardim!

"Fiquei abismado ao vê-la, mas as minhas emoções nada foram comparadas às que se estamparam no rosto dela quando nossos olhares se encontraram. Por um instante, ela deu a impressão de que queria recuar e entrar de novo na casa. Mas, ao perceber que seria inútil tentar esconder-se, aproximou-se, com o rosto muito pálido e um olhar apavorado que contrastava com o sorriso.

"'Olá, Jack! Vim ver se podia ajudar nossos vizinhos em alguma coisa. Por que está me olhando assim, Jack? Está zangado comigo?'

"'Então foi aqui que você veio durante a noite...'

"'O que você quer dizer?'

"'Você veio até aqui, tenho certeza. Quem são essas pessoas que você visita em hora tão absurda?'

"'Nunca estive aqui antes.'

"'Como pode me dizer uma coisa que sabe que é falsa? Sua própria voz está diferente. Quando foi que tive segredos para você? Vou entrar nessa casa e esclarecer o assunto.'

"'Não, não, Jack, pelo amor de Deus!', arquejou, profundamente abalada.

"E como eu me dirigisse para a porta, agarrou meu braço e puxou-me para trás com uma força convulsiva.

"'Imploro que não faça isso, Jack. Juro que contarei tudo um dia, mas haverá uma desgraça se você entrar nessa casa.'

"E como eu tentasse desembaraçar-me, agarrou-se a mim, suplicando, frenética: 'Confie em mim, Jack! Confie por esta vez. Você nunca terá motivos para se arrepender. Sabe que eu não guardaria um segredo de você caso não fosse para poupá-lo. Nossas vidas estão em jogo nesta questão. Se voltar comigo para casa, tudo correrá bem. Se entrar ali à força, tudo estará acabado entre nós.'

"Havia tanta seriedade e desespero na atitude e nas palavras dela que fiquei indeciso diante da porta.

"'Confiarei em você sob uma condição, e somente assim. Que este mistério termine aqui. Você tem liberdade para guardar o seu segredo, mas deve me prometer que não haverá novas visitas noturnas, coisa alguma que não seja do meu conhecimento. Estou disposto a esquecer o que se passou se prometer que não acontecerá mais no futuro.'

"'Eu tinha certeza de que você confiaria em mim!', exclamou, com um profundo suspiro de alívio. 'Será como deseja. Venha, vamos para casa!'

"E puxando-me pelo braço, afastou-me do chalé. Quando olhei para trás, vi aquele rosto amarelo pálido, a nos observar de uma janela do segundo andar. Que ligação poderia haver entre aquela criatura e minha mulher? E como a mulher grosseira com quem eu falara na véspera poderia ter qualquer ligação com ela? Era um enigma estranho e eu sabia que não descansaria enquanto não o esclarecesse.

"Fiquei dois dias em casa e minha mulher cumpriu lealmente o nosso acordo, pois, que eu soubesse, não arredou pé dali. Mas no terceiro dia, tive provas de que a promessa solene não era suficiente para livrá-la da influência secreta que a afastava do marido e do dever.

"Fui à cidade naquele dia, mas voltei no trem das 14h40, e não no das 15h36, que é meu trem habitual. Quando entrei em casa, a criada surgiu no vestíbulo com uma expressão assustada.

"'Onde está sua ama?', perguntei.

"'Acho que saiu para dar um passeio', respondeu.

"'Fiquei desconfiado na mesma hora. Corri para cima, a fim de verificar se ela realmente não estava em casa. Olhei por acaso por uma das janelas do segundo andar, onde eu estava, e vi a criada com quem tinha acabado de falar correndo na direção do chalé. Compreendi logo o que aquilo significava, é claro. Minha mulher fora para lá e havia pedido à criada que a avisasse caso eu chegasse mais cedo. Enraivecido, desci a escada e saí de casa decidido a terminar essa história de uma vez por todas. Vi minha mulher e a criada aproximando-se às pressas pelo caminho, mas não parei para falar com elas. Naquela casa estava o segredo que lançava uma sombra sobre a minha vida e jurei que, fosse qual fosse o resultado, eu iria desvendar o mistério. Nem bati na porta quando cheguei lá. Girei a maçaneta e entrei no vestíbulo.

"O silêncio era total no andar térreo. Na cozinha, uma chaleira assobiava no fogo e um enorme gato preto estava deitado numa cesta, mas não havia sinal da mulher com quem eu tinha falado. Corri para a sala ao lado, mas também estava deserta. Então subi correndo a escada e encontrei dois quartos desertos. Não havia ninguém na casa. Os móveis e quadros eram dos mais vulgares, exceto no quarto em cuja janela eu tinha visto o rosto estranho. Era um aposento confortável e mobiliado com elegância, e todas as minhas suspeitas explodiram numa chama violenta e amarga quando vi sobre o consolo da lareira uma foto de corpo inteiro de minha mulher, tirada a meu pedido há apenas três meses.

"Fiquei ali o suficiente para me certificar de que a casa estava completamente deserta. Saí com um peso no coração como nunca havia sentido antes. Minha mulher apareceu no vestíbulo quando entrei em casa, mas eu estava magoado e furioso demais para falar com ela. Afastando-a, entrei no meu gabinete. Ela me seguiu e entrou também, antes que eu pudesse fechar a porta.

"'Lamento ter quebrado a minha promessa, Jack, mas, se você conhecesse todas as circunstâncias, tenho certeza de que me perdoaria.'

"'Então, conte tudo', exigi.

"'Não posso, Jack, não posso!'

"'Enquanto não me disser quem está morando naquela casa e para quem você deu a sua fotografia, não pode haver confiança entre nós dois.'

"Deixei-a ali e saí de casa. Isso aconteceu ontem, sr. Holmes, e não a vi desde então. E não sei mais nada a respeito desse caso estranho. Foi a primeira sombra que surgiu entre nós e abalou-me tanto que não sei o que fazer. Esta manhã ocorreu-me de repente que o senhor poderia me aconselhar e corri para cá, colocando-me por completo em suas mãos. Se existe algum ponto que não deixei claro, por favor, pergunte. Acima de tudo, diga o que devo fazer, pois esse desgosto é mais do que posso suportar."

Holmes e eu ouvimos com o maior interesse aquela história extraordinária, narrada em frases nervosas por um homem profundamente emocionado. Meu amigo ficou em silêncio por algum tempo, o queixo apoiado na mão, perdido em pensamentos.

— Poderia jurar que era de um homem o rosto que viu na janela? — perguntou, enfim.

— Nas duas vezes eu estava distante, de modo que não poderia afirmá-lo.

— Mas parece que o rosto deu-lhe uma impressão desagradável.

— Tinha uma cor esquisita e uma rigidez estranha nos traços. Quando me aproximei, desapareceu de repente.

— Quanto tempo faz que sua mulher lhe pediu as cem libras?

— Quase dois meses.

— Viu alguma foto do primeiro marido dela?

— Não. Houve um grande incêndio em Atlanta pouco depois da morte dele e todos os documentos de minha mulher foram destruídos.

— Mas ela conservou a certidão de óbito. Disse que a viu, não é?

— Sim. Ela conseguiu uma cópia após o incêndio.

— Sabe de alguém que a conheceu nos Estados Unidos?

— Não.

— Ela alguma vez falou em voltar para lá?

— Não.

— Recebe alguma correspondência?

— Não, que eu saiba.

— Obrigado. Gostaria de refletir sobre o assunto. Se a casa estiver definitivamente desocupada, teremos dificuldades; se, por outro lado, como acho mais provável, os moradores foram prevenidos da sua chegada e saíram antes, devem estar de volta, e conseguiremos esclarecer facilmente a questão. Aconselho-o a voltar a Norbury e examinar de novo as janelas da casa. Se tiver motivos para acreditar que está habitada, não entre à força. Mande um telegrama. Eu e meu amigo estaremos lá uma hora depois de recebê-lo e esclareceremos logo toda a questão.

— E se a casa continuar deserta?

— Neste caso irei até lá amanhã e conversaremos sobre o assunto. Adeus e, acima de tudo, não se preocupe antes de saber se tem realmente motivos para isso.

Depois de acompanhar o sr. Grant Munro até a porta, meu amigo disse:

— Temo que se trate de um caso desagradável, Watson. O que você acha?

— Parece muito desagradável — concordei.

— Sim. Há chantagem no caso, ou então estou muito enganado.

— E quem é o chantagista?

— Deve ser a criatura que vive no único aposento confortável da casa e tem a fotografia dela sobre a lareira. Há algo de muito atraente, Watson, naquele rosto lívido espreitando pela janela. Não perderia este caso por nada neste mundo.

— Tem alguma teoria?

— Sim, provisória. Mas ficarei surpreso se não estiver correta. O primeiro marido mora no chalé.

— Por que pensa assim?

— Como explicar a frenética ansiedade para que o segundo marido não entre na casa? Os fatos, a meu ver, dizem o seguinte: a mulher casou-se nos Estados Unidos. Descobriu que o marido tinha traços de caráter detestáveis, ou talvez tenha contraído uma doença repulsiva, tornando-se leproso ou imbecil. Fugiu dele viajando para a Inglaterra, mudou de nome e começou vida nova, segundo pensava. Estava casada havia três anos e considerava a situação totalmente segura, tendo exibido ao marido o atestado de óbito de alguém cujo nome adotou, e de repente o primeiro marido, ou quem sabe uma mulher sem escrúpulos que se ligou ao doente, descobriu o paradeiro dela e escreveu ameaçando denunciá-la. Ela pediu cem libras e tentou comprar o silêncio deles, que a perseguem, apesar disso. Quando o marido menciona casualmente que há novos inquilinos na casa, ela compreende que são os seus perseguidores. Espera que ele adormeça e corre até lá, tentando convencê-los a deixá-la em paz. Não conseguindo, volta na manhã seguinte, o marido a encontra, como contou, saindo da casa. Promete não voltar, mas, dois dias depois, a esperança de livrar-se daqueles vizinhos detestáveis foi forte demais e ela fez nova tentativa, levando a fotografia que eles provavelmente exigiram. No meio da conversa surge a criada dizendo que o patrão voltou para casa. A mulher, sabendo que ele iria direto para lá, faz com que os moradores saiam pelos fundos e se escondam no bosque de abetos que fica nas proximidades. Ele encontra a casa deserta. Mas eu me surpreenderia muito se ainda a encontrasse vazia ao observá-la esta noite. O que acha da minha teoria?

— Pura suposição.

— Mas, pelo menos, abrange todos os fatos. Se soubermos de novos fatos que não se encaixem nela, poderemos reconsiderar. Não podemos fazer mais nada até recebermos uma comunicação do nosso amigo de Norbury.

Mas não foi preciso esperar muito. Ela chegou quando terminávamos o chá.

"A casa continua habitada", dizia o telegrama. "Vi novamente o rosto na janela. Esperarei o trem das sete da noite e não tomarei nenhuma atitude até chegarem."

Ele nos aguardava na plataforma quando saltamos, e sob a luz da estação vimos que estava muito pálido, trêmulo e agitado.

— Continuam lá, sr. Holmes — disse, apoiando a mão no braço do meu amigo. — Vi luzes no chalé quando vinha para cá. Resolveremos tudo agora, de uma vez por todas.

— Qual é o seu plano? — perguntou Holmes enquanto caminhávamos pela estrada escura, ladeada de árvores.

— Vou entrar à força e ver quem mora na casa. Quero que vocês dois estejam lá como testemunhas.

— Está decidido a fazer isso apesar do aviso de sua mulher no sentido de que seria melhor não desvendar o mistério?

— Sim, estou decidido.

— Acho que tem razão. Qualquer verdade é preferível a uma dúvida indefinida. É melhor irmos logo. Claro que, do ponto de vista legal, estamos em situação irregular, mas creio que vale a pena.

Era uma noite muito escura, e uma chuva fina começou a cair quando saímos da estrada e enveredamos pelo caminho estreito e acidentado, com sebes de ambos os lados. O sr. Grant Munro seguia rápido, impaciente, mas nós andávamos aos tropeções, acompanhando-o como podíamos.

— Lá estão as luzes da minha casa — disse ele, apontando para cintilações entre as árvores. — E aqui está a casa que pretendo invadir.

Dobramos uma curva do caminho e demos com uma construção bem próxima. Uma faixa de luz amarelada mostrava que a porta não estava fechada de fato e uma janela do andar superior estava profusamente iluminada. Naquele momento, percebemos um vulto passando diante da veneziana.

— Lá está a criatura! — exclamou Grant Munro. — Podem ver que há alguém ali. Agora sigam-me e resolveremos logo tudo isso.

Aproximamo-nos da porta, mas de repente surgiu das sombras uma mulher, que se postou na faixa iluminada. Era impossível ver as feições dela no escuro, mas estendeu os braços num gesto de súplica.

— Pelo amor de Deus, não entre, Jack! Eu estava com um pressentimento de que você viria esta noite. Pense melhor, meu bem! Confie em mim, e nunca terá motivos para se arrepender.

— Já confiei demais, Effie! — gritou, zangado. — Largue-me! Preciso entrar. Meus amigos e eu vamos resolver este assunto de uma vez por todas.

Empurrou-a para o lado e nós fomos atrás dele. Quando ele abriu a porta, uma mulher idosa apareceu correndo e tentou impedi-lo de entrar, mas ele a afastou, e começamos a subir a escada. Grant Munro correu para o quarto iluminado, e nós o seguimos.

Era uma peça acolhedora e bem mobiliada, com duas velas acesas na mesa e duas sobre a lareira. A um canto, inclinada sobre uma escrivaninha, havia alguém que me pareceu uma garotinha. Estava de costas quando entramos, mas vimos que usava um vestido vermelho e luvas brancas compridas. Quando a criatura se virou para nós, soltei uma exclamação de surpresa e horror. O rosto que nos encarava tinha a coloração mais estranha que eu já vira, e os traços eram totalmente destituídos de expressão. Um instante depois, o mistério se esclareceu. Holmes, com uma risada, passou a mão por trás da orelha da criança e a máscara caiu do rosto dela. E vimos uma mulher negra retinta, com os dentes brancos à mostra, divertida com o nosso espanto. Desatei a rir, contagiado pela alegria dela, mas Grant Munro ficou olhando para ela imóvel, a mão apertando a garganta.

— Meu Deus! O que significa isto?

— Vou dizer o que significa — exclamou a mulher, entrando no quarto com uma expressão altiva e rígida no rosto. — Você me obrigou, contra minha vontade, a contar-lhe. Agora nós dois teremos de agir da melhor maneira possível. Meu marido morreu em Atlanta. Minha filha salvou-se.

— Sua filha!

Ela tirou do seio um grande medalhão de prata.

— Você nunca o viu aberto.

— Pensei que fosse maciço.

Ela apertou uma mola e abriu o medalhão. Dentro havia o retrato de um homem de grande beleza e expressão inteligente, mas revelando traços inconfundíveis da ascendência africana.

— Este é John Hebron, de Atlanta. E nunca existiu homem mais nobre sobre a terra. Afastei-me de minha raça para casar-me com ele e nem por um instante me arrependi. Infelizmente, nossa única filha puxou à família dele e não à minha. Acontece com frequência, e minha pequena Lucy é bem mais escura que o pai. Mas, negra ou branca, é a minha filhinha, a querida da mamãe.

Ao ouvir aquelas palavras, a garotinha correu para aninhar-se junto à mãe.

— Quando a deixei nos Estados Unidos, só o fiz porque sua saúde era frágil e a mudança de clima talvez a prejudicasse. Ficou entregue aos cuidados de uma fiel escocesa que havia sido nossa criada. Nem por um instante pensei em rejeitá-la. Mas, quando o destino o colocou no meu caminho, Jack, e aprendi a amá-lo, tive medo de falar a respeito da minha filha. Deus me perdoe, mas temi perdê-lo, não tive coragem de contar. Precisava escolher entre os dois e, na minha fraqueza, dei as costas à minha própria filha. Durante três anos mantive em segredo sua existência, mas recebia notícias dela através da ama e sabia que estava bem de saúde. Mas por fim senti um desejo irresistível de revê-la. Lutei contra ele, mas em vão. Embora percebesse o perigo, estava decidida a mandar trazer a criança, ainda que fosse por algumas semanas. Enviei cem libras à ama, com instruções para que alugasse esta casa, de modo que pudesse apresentar-se como vizinha, sem que eu, aparentemente, tivesse alguma ligação com ela. Levei a cautela a ponto de recomendar-lhe que mantivesse a criança dentro de casa durante o dia e cobrisse o rosto e as mãos da menina para que, no caso de alguém vê-la pela janela, não houvesse comentários a respeito de uma criança negra na vizinhança. Se eu tivesse sido menos cautelosa, teria sido mais sensata, porém estava apavorada com a ideia de que você soubesse a verdade.

"Foi você quem me disse que o chalé fora alugado. Deveria ter esperado até o dia seguinte, mas não consegui dormir de tão agitada e acabei me esgueirando para fora de casa, sabendo que é difícil acordá-lo. Mas você me viu sair, e este foi o início dos meus problemas. No dia seguinte, sabia que eu tinha um segredo, mas, numa atitude nobre, não tirou vantagem disso. Três dias depois, a ama e a criança mal conseguiram escapar pela porta dos fundos enquanto você entrava pela da frente. Esta noite, finalmente, ficou sabendo de tudo, e eu pergunto o que será de nós, de mim e de minha filha."

Mãos cruzadas no peito, ela esperou a resposta.

Passaram-se dois longos minutos até que Grant Munro rompesse o silêncio. E a resposta foi daquelas em que gosto de pensar com carinho. Tomando a menininha nos braços, beijou-a e, ainda com ela no colo, estendeu a mão para a mulher e virou-se para a porta.

— Podemos conversar mais confortavelmente em casa. Não sou um homem muito bom, Effie, mas creio que sou melhor do que você me julgava.

Holmes e eu os acompanhamos pela alameda e, quando saíamos, meu amigo tocou-me o braço.

— Creio que seremos mais úteis em Londres do que em Norbury.

E não disse mais nada sobre o caso até tarde da noite, quando se dirigia, com uma vela acesa, para o quarto.

— Watson — disse ele —, se algum dia perceber que estou me tornando excessivamente confiante nos meus talentos, ou me dedicando a um caso com menos afinco do que ele merece, fale baixinho no meu ouvido, por favor, a palavra "Norbury", e eu lhe serei muito grato.

O corretor

Pouco tempo depois do meu casamento, abri um consultório no bairro de Paddington. O velho sr. Farquhar, de quem o comprei, tivera excelente clientela, mas a idade e uma doença semelhante à dança de São Vito, que o atacara, reduziram-na consideravelmente. O público, como é natural, parte do princípio de que quem cura os outros deve ser sadio, e olha com desconfiança os poderes curativos de alguém que parece incapaz de curar a si próprio. Assim, à medida que meu antecessor ficava mais fraco, a clientela diminuía e, quando eu o substituí, os lucros haviam caído de 1.200 libras anuais para pouco mais de trezentas. Mas, confiante na minha juventude e energia, eu estava convencido de que em poucos anos a clientela estaria maior do que nunca.

Nos primeiros três meses após a compra da clínica fiquei muito concentrado no trabalho e via muito pouco meu amigo Sherlock Holmes, porque estava ocupado demais para ir até a Baker Street. E ele raramente ia a algum lugar, a não ser por motivos profissionais. Portanto, fiquei surpreso quando, certa manhã de junho, enquanto lia o *British Medical Journal* depois do café, ouvi a campainha, seguida da voz alta e um tanto estridente do meu velho amigo.

— Ah, meu caro Watson! — disse, entrando na sala. — Estou encantado em vê-lo. Espero que a sra. Watson esteja inteiramente recuperada das pequenas emoções ligadas à nossa aventura do *Sinal dos quatro*.

— Estamos muito bem, obrigado — respondi, apertando-lhe efusivamente a mão.

Sentando-se na cadeira de balanço, ele continuou:

— E espero também que a dedicação à clínica médica não tenha eliminado por completo o seu interesse pelos nossos problemas dedutivos.

— Pelo contrário — respondi. — Ontem à noite estive relendo minhas antigas anotações, classificando alguns dos nossos resultados.

— Espero que não considere encerrada a sua coletânea.

— De modo algum. O que mais desejo é ter mais algumas dessas experiências.

— Hoje, por exemplo?

— Sim, hoje, se quiser.

— Mesmo que seja em Birmingham?

— Com certeza.

— E os clientes?

— Atendo aos do meu vizinho quando ele viaja. Ele está sempre disposto a pagar a dívida.

— Ah, tanto melhor — exclamou Holmes recostando-se na poltrona e observando-me por entre as pálpebras semicerradas. — Noto que andou adoentado nos últimos tempos. Resfriados de verão são sempre um tanto irritantes.

— Estive preso em casa por causa de um forte resfriado na semana passada. Mas pensei que tinha me livrado de todos os vestígios dele.

— E livrou-se. Parece muito saudável.

— Então, como soube?

— Meu caro amigo, tenho os meus métodos.

— Dedução?

— Certamente.

— E como?

— Seus chinelos.

Olhei para os chinelos novos de couro que eu estava usando.

— Mas como...?

Holmes respondeu antes que eu terminasse a pergunta.

— Seus chinelos são novos. Não devem ter mais que algumas semanas. As solas que você me mostra no momento estão ligeiramente arranhadas.

Primeiro pensei que se tinham molhado e depois queimado ao secar. Mas na parte interna há um pequeno círculo de papel com a marca do vendedor. A umidade o teria removido, é claro. Então você tem ficado com os pés estendidos para o fogo, o que alguém dificilmente faria, mesmo num mês de junho úmido como este, caso estivesse com a saúde perfeita.

Como todos os raciocínios de Holmes, aquele era a própria simplicidade, depois que ele explicava. Leu o pensamento estampado no meu rosto e seu sorriso tinha um traço de amargura ao dizer:

— Temo que eu me revele demais ao dar explicações. Resultados sem causas são bem mais impressionantes. Está disposto a ir a Birmingham?

— É claro. Qual é o caso?

— Você saberá no trem. Meu cliente está esperando lá fora numa carruagem. Pode sair agora?

— Um momento.

Rabisquei um bilhete para o meu vizinho, fui explicar o caso à minha mulher e encontrei-me com Holmes no patamar de entrada.

— Seu vizinho é médico? — perguntou, indicando com a cabeça a placa de bronze.

— Sim. Comprou a clínica, assim como eu.

— Clientela antiga?

— Tão antiga quanto a minha. Os dois consultórios foram abertos logo que a casa foi construída.

— Neste caso, você ficou com a melhor parte.

— Creio que sim. Mas como é que você sabe?

— Pelos degraus, meu rapaz. Os seus estão muito mais gastos que os dele... O cavalheiro que está na carruagem é meu cliente e se chama Hall Pycroft. Permita que o apresente. Chicoteie o cavalo, cocheiro, pois temos o tempo exato para pegar o trem.

A pessoa diante da qual me sentei era um rapaz de boa estatura, rosto corado, expressão franca, honesta, e com um bigodinho loiro. Usava uma cartola lustrada e um sóbrio terno preto, que lhe davam a aparência exata daquilo que era — um esperto homem da cidade pertencente à classe denominada *cockney*, mas que fornece excelentes regimentos de voluntários e gera uma quantidade maior de bons atletas e desportistas do que qualquer outro grupo destas ilhas. O rosto redondo e vermelho era naturalmente animado, mas os cantos da boca pareceram-me inclinados para baixo, numa preocupação quase cômica. Só quando nos encontrávamos num vagão de primeira classe e a caminho de Birmingham é que soube qual o problema que o levara a procurar Sherlock Holmes.

— Dispomos de setenta minutos — observou Holmes. — Sr. Hall Pycroft, quero que conte ao meu amigo a sua interessante experiência exatamente como me contou e com maiores detalhes, se possível. Será útil para mim ouvir de novo a sequência de acontecimentos. Trata-se de um caso, Watson, que pode conter algo ou não conter coisa alguma. Mas apresenta características insólitas e absurdas, tão atraentes para você como para mim. Agora, sr. Pycroft, não voltarei a interrompê-lo.

Nosso jovem companheiro virou-se para mim com um brilho malicioso nos olhos.

— O pior da história é mostrar que sou um perfeito idiota. Talvez tudo dê certo, é claro, e não vejo como poderia ter agido de outro modo; mas se perdi meu emprego e não obtiver nada em troca, sentirei que fui crédulo demais. Não sou um bom contador de histórias, dr. Watson, mas foi isto o que aconteceu.

“Eu trabalhava na Coxon & Woodhouse, de Draper Gardens, mas eles foram atingidos no início da primavera pelo escândalo do empréstimo venezuelano, como deve se lembrar, e sofreram um duro golpe.

“Como trabalhei com eles durante cinco anos, o velho Coxon deu-me uma excelente carta de recomendação quando houve a quebra. Mas é claro que todos nós, os corretores, fomos para a rua. Éramos 27. Tentei arranjar um emprego aqui e ali, mas havia muita gente no mesmo barco e passei por apertos durante algum tempo. Ganhava três libras semanais na Coxon e tinha economizado umas setenta, mas gastei tudo rápido. Eu já estava sem saber o que fazer, mal conseguia dinheiro para comprar envelopes e pagar os selos para responder aos anúncios. Gastei as solas dos sapatos subindo escadas e parecia continuar tão longe de arranjar um emprego como no início.

“Finalmente descobri uma vaga em Mawson & Williams, a grande firma de corretagem da Lombard Street. Creio que corretagem não está entre os seus interesses, mas posso afirmar que se trata de uma das firmas mais prósperas de Londres. O anúncio devia ser respondido somente por carta. Enviei meu currículo e cartas de recomendação, mas sem qualquer esperança de conseguir o lugar. A resposta veio de imediato, dizendo que eu deveria me apresentar na segunda-feira seguinte e assumir logo, contanto que minha aparência fosse satisfatória. Ninguém sabe como funcionam essas coisas. Há quem diga que o gerente se limita a enfiar a mão na pilha de cartas e abrir a primeira que pegar. Seja como for, tive sorte e nunca me senti tão satisfeito na vida. O salário era uma libra semanal acima do que eu ganhava e minhas obrigações eram mais ou menos as mesmas que tinha na Coxon.

"Chegamos agora à parte estranha do caso. Eu morava em Hampstead. Potter's Terrace, 17, era o endereço. Bem, eu estava sentado, fumando, na noite em que me prometeram o emprego, quando minha senhoria subiu, trazendo um cartão que dizia: 'Arthur Pinner, financista'. Eu nunca ouvira esse nome antes e não podia imaginar o que o sujeito queria, mas é claro que o convidei a subir. Era um homem de estatura mediana, cabelo, barba e olhos pretos, nariz um tanto recurvo. Caminhava com passos decididos e falava de modo incisivo, como alguém que conhecesse o valor do tempo.

"'Sr. Hall Pycroft?'

"'Sim, senhor', respondi, convidando-o a sentar-se.

"'Trabalhou ultimamente em Coxon & Woodhouse?'

"'Sim, senhor.'

"'E pertence agora à equipe da Mawson?'

"'Exato.'

"'Bem, o fato é que ouvi histórias extraordinárias a respeito do seu talento financeiro. Lembra-se de Parker, que foi gerente da Coxon? Ele fala nisso com frequência.'

"Claro que fiquei satisfeito ao ouvir isso. Sempre fui bastante ativo no escritório, mas nunca imaginei que se comentasse na cidade a meu respeito em termos elogiosos.

"'Tem boa memória?'

"'Razoável', respondi com modéstia.

"'Ficou em contato com o mercado enquanto esteve desempregado?'

"'Claro. Lia diariamente as cotações da bolsa de valores.'

"'Isso mostra verdadeira dedicação! É assim que se prospera! Importa-se que eu faça um teste? Vejamos: como estão as Ayrshires?'

"'Entre 106 e 105 e um quarto.'

"'E a New Zealand Consolidated?'

"'Cento e quatro.'

"'E a British Broken Hills?'

"'Entre sete e 7,6.'

"'Maravilhoso!', exclamou, com um gesto exuberante. 'Isso comprova tudo o que me disseram. Rapaz, você é bom demais para ser um simples corretor da Mawson!'

"Isso me surpreendeu, como vocês podem imaginar. Eu disse:

"'Tem gente que não pensa exatamente como o senhor. Foi com muita dificuldade que consegui o emprego e estou muito satisfeito com ele.'

"'Ora, rapaz, voe mais alto. Não está no seu verdadeiro elemento. Vou dizer o que penso a respeito. O que tenho a oferecer é pouco diante da sua capacidade, mas, comparado ao que lhe oferece a Mawson, é como a noite para o dia. Vejamos! Quando começará a trabalhar lá?'

"'Na segunda-feira.'

"'Vou arriscar uma pequena aposta: você não irá para lá.'

"'Não vou trabalhar na Mawson?'

"'Não, senhor. Nesse dia será o gerente financeiro da Companhia Franco-Midland Hardware Ltda., com 134 filiais em cidades e regiões da França, sem contar uma em Bruxelas e outra em San Remo.'

"Aquilo me tirou o fôlego.

"'Nunca ouvi falar nessa companhia', respondi.

"'É bem provável. O negócio funciona discretamente porque o capital é inteiramente privado e a coisa é atraente demais para ser aberta ao público. Meu irmão, Harry Pinner, é o responsável e tem o cargo de diretor-gerente. Ele sabia que eu tinha conhecimento do meio aqui na cidade e pediu-me que escolhesse um bom elemento, um rapaz decidido, cheio de vigor. Parker falou-me a seu respeito e é por isso que estou aqui. Só podemos oferecer-lhe uns míseros quinhentos para começar...'

"'Quinhentos por ano!', exclamei.

"'Só para começar, mas ganhará uma comissão de um por cento sobre o total dos negócios realizados pelos nossos agentes e garanto-lhe que o montante será superior ao seu salário.'

"'Mas eu não sei nada sobre o comércio de ferragens.'

"'Ora, rapaz, você entende de finanças.'

"Eu estava tonto, mal conseguia ficar sentado na cadeira. Mas, de repente, ocorreu-me uma dúvida.

"'Serei franco', falei. 'A Mawson ofereceu-me apenas duzentas, mas representa segurança. Além disso, sei tão pouco a respeito de sua companhia que...'

"'Ah! Rapaz esperto!', exclamou, encantado. 'É exatamente a pessoa que procuramos! Não se deixa convencer logo de saída e tem toda a razão. Aqui está uma nota de cem libras. Se achar que podemos trabalhar juntos, guarde-a no bolso como adiantamento de salário.'

"'É uma bela quantia. Quando devo assumir o cargo?'

"'Esteja em Birmingham amanhã a uma da tarde. Tenho aqui no bolso um bilhete que deverá entregar ao meu irmão. Você o encontrará na Corporation Street, 126-B, onde estão localizados os escritórios provisórios da firma. É claro que ele precisa confirmar o seu contrato. Mas, cá entre nós, tudo correrá bem.'

"'Não sei como agradecer, sr. Pinner.'

"'Nem pense nisso, meu rapaz. Você merece. Há dois pequenos detalhes, simples formalidades, que preciso acertar com você. Tem papel por aí? Escreva, por favor: 'Estou inteiramente disposto a trabalhar como gerente financeiro da Companhia Franco-Midland Hardware Ltda., pelo salário de quinhentas libras'.

"Fiz o que ele pediu, e o sr. Pinner guardou o papel no bolso.

"'Mais um detalhe. O que pretende fazer a respeito do emprego na Mawson?'

"Estava tão contente que já tinha esquecido da Mawson.

"'Vou escrever dizendo que desisto.'

"'É bem isso o que não quero que faça. Tive uma discussão a seu respeito com o gerente da Mawson. Fui até lá para indagar sobre você, e ele teve uma atitude muito grosseira, acusando-me de afastá-lo da firma etc. Acabei perdendo a paciência. 'Se querem bons elementos, precisam pagar à altura', eu disse. 'Ele vai preferir o nosso pequeno salário à sua remuneração exagerada', replicou o gerente. 'Aposto cinco que ele aceitará a minha oferta, e vocês nunca mais ouvirão falar nele.' 'Combinado! Nós o tiramos da sarjeta, e ele não nos deixará com tanta facilidade.' Foi exatamente o que ele disse.

"'Que miserável!', exclamei. 'Nunca o vi na minha vida. Por que daria preferência a ele? Não escreverei coisa alguma se preferir assim.'

"'Ótimo! Prometido?', ele se levantou. 'Estou encantado por ter conseguido um elemento tão bom para meu irmão. Aqui estão a carta e as cem libras adiantadas. Tome nota do endereço: Corporation Street, 126-B. E não esqueça que a entrevista é amanhã a uma da tarde. Boa noite. Desejo-lhe toda a sorte que merece.'

"Foi o que se passou entre nós, que eu me lembre. Pode imaginar como estava satisfeito, dr. Watson. Que sorte extraordinária! Fiquei acordado metade da noite felicitando-me por isso, e no dia seguinte parti para Birmingham num trem que me deixaria na cidade bem antes da entrevista. Levei a mala para um hotel na New Street e depois dirigi-me ao endereço que me fora dado.

"Eu estava quinze minutos adiantado, mas achei que não faria diferença. O número 126-B era uma passagem entre duas grandes lojas, que terminava numa escada circular de pedra e dava acesso a várias salas alugadas para escritórios de companhias e profissionais liberais. Os nomes dos inquilinos estavam pintados na parte inferior da parede, mas não encontrei o da Companhia Franco-Midland Hardware Ltda. Fiquei parado alguns minutos, muito deprimido, perguntando-me se a história toda não seria um sofisticado logro, quando um homem subiu e se aproximou de mim. Era muito parecido com o sujeito que eu tinha visto na véspera, a mesma voz e a mesma fisionomia, mas com o rosto escanhoado e o cabelo mais claro.

"'É o sr. Hall Pycroft?', perguntou.

"'Sou.'

"'Ah! Estava à sua espera. Chegou um pouco antes da hora. Recebi um bilhete do meu irmão esta manhã, em que ele faz grandes elogios ao senhor.'

"'Estava procurando o escritório quando o senhor apareceu.'

"'Ainda não mandamos afixar o nome porque só na semana passada alugamos temporariamente o local. Suba comigo. Vamos conversar.'

"Eu o segui até o alto da escada e logo abaixo do telhado havia duas salinhas vazias e empoeiradas, sem tapetes ou cortinas. Eu tinha imaginado um escritório grande, com mesas reluzentes e fileiras de empregados, como eu estava acostumado, e olhei sem muita simpatia para as duas cadeiras e a mesinha que, junto com um calendário e uma cesta de papéis, constituíam todo o mobiliário.

"'Não se decepcione, sr. Pycroft', disse o homem, vendo a minha expressão. 'Roma não foi feita em um dia, e temos muito dinheiro nos apoiando, embora não haja tendência a gastá-lo em escritórios elegantes. Sente-se, por favor, e deixe-me ver sua carta.'

"Entreguei a carta e ele a leu com cuidado.

"'Meu irmão Arthur ficou com uma ótima impressão', observou, 'e sei que ele é um juiz muito perspicaz. Adora Londres, e eu, Birmingham, mas desta vez vou seguir o conselho dele. Pode considerar-se definitivamente contratado.'

"'Quais são as minhas obrigações?', perguntei.

"'Posteriormente irá administrar o grande depósito em Paris, que lançará uma enxurrada de louça inglesa em 134 filiais da França. A compra será realizada dentro de uma semana, mas por enquanto permanecerá em Birmingham, onde nos será mais útil.'

"'De que maneira?'

"Como resposta ele tirou da gaveta um grande livro vermelho.

"'Isto é um catálogo de Paris, que relaciona profissão e nomes de pessoas. Quero que o leve para casa e marque todos os vendedores de ferragens e os respectivos endereços. Será muito útil para mim.'

"'Mas não há listas classificadas?', sugeri.

"'Não são confiáveis. O sistema deles é diferente do nosso. Trabalhe com afinco e entregue-me a relação na segunda-feira ao meio-dia. Até logo, sr. Pycroft. Se continuar a demonstrar zelo e inteligência, a companhia terá um excelente patrão.'

"Voltei para o hotel com o grande catálogo debaixo do braço e no peito emoções conflitantes. Por um lado, eu estava definitivamente contratado e tinha cem libras no bolso. Por outro, a aparência do escritório, a ausência de nome na parede e outros detalhes que impressionam um homem de negócios haviam deixado uma impressão desagradável em relação aos meus futuros patrões. Entretanto, como eu havia recebido dinheiro, atirei-me à tarefa. Passei o domingo trabalhando duro, mas, apesar disso, na segunda-feira eu ainda estava na letra H. Fui procurar meu patrão e encontrei-o na mesma sala despojada, onde recebi ordens de continuar a tarefa até quarta-feira. Na quarta ainda não havia terminado, de modo que prossegui até a sexta, isto é, ontem. E então levei a lista ao sr. Harry Pinner.

"'Muito obrigado. Compreendo a dificuldade da tarefa. Esta relação será de grande ajuda material.'

"'Exigiu algum tempo', observei.

"'E agora quero que faça uma lista das lojas de móveis, porque todas também vendem louças.'

"'Está bem.'

"'Apareça amanhã às sete da noite para me informar do andamento do trabalho. Não se mate de trabalhar. Algumas horas no Day's Music Hall à noite não o prejudicariam.'

"Ele riu ao falar e percebi com um arrepio que um dos dentes incisivos dele havia sido muito mal obturado com ouro."

Sherlock Holmes esfregou as mãos, encantado, e eu olhei com espanto para o nosso cliente.

— Não admira que se surpreenda, dr. Watson, mas foi assim. Quando conversei com o outro sujeito em Londres e ele riu porque eu não iria trabalhar na Mawson, notei nele um dente obturado com ouro de maneira idêntica. Foi o brilho do ouro que chamou minha atenção nas duas vezes, compreende? Juntando isso ao fato de a fisionomia e a voz serem as mesmas e as únicas coisas diferentes podiam ser conseguidas facilmente com uma navalha ou uma peruca, não pude duvidar de que se tratava do mesmo homem. Espera-se que irmãos sejam parecidos, é claro, mas não a ponto de terem um dente obturado da mesma maneira. Despedi-me dele e me vi na rua completamente aturdido, sem saber o que fazer. Voltei ao hotel, mergulhei a cabeça numa bacia de água fria e tentei raciocinar. Por que ele me enviara de Londres a Birmingham? Por que chegara ali antes de mim? Por que havia escrito uma carta para si mesmo? Era demais para mim. Não consegui compreender coisa alguma. De repente, lembrei-me: o que para mim era obscuro seria claro para o sr. Sherlock Holmes. Só tive tempo de tomar o trem noturno, conversar com ele esta manhã e trazê-los comigo a Birmingham.

Houve um silêncio depois que o corretor acabou de contar a experiência surpreendente. E então, piscando para mim, Sherlock Holmes recostou-se na poltrona com ar satisfeito, mas expressão crítica, lembrando um *connoisseur* que acabava de tomar o primeiro gole de um vinho raro.

— Excelente, não acha, Watson? Há detalhes que me agradam. Creio que uma entrevista com o sr. Arthur Pinner, no escritório provisório da Companhia Franco-Midland Hardware Ltda., seria uma experiência interessante para nós dois, você não concorda?

— Mas como? — perguntei.

— Muito fácil — disse Hall Pycroft, alegre. — Os dois são amigos meus à procura de emprego. Nada mais natural que levá-los ao diretor administrativo.

— Exatamente! É claro! — disse Holmes. — Gostaria de dar uma olhada no cavalheiro e ver se descubro qual é o jogo dele. Que talentos tem você, meu amigo, que tornam tão valiosos os seus serviços? Ou será possível que...

Começou a roer as unhas com olhos fixos na janela, e não lhe arrancamos uma só palavra até chegarmos à New Street.

Às sete da noite, nós três percorremos a Corporation Street, a caminho do escritório da companhia.

— É inútil chegar antes da hora — disse o nosso cliente. — Ao que parece, ele só vai até lá para falar comigo porque o local fica deserto até a hora marcada.

— Sugestivo — observou Holmes.

— Foi o que eu disse! — exclamou o rapaz. — Lá vai ele caminhando à nossa frente.

E apontou para um homem baixo, bem-vestido, que andava apressado do outro lado da rua. Observamos que ele estava olhando para um garoto que anunciava a última edição de um vespertino e, correndo entre carruagens e ônibus, comprou um exemplar. Então, segurando o jornal com firmeza, desapareceu por numa porta.

— Lá vai ele! — exclamou Hall Pycroft. — É naquele prédio que fica o escritório da companhia. Venham comigo. Vou esclarecer o caso com a maior facilidade.

Seguindo-o, subimos cinco andares e nos encontramos diante de uma porta entreaberta, na qual o nosso cliente bateu. Uma voz convidou-o a entrar, e penetramos numa sala despojada, sem mobília, exatamente como Hall Pycroft havia descrito. À única mesa estava sentado o homem que tínhamos visto na rua, com o jornal aberto à frente. Quando ergueu o rosto, tive a impressão de que nunca vira fisionomia tão marcada pela dor. E algo além da dor — um horror que poucos homens sentem durante a vida. Tinha a testa coberta de suor, a face pálida como a barriga de um peixe, olhos desvairados, fitando sem ver. Olhou para o rapaz como se não o reconhecesse, e vi, pela surpresa estampada no rosto do nosso cliente, que aquela não era, absolutamente, a aparência habitual do chefe.

— Parece doente, sr. Pinner — exclamou.

— De fato, não estou me sentindo bem — respondeu, fazendo um esforço evidente para se controlar e umedecendo os lábios secos enquanto falava. — Quem são estes senhores que o acompanham?

— Este é o sr. Harris, de Bermondsey, e este é o sr. Price, desta cidade — mentiu o rapaz com naturalidade. — São amigos meus, profissionais experientes, mas que estão desempregados há algum tempo e esperam que talvez consiga uma vaga para eles na companhia.

— É bem possível! É bem possível! — exclamou o sr. Pinner com um sorriso sinistro. — Sim, certamente faremos alguma coisa pelos dois. Em que ramo trabalha, sr. Harris?

— Sou contador — respondeu Holmes.

— Sim, precisaremos de alguém nessa área. E o sr. Price?

— Sou escrivão — respondi.

— Espero que a companhia possa empregá-los. Eu me comunicarei com os dois assim que chegarmos a uma conclusão. E agora peço que se retirem. Pelo amor de Deus, deixem-me sozinho!

As últimas palavras irromperam como se o controle que evidentemente tentava manter tivesse explodido de repente. Holmes e eu nos entreolhamos e Hall Pycroft deu um passo em direção à mesa.

— Esquece, sr. Pinner, que estou aqui a seu pedido, para receber instruções suas.

— Certamente, sr. Pycroft, certamente — respondeu o homem, em tom sereno. — Espere aqui um momento e não há motivo para que seus amigos não esperem também. Estarei às suas ordens dentro de três minutos, se posso abusar tanto de sua paciência.

Levantou-se com ar muito cortês e, fazendo uma ligeira inclinação, desapareceu por uma porta nos fundos da sala e fechou-a.

— E agora? — murmurou Holmes. — Será que vai escapar?

— Impossível — respondeu Pycroft.

— Por quê?

— Aquela porta dá para um quarto interno.

— Não há uma saída?

— Nenhuma.

— O quarto é mobiliado?

— Ontem estava vazio.

— Então, o que ele estará fazendo? Há algo que não compreendo neste caso. Se existe alguém louco de terror, esse homem é Pinner. Por que está apavorado?

— Suspeita que somos detetives — sugeri.

— É isso — concordou Pycroft. Holmes meneou a cabeça.

— Ele não empalideceu. Já estava pálido quando entramos na sala. É possível que...

Foi interrompido por ásperas batidas vindas do quarto ao lado.

— Por que diabo estará batendo na própria porta? — exclamou o rapaz.

As batidas repetiram-se, muito mais fortes. Ficamos olhando para a porta e esperamos. Ao olhar para Holmes, percebi que o rosto se tornava rígido e ele se inclinava para a frente, profundamente interessado. De repente ouvimos um gorgolejo surdo e uma batida de madeira sobre madeira. Holmes atravessou a sala de um salto e empurrou a porta. Estava fechada por dentro. Seguindo-lhe o exemplo, atiramo-nos contra ela com todo o nosso peso. Uma das dobradiças cedeu, depois a outra, e a porta caiu com estrondo. Passando sobre ela, entramos no quarto.

Estava vazio.

Mas só nos detivemos por um instante. No canto mais próximo da sala de onde saíramos, havia uma segunda porta. Holmes correu para ela e escancarou-a. Um casaco e um colete estavam no chão e de um gancho atrás da porta, o pescoço enrolado no próprio suspensório, pendia o diretor administrativo da Companhia Franco-Midland Hardware Ltda. Tinha os joelhos encolhidos e a cabeça caída num ângulo horrível em relação ao corpo. A batida dos calcanhares contra a porta fora o ruído que interrompera a nossa conversa. No mesmo instante segurei-o pela cintura e levantei-o, enquanto Holmes e Pycroft desatavam o elástico que havia desaparecido entre as dobras lívidas da pele. Em seguida, nós o carregamos para a outra sala, onde ficou deitado, rosto cinzento, respirando por entre os lábios arroxeados — medonha ruína do que fora cinco minutos antes.

— O que acha do estado dele, Watson? — perguntou Holmes.

Inclinei-me e examinei-o. O pulso estava fraco e intermitente, mas a respiração começava a regularizar-se. As pálpebras estremeceram, revelando uma nesga branca do globo ocular.

— Escapou por um triz — falei. — Mas escapou. Abram aquela janela e passem-me a garrafa de água.

Abri o colarinho, despejei água fria no rosto e movimentei-lhe os braços até que ele respirou longamente, um hausto natural.

— Agora é uma questão de tempo — disse Holmes, virando-lhe as costas.

Holmes estava ao lado da mesa, as mãos enfiadas nos bolsos da calça, cabeça inclinada.

— Acho que devemos chamar a polícia — disse. — Mas confesso que gostaria de apresentar um caso completo quando ela chegar.

— Para mim é um mistério total — disse Pycroft, coçando a cabeça. — Por que me trouxeram até aqui e depois...

— Ora! Tudo isso está bem claro — disse Holmes. — O que importa é este último gesto inesperado.

— Então, compreende o resto?

— Creio que é bastante óbvio. O que acha, Watson?

Dei de ombros.

— Devo confessar que não entendi nada.

— Se você considerar os acontecimentos desde o início, eles apontam para uma conclusão.

— O que é que você pensa a respeito?

— Bem, a história gira em torno de dois pontos. O primeiro foi fazer Pycroft escrever uma declaração segundo a qual ele estava a serviço desta companhia absurda. Não percebe como isso é sugestivo?

— Confesso que não entendo.

— Por que queriam que ele fizesse isso? Não se trata de negócios, porque esses acordos em geral são verbais e não havia nenhum motivo para que este fosse uma exceção. Não percebe, meu jovem amigo, que estavam muito ansiosos para obter uma amostra da sua caligrafia e que não tinham outra maneira de consegui-la?

— Mas por quê?

— Exatamente. Por quê? Quando respondermos a essa pergunta, teremos feito algum progresso em relação ao nosso probleminha. Só pode haver um motivo. Alguém queria aprender a imitar a sua caligrafia e primeiro precisava conseguir uma amostra. E agora, se passarmos ao segundo ponto, descobriremos que cada qual lança sobre o outro uma nova luz. Esse ponto é o pedido de Pinner para que não avisasse que desistira do emprego, deixando o gerente daquela firma importante na expectativa de que um certo sr. Hall Pycroft, que ele não conhecia, começaria a trabalhar no escritório a partir de segunda-feira.

— Meu Deus! — exclamou nosso cliente. — Como fui cego!

— Percebe agora o motivo do bilhete manuscrito. Suponhamos que alguém surgisse no seu lugar, escrevendo com uma caligrafia inteiramente diferente da do rapaz que se apresentara para o cargo. É claro que o jogo estaria perdido. Mas, no intervalo, o bandido aprenderia a imitar a sua caligrafia, e garantiria o emprego, já que, como presumo, ninguém o conhece naquela firma.

— Ninguém — gemeu Hall Pycroft.

— Muito bem. Claro que era da maior importância impedi-lo de mudar de ideia e também entrar em contato com alguém que poderia dizer-lhe que uma pessoa com o seu nome trabalhava nos escritórios da Mawson. Portanto, deram-lhe um bom adiantamento de salário e enviaram-no para as Midlands, onde o sobrecarregaram de trabalho para impedi-lo de ir a Londres, onde poderia descobrir a jogada. Tudo isso está bastante claro.

— Mas por que este homem fingiria ser seu próprio irmão?

— Isso também é bastante claro. É evidente que só há duas pessoas no golpe. A outra está trabalhando no seu lugar na Mawson. Esta agia como intermediário até descobrir que precisaria admitir uma terceira pessoa no jogo para ser seu patrão, o que ele não estava nem um pouco inclinado a fazer. Modificou a aparência o máximo possível e esperou que a semelhança que você não poderia deixar de notar seria atribuída a traços de família. Não fosse o feliz acaso da obturação de ouro, suas suspeitas nunca se concretizariam.

Hall Pycroft agitou no ar os punhos fechados.

— Meu Deus! Enquanto fui enganado, o que estará o outro Hall Pycroft fazendo na Mawson? Que providência devemos tomar, sr. Holmes? Diga-me o que fazer!

— Precisamos telegrafar para a Mawson.

— Só trabalham até o meio-dia aos sábados.

— Não importa. Talvez haja algum porteiro, ou empregado...

— Ah, sim! Eles mantêm um guarda permanente por causa do valor das ações com que lidam. Lembro-me de ouvir esse comentário no centro financeiro da cidade.

— Então, telegrafaremos pedindo que verifique se está tudo em ordem e se há um corretor com o seu nome trabalhando lá. Tudo isso é bastante claro. O que não está claro é o fato de que, ao ver-nos, um dos bandidos saiu na mesma hora da sala e se enforcou.

— O jornal! — murmurou uma voz rouca atrás de nós.

O homem estava sentado, pálido e desfeito, mas de olhar consciente. As mãos esfregavam nervosamente a tira vermelha que envolvia o pescoço.

— O jornal! É claro! — exclamou Holmes, muito agitado. — Como sou idiota! Pensei tanto na nossa visita que me esqueci do jornal. O segredo está lá, com certeza.

Estendeu-o sobre a mesa e soltou uma exclamação de triunfo.

— Veja isto, Watson! É um jornal de Londres, a primeira edição do *Evening Standard*. Aqui está o que procuramos. Veja a manchete. "Crime no centro da cidade. Assassinato na Mawson & Williams. Tentativa de roubo gigantesco. Captura do criminoso." Tome, Watson. Estamos todos ansiosos para ouvir a história. Tenha a bondade de lê-la em voz alta.

Pelo destaque que o jornal dera, parecia ser o acontecimento de maior importância na cidade. A matéria dizia o seguinte:

"Uma desesperada tentativa de roubo, culminando na morte de um homem e na captura do criminoso, ocorreu esta tarde na cidade. Há algum tempo a Mawson & Williams é depositária de títulos que chegam a um total de mais de um milhão de libras esterlinas. O gerente estava tão consciente da sua responsabilidade, consequência dos grandes interesses em jogo, que havia encomendado cofres do último tipo e havia um guarda armado dia e noite no prédio. Consta que na semana passada um novo empregado, chamado Hall Pycroft, foi contratado pela firma. Essa pessoa era ninguém menos que Beddington, o famoso falsário e estelionatário que, junto com o irmão, acaba de cumprir pena de cinco anos. Usando de meios que ainda não foram esclarecidos, conseguiu obter, com um nome falso, um cargo oficial no escritório, utilizando-o para conseguir moldes de diversas chaves e conhecer a posição da casa-forte e dos cofres.

"Na Mawson, os empregados só trabalham até o meio-dia de sábado. O sargento Tuson, da polícia metropolitana, surpreendeu-se, portanto, ao ver um cavalheiro com uma valise descer as escadas vinte minutos depois de uma da tarde. Desconfiado, o sargento o seguiu e, com a ajuda do cabo Pollock, conseguiu prendê-lo, após uma resistência desesperada. No mesmo instante, ficou claro que um roubo audacioso e gigantesco fora cometido. Quase cem mil libras em títulos de estradas de ferro americanas, além de um grande número de ações de minas e outras companhias, foram encontrados na pasta. Ao examinarem o local, descobriram o corpo do infeliz vigia dobrado e atirado dentro do cofre maior, onde só seria encontrado na segunda-feira de manhã, não fosse a pronta ação do sargento Tuson. O crânio da vítima havia sido despedaçado com um golpe dado pelas costas. Não podia haver dúvida de que Beddington conseguira entrar alegando ter esquecido alguma coisa. Depois de assassinar o vigia, fez uma rápida limpeza no cofre maior e saiu com o produto do roubo. O irmão, que em geral trabalha com ele, aparentemente não participou deste golpe, embora a polícia esteja fazendo investigações para descobrir o seu paradeiro."

— Bem, pouparemos à polícia algum trabalho neste sentido — disse Holmes, olhando para a fisionomia transtornada do homem encolhido junto à janela. — A natureza humana é estranhamente complexa, Watson. Veja que até mesmo um vilão e assassino é capaz de inspirar afeto, a ponto de o irmão tentar suicidar-se ao saber que ele está ameaçado. Mas não temos escolha quanto à maneira de agir. O dr. Watson e eu ficaremos de guarda, sr. Pycroft, se quiser ter a bondade de chamar a polícia.

Gloria Scott

— Tenho aqui alguns papéis e acho que valeria a pena você dar uma olhada — disse o meu amigo Sherlock Holmes, numa noite de inverno em que estávamos sentados junto à lareira. — São documentos referentes ao extraordinário caso do *Gloria Scott*, e esta é a mensagem que matou de horror o juiz de paz Trevor, quando a leu.

Pegou em uma gaveta um pequeno cilindro embaçado, retirou o selo e entregou-me um bilhete rabiscado em meia folha de papel cinzento.

> *O fornecimento de caça para Londres aumenta constantemente. O guarda-caça Hudson, segundo acreditamos, contou com o recebimento de papel caça-moscas para a preservação da vida dos seus faisões.*

Quando acabei de ler aquela mensagem enigmática, vi Holmes rindo da minha expressão.

— Você parece meio aturdido — observou.

— Não vejo como este bilhete possa inspirar horror. Parece-me mais grotesco do que qualquer outra coisa.

— É bem provável. Mas o fato é que a pessoa que leu, um velho robusto e bem-disposto, foi vítima dele, como se tivesse sido atingido por uma coronhada.

— Você me deixa curioso. Mas por que disse há pouco que havia motivos muito particulares para que eu examinasse este caso?

— Porque foi o primeiro em que me envolvi.

Eu havia tentado muitas vezes saber de meu amigo o que o levara a se interessar pela pesquisa criminal, mas ele nunca me surpreendera com um momento de disposição comunicativa. Naquele momento, inclinou-se para a frente na poltrona e abriu os documentos sobre os joelhos. Depois, acendeu o cachimbo e fumou durante algum tempo antes de me entregar os papéis.

— Já me ouviu falar a respeito de Vítor Trevor? Foi o único amigo que fiz nos meus dois anos de universidade. Nunca fui muito sociável, Watson, preferindo ficar sempre nos meus aposentos elaborando métodos de raciocínio e nunca me envolvi muito com os colegas de classe. Com exceção de esgrima e boxe, eu tinha poucas inclinações esportivas. Além disso, minha linha de estudos era bem diferente da dos meus colegas, de modo que não tínhamos pontos de contato. Trevor era o único homem que eu conhecia, e isso em consequência de um incidente: o bull-terrier dele mordeu meu tornozelo certa manhã, quando eu estava indo para a capela.

"Foi uma maneira prosaica de fazer amizade, mas eficaz. Fiquei de cama dez dias e Trevor aparecia sempre para saber como eu estava. A princípio era apenas uma conversa rápida, mas em pouco tempo as visitas se prolongaram, e antes do fim do trimestre éramos bons amigos. Ele era um sujeito cordial, vivo, cheio de animação e energia, o oposto do meu temperamento em quase todos os aspectos. Mas descobrimos interesses comuns, e um verdadeiro elo passou a nos unir quando descobri que ele também não tinha amigos. Por fim, convidou-me para ir à casa do pai, em Donnithorpe, Norfolk. Aceitei a hospitalidade durante um mês inteiro de férias.

"O velho Trevor era evidentemente um homem de posses e prestígio, juiz de paz e proprietário de terras. Donnithorpe é um povoado ao norte de Langmere, no distrito de Broads. A casa era antiga, ampla, com traves de carvalho no teto, paredes de tijolos. Uma bela alameda ladeada de limeiras conduzia à entrada. Os terrenos proporcionavam excelente caça aos patos selvagens, ótimos locais de pescaria e havia uma biblioteca pequena mas seleta, herdada, segundo entendi, de um antigo morador. A comida era tolerável, de modo que uma pessoa exigente poderia passar ali um mês muito agradável.

"Trevor pai era viúvo, e meu amigo, filho único. Soube que uma irmã morrera de difteria durante uma visita a Birmingham. O pai me despertou muito interesse. Era homem de pouca cultura, mas considerável vigor, tanto físico como mental. Mal abrira um livro, mas viajara muito, conhecia grande parte do mundo e lembrava-se de tudo o que havia aprendido. Era um homem atarracado, vigoroso, de cabeleira grisalha, rosto bronzeado e olhos azuis tão vivos que chegavam a parecer ferozes. No entanto era conhecido na região como um homem bondoso e caridoso, que chamava atenção pela brandura das sentenças no tribunal.

"Uma noite, pouco depois da minha chegada, tomávamos vinho do Porto após o jantar, quando Trevor filho começou a falar sobre os hábitos de observação e dedução que eu já sistematizara, embora ainda não percebesse o papel que representariam na minha vida. O velho pensou, evidentemente, que o filho exagerava na descrição de um ou dois dos meus feitos triviais.

"Rindo bem-humorado, ele disse:

"'Sr. Holmes, sou um excelente sujeito. Veja se é capaz de deduzir algo a meu respeito.'

"'Temo que não haja muita coisa a deduzir', comentei. 'Creio que tem estado sob o temor de uma agressão pessoal nos últimos doze meses.'

"O riso morreu-lhe nos lábios e ele me olhou muito surpreso.

"'Isso é verdade.' E virando-se para o filho: 'Vítor, quando desbaratamos aquele grupo de caçadores ilegais, eles juraram nos matar. E sir Edward Holly chegou a ser agredido. Desde então fiquei de sobreaviso, embora não faça ideia de como descobriu isso.'

"'O senhor tem uma bengala muito bonita', respondi. 'Pela inscrição, observei que a possui há menos de um ano. Mas teve o cuidado de retirar o castão e despejar chumbo derretido no orifício, transformando-a numa arma poderosa. Concluí que só tomaria essas precauções se temesse algum perigo.'

"'Mais alguma coisa?', perguntou, sorrindo.

"'Lutou boxe durante um bom tempo na juventude.'

"'Certo novamente. Como descobriu? O meu nariz é meio torto?'

"'Não, as orelhas. Elas têm aquele achatamento e a espessura característicos dos lutadores de boxe.'

"'Mais alguma coisa?'

"'E fez muita escavação, a julgar pelas calosidades.'

"'Ganhei toda a minha fortuna em minas de ouro.'

"'Esteve na Nova Zelândia.'

"'É exato.'

"'E visitou o Japão.'

"'Absolutamente correto.'

"'E esteve intimamente associado a alguém cujas iniciais eram J.A., pessoa que o senhor tem se esforçado para esquecer por completo.'

"O sr. Trevor levantou-se devagar, fixou em mim os grandes olhos azuis de um jeito estranho e depois caiu para a frente, com o rosto entre as cascas de nozes espalhadas pela mesa, num desmaio profundo.

"Você pode imaginar, Watson, o choque que isso representou para o filho e para mim. Mas o desmaio não foi longo. Abrimos o colarinho, jogamos água no rosto dele, que arquejou uma ou duas vezes e retesou o corpo.

"Com um sorriso forçado, ele disse:

"'Espero não tê-los assustado, rapazes! Embora eu seja um homem robusto, tenho um ponto fraco no coração e qualquer coisa me abala. Não sei como consegue isso, sr. Holmes, mas tenho a impressão de que todos os detetives reais e fictícios seriam como crianças em suas mãos. É para isso que deve orientar a sua vida. Ouça a palavra de um homem que conhece boa parte do mundo.'

"E essa recomendação, com a avaliação exagerada do meu talento que a precedeu, foi a primeira coisa que me fez sentir, Watson, que eu poderia transformar em profissão aquilo que até então não passava de um hobby. Mas naquele momento eu estava muito preocupado com o repentino mal-estar do meu anfitrião para pensar em outra coisa.

"'Espero não ter dito nada que o magoasse', falei.

"'Tocou num ponto bastante sensível, sem dúvida. Posso perguntar como soube e quanto sabe?'

"Falava em tom de brincadeira, mas o olhar de pavor voltara às pupilas.

"'É muito simples. Quando descobriu o braço para recolher aquele peixe, vi que as letras 'j' e 'a' tinham sido tatuadas na dobra do cotovelo. Eram ainda legíveis, mas pela aparência borrada e pela mancha na pele em volta ficou claro que foram feitas tentativas para apagá-las. Então, era óbvio que aquelas iniciais representavam alguém muito próximo, que mais tarde quis esquecer.'

"'Que olho o senhor tem!', exclamou com um suspiro de alívio. 'É exatamente como disse. Mas não quero falar no assunto. De todos os fantasmas, os dos velhos amores são os piores. Vamos para a sala de bilhar, fumar tranquilamente um charuto.'

"A partir daquele dia, apesar de toda a cordialidade, havia sempre um traço de desconfiança nas atitudes do sr. Trevor em relação a mim. Até o filho dele percebeu.

"'Pregou um susto tão grande no velho que ele vai ficar sempre em dúvida sobre o que você sabe e o que ignora.'

"Ele não queria demonstrá-lo, tenho certeza, mas a ideia estava tão fixa em sua mente que vinha à tona em cada gesto. Finalmente, convencido de que estava causando embaraços, dei por encerrada a minha visita. Mas um pouco antes da minha partida ocorreu um incidente que depois se revelou muito importante.

"Estávamos sentados no gramado, em cadeiras de jardim, nós três, aproveitando o sol e admirando a vista do vale, quando uma criada apareceu dizendo que havia um homem à porta querendo falar com o sr. Trevor.

"'Como se chama?', perguntou o meu anfitrião.

"'Não quis dar o nome.'

"'Então, o que é que ele quer?'

"'Disse que conhece o senhor e quer conversar durante alguns minutos.'

"'Mande-o entrar.'

"Um instante depois surgia um homenzinho franzino, de maneiras servis e andar desajeitado. Vestia casaco aberto, manchado de alcatrão na manga, camisa xadrez vermelha e preta, calças de brim e pesadas botas muito gastas. O rosto era magro, bronzeado e astuto, exibindo um sorriso perpétuo que mostrava dentes irregulares e amarelos. As mãos enrugadas estavam meio fechadas, à maneira característica dos marinheiros. Quando se aproximava pelo gramado, ouvi o sr. Trevor fazer um ruído semelhante a um soluço. Saltando da cadeira, correu para a casa. Voltou em instantes e senti um cheiro forte de brandy quando ele passou por mim.

"'Então, o que posso fazer por você, meu velho?'

"O marinheiro olhou para ele de pálpebras franzidas, com o mesmo sorriso largo estampado no rosto.

"'Não me conhece?', perguntou.

"'Ora, é Hudson, sem dúvida!', exclamou o sr. Trevor em tom de surpresa.

"'Hudson, sim, senhor', confirmou o marinheiro. 'Faz trinta anos ou mais que o vi pela última vez. Está aqui bem instalado na sua casa e eu continuo comendo carne salgada tirada do barril.'

"'Não esqueci os velhos tempos', disse Trevor, aproximando-se do marinheiro e falando qualquer coisa em voz baixa. Depois, novamente em voz alta: 'Vá até a cozinha e lhe darão algo para comer e beber. Não há dúvida de que conseguirei um emprego para você.'

"'Obrigado, senhor', disse o marinheiro, levando a mão à testa. 'Acabo de cumprir um contrato de dois anos num velho navio que faz oito nós e ainda por cima tem poucos tripulantes. Estou precisando de um descanso. Achei que conseguiria alguma coisa com o sr. Beddoes, ou com o senhor.'

"'Ah! Sabe onde mora o sr. Beddoes?'

"'Sei onde moram todos os meus velhos amigos', disse o sujeito com um sorriso sinistro.

"E afastou-se com a criada em direção à cozinha. O sr. Trevor murmurou alguma coisa a respeito de ter sido companheiro daquele homem no navio quando voltava do trabalho nas minas. E, deixando-nos no gramado, entrou em casa. Uma hora depois, quando entramos, o encontramos estirado e totalmente embriagado no sofá da sala. O incidente deixou-me uma impressão desagradável e não lamentei quando fui embora de Donnithorpe no dia seguinte, porque senti que a minha presença era motivo de embaraço para o meu amigo.

"Tudo isso ocorreu no primeiro mês das férias longas. Voltei ao meu apartamento de Londres, onde passei sete semanas fazendo experiências de química orgânica. Um dia, quando o outono já ia adiantado e as férias estavam no fim, recebi um telegrama do meu amigo implorando que voltasse a Donnithorpe e dizendo que precisava muito de meu conselho e ajuda. Claro que larguei tudo e mais uma vez segui para o norte.

"Ele estava à minha espera na estação com um veículo pequeno e percebi de saída que os dois últimos meses haviam sido muito difíceis para ele. Estava magro e preocupado, perdera o jeito barulhento e cordial que era sua característica.

"'Meu velho está morrendo', foram as primeiras palavras.

"'Impossível!', exclamei. 'O que aconteceu?'

"'Apoplexia. Choque nervoso. Esteve por um triz o dia inteiro. Não sei se o encontraremos com vida.'

"Como deve imaginar, Watson, fiquei horrorizado ao ouvir aquela notícia inesperada.

"'Qual foi a causa?', perguntei.

"'Ah! Eis a questão. Entre e conversaremos no caminho. Lembra-se daquele sujeito que apareceu na véspera da sua partida?'

"'Lembro-me perfeitamente.'

"'Sabe quem permitimos que entrasse em casa naquele dia?'

"'Não tenho a menor ideia.'

"'O Demônio, Holmes!'

"Olhei para ele, espantado.

"'Sim, o próprio Demônio. Não tivemos uma única hora de descanso desde então. Meu pai nunca mais ergueu a cabeça a partir daquela noite e agora a vida o aniquilou. Está de coração partido. E tudo por causa do maldito Hudson.'

"'Que poder ele tinha?'

"'Eu daria tudo para saber. Meu pai, um homem bom, caridoso! Como teria caído nas garras daquele miserável? Estou tão satisfeito porque você veio, Holmes! Confio no seu julgamento e na sua discrição e sei que me aconselhará da melhor maneira possível.'

"Disparávamos pela estrada branca e regular, com um longo trecho da planície estendendo-se à nossa frente e cintilando na claridade avermelhada do poente. Numa colina à esquerda avistei as altas chaminés e a bandeira que indicavam a residência do senhor da região.

"'Meu pai empregou o sujeito como jardineiro', disse meu amigo. 'E como isso não o satisfez, foi promovido a mordomo. Ele parecia dominar a casa. Ele a percorria à vontade e fazia o que bem entendia. As criadas queixaram-se da constante embriaguez e da linguagem grosseira. Papai aumentou o ordenado de toda a criadagem para compensar o aborrecimento. O sujeito era capaz de pegar a barca e o melhor rifle de meu pai e sair para pequenas caçadas. E tudo isso com um ar tão zombeteiro e insolente que eu seria capaz de esmurrá-lo vinte vezes por dia se fosse um homem de minha idade. Precisei controlar-me ao máximo durante todo esse tempo, Holmes, e agora me pergunto se não teria sido mais sensato tomar uma atitude.

"'As coisas foram de mal a pior, e aquele animal, Hudson, passou a ficar cada vez mais ousado, até que por fim, quando respondeu de modo insolente ao meu pai na minha presença, agarrei-o pelo braço e expulsei-o da sala. Afastou-se lívido, com um olhar venenoso, murmurando mais ameaças do que sua língua poderia expressar. Não sei o que se passou entre meu pobre pai e ele depois disso, mas papai me procurou no dia seguinte perguntando se eu me importaria de pedir desculpas a Hudson. Eu me recusei, como você bem pode imaginar, e perguntei por que ele permitia que um miserável como aquele tomasse essas liberdades com ele próprio e com sua casa. 'Ah, meu filho, falar é fácil, mas você não sabe em que situação eu estou. Um dia saberá, Vítor. Eu farei com que saiba, aconteça o que acontecer! Você não acredita que seu pai seria capaz de cometer algo de mau, não é mesmo?'

"'Estava muito comovido e trancou-se o dia inteiro no escritório. Vi pela janela que estava escrevendo.

"'Naquela noite aconteceu uma coisa que nos causou um grande alívio: Hudson disse que iria embora. Entrou na sala onde estávamos sentados depois do jantar e anunciou a intenção, com a voz pastosa de um homem meio embriagado. 'Estou farto de Norfolk. Vou para a casa do sr. Beddoes, em Hampshire. Ele ficará tão satisfeito em me ver quanto você ficou.' 'Não está saindo daqui aborrecido, não é, Hudson?', disse meu pai, num tom humilde que fez meu sangue ferver. 'Ainda não recebi o meu pedido de desculpas', falou, sombrio, olhando na minha direção. 'Vítor, você reconhece que foi um tanto brusco com este sujeito?', perguntou meu pai, virando-se para mim. 'Pelo contrário. Acho que nós dois fomos excessivamente pacientes com ele', respondi. 'Acha mesmo?', rosnou. 'Muito bem, rapaz. Veremos!'

"'Saiu da sala no andar desleixado dele e meia hora depois foi embora da casa, deixando meu pai extremamente nervoso. Noite após noite eu o ouvia caminhando de um lado para outro no quarto. Quando ele começava a recuperar a tranquilidade, ocorreu o golpe.'

"'Como?', perguntei, ansioso.

"'Da maneira mais extraordinária. Ontem à noite chegou uma carta endereçada a meu pai, com o carimbo de Fordingham. Papai a leu, apertou a cabeça com as mãos e começou a correr pelo quarto em pequenos círculos, como alguém que estivesse fora de si. Quando enfim consegui obrigá-lo a deitar-se no sofá, vi que a boca e as pálpebras dele estavam repuxadas para um lado e percebi que havia sofrido um derrame. O dr. Fordham veio no mesmo instante e nós o pusemos na cama; mas a paralisia aumentou e não há sinais de que vá recuperar os sentidos. Acho que dificilmente o encontraremos com vida.'

"'Estou horrorizado, Trevor! O que haveria nessa carta para provocar um efeito tão terrível?'

"'Nada. Este é o ponto inexplicável do caso. A mensagem era absurda e banal. Ah, meu Deus. Era o que eu temia!'

"Enquanto ele falava, contornamos a curva da alameda e vimos, à luz do crepúsculo, que todas as janelas da casa estavam fechadas.

"Corremos para a porta, meu amigo transtornado pela dor. Um senhor vestido de preto veio ao nosso encontro.

"'Quando foi, doutor?', perguntou Trevor.

"'Assim que você saiu.'

"'Ele recuperou a consciência?'

"'Por um instante, antes de morrer.'

"'Algum recado para mim?'

"'Somente que os documentos estão na gaveta do fundo do armário japonês.'

"Meu amigo subiu com o médico até os aposentos do morto e eu fiquei no escritório, analisando o caso e sentindo-me deprimido como nunca me sentira antes. Qual seria o passado de Trevor — pugilista, viajante, mineiro — e como ficara à mercê daquele marinheiro agressivo? Por que teria desmaiado ao ouvir uma alusão às iniciais quase apagadas, tatuadas no braço, para depois morrer de susto ao receber uma carta de Fordingham? Então lembrei-me de que Fordingham ficava em Hampshire e que o tal sr. Beddoes, a quem o marinheiro iria visitar e provavelmente chantagear, morava naquela região. Portanto, a carta poderia ser de Hudson, o marinheiro, dizendo que tinha revelado o terrível segredo que parecia existir, ou então de Beddoes, prevenindo um velho amigo de que a traição era iminente. Até aí tudo parecia bem claro. Mas, nesse caso, como aquela carta poderia ser banal e grotesca, segundo a descrição do filho? Não devia tê-la entendido. Nesse caso deveria ser um daqueles engenhosos códigos secretos que dizem uma coisa e parecem significar outra. Eu precisava ler a carta. Se houvesse algum significado oculto, eu tinha a certeza de conseguir descobri-lo.

"Fiquei mais de uma hora refletindo sobre a questão no escuro, até que uma criada, em prantos, entrou com um lampião, seguida do meu amigo Trevor, pálido e controlado, trazendo estes documentos que estão aqui nos meus joelhos. Sentou-se na minha frente, aproximou a lâmpada da borda da mesa e entregou-me um bilhete escrito, como vê, numa única folha de papel cinzento: 'O fornecimento de caça para Londres aumenta constantemente. O guarda-caça Hudson, segundo acreditamos, contou com o recebimento de papel caça-moscas para a preservação da vida dos seus faisões'.

"Ao ler o bilhete, fiquei com uma expressão tão confusa quanto a sua neste momento. Então eu o reli com bastante atenção. Era óbvio que, como eu imaginara, havia um sentido oculto naquela estranha combinação de palavras. Ou as palavras 'papel caça-moscas' e 'faisões' teriam um significado predeterminado? Esse sentido seria arbitrário, impedindo qualquer dedução. Contudo, não me agradava pensar assim, e a presença do nome 'Hudson' parecia demonstrar que o assunto da mensagem era o que eu havia imaginado e o bilhete fora enviado por Beddoes e não pelo marinheiro. Tentei ler de trás para a frente, mas a combinação 'a vida dos faisões' dele não era promissora. Experimentei palavras alternadas, mas 'fornecimento caça Londres' não parecia ajudar a esclarecer nada. Mas, de repente, a chave do enigma surgiu nas minhas mãos. Percebi que cada terceira palavra, a contar da primeira, servia para fornecer uma mensagem que levaria o velho Trevor ao desespero.

"O aviso era curto e seco, como li para o meu amigo:

"'A caça terminou. Hudson contou tudo. Fuja se quiser salvar a vida.'

"Vítor Trevor escondeu o rosto nas mãos trêmulas.

"'Sim, deve ser isso. É pior que a morte, porque também significa a desonra. Mas qual o significado de 'guarda-caça' e 'faisões'?'

"'Nada tem a ver com a mensagem, mas poderia significar muita coisa se tivéssemos meios de descobrir o remetente. Você pode ver que ele começou escrevendo: 'A caça...' etc. Depois, para acompanhar o código preestabelecido, teve que arranjar palavras para preencher os espaços. Usou as primeiras que lhe vieram à cabeça e se há tantas referências ao esporte, pode-se ter quase certeza de que ele é apaixonado por caça ou uma pessoa interessada na criação de animais. Sabe alguma coisa a respeito desse Beddoes?'

"'Agora que você mencionou isso, lembro-me de que papai costumava receber convites para caçar nas terras dele, no outono.'

"'Então, não há dúvida de que é ele o autor do bilhete. Só falta descobrir o segredo com que esse marinheiro ameaçava esses dois homens ricos e respeitáveis.'

"'Temo que seja algo pecaminoso e vergonhoso!', exclamou meu amigo. 'Mas para você não terei segredos. Aqui está a declaração redigida por meu pai quando soube que era iminente o perigo representado por Hudson. Encontrei-a no armário japonês, como ele dissera ao médico. Abra e leia para mim. Não tenho forças nem coragem para ler pessoalmente.'

"Estes são os documentos que ele me entregou, Watson. Eu os lerei para você, como os li no velho gabinete naquela noite. Estão endossados no envelope, como você pode ver: 'Detalhes da viagem do brigue *Gloria Scott*, que zarpou de Falmouth no dia 8 de outubro de 1855 e naufragou a 15° 29' de lat. norte, 25° 14' de long. oeste, no dia 6 de novembro'. O documento tem a forma de carta e diz o seguinte:

Meu querido filho,

Agora que a desgraça se aproxima, obscurecendo os últimos anos de minha vida, posso escrever com toda a veracidade e franqueza que não é o terror da justiça, não é a perda de minha posição aqui no condado, nem a queda aos olhos de todos os que me conheceram que angustiam meu coração, e sim a ideia de que você se envergonhará de mim — você que me ama e que, raras vezes, espero, deixou de ter motivos para me respeitar. Mas, se o golpe que me ameaça for desferido, espero que você leia esta carta e saiba diretamente por mim até que ponto fui culpado. Por outro lado, se tudo correr bem (que Deus o permita!) e se por acaso este documento não for destruído e cair nas suas mãos, suplico por tudo o que há de mais sagrado, pela memória de sua querida mãe e pelo amor que entre nós existia, que o atire ao fogo e nunca mais volte a pensar nele.

Mas, se seus olhos forem além desta linha, sei que já terão me denunciado, arrastado para fora de minha casa; ou, o que é mais provável — você sabe que tenho o coração fraco —, meus lábios estarão fechados para sempre pela morte. Em ambos os casos, o tempo de guardar o segredo se esgotou e todas as palavras que eu disser serão a pura verdade. Juro pela minha salvação eterna.

Meu nome, querido filho, não é Trevor. Fui James Armitage na juventude, e você compreende agora o choque que tive algumas semanas atrás quando o seu colega de universidade me disse palavras que pareciam sugerir a descoberta do meu segredo. Foi como Armitage que ingressei numa firma bancária de Londres e como Armitage fui condenado por infringir as leis do meu país e recebi a pena do degredo. Não me julgue com muita severidade, meu filho. Era uma dívida de honra — como é chamada —, que eu precisava, e usei um dinheiro que não era meu, na certeza de devolvê-lo antes que houvesse qualquer possibilidade de darem pela falta. Mas fui perseguido pelo mais terrível azar. Não consegui a tempo o dinheiro que esperava, e um exame antecipado da contabilidade revelou o déficit. O caso poderia ter sido tratado com indulgência, mas a Justiça era mais severa há trinta anos, e no meu 23º aniversário eu estava acorrentado como um bandido, com 37 outros condenados, nos porões do brigue Gloria Scott, *rumo à Austrália.*

Foi no ano de 1855, no auge da Guerra da Crimeia, e os velhos navios de condenados eram muito usados como meio de transporte no mar Negro. O governo, portanto, era obrigado a utilizar embarcações menores e pouco adequadas para despachar os prisioneiros. O Gloria Scott *fora usado no comércio de chá da China, mas era antiquado, pesado e largo. As novas embarcações o haviam deixado para trás. Era um barco de quinhentas toneladas e, além dos 38 prisioneiros, levava uma tripulação de 26 marinheiros, dezoito soldados, um comandante, três oficiais, um médico, um capelão e quatro carcereiros. Quase cem pessoas ao todo, quando partimos de Falmouth.*

As divisões entre as celas dos condenados, em vez de serem de carvalho maciço, como é habitual nas embarcações de condenados, eram finas e frágeis. O homem que ficava perto de mim, do lado da popa, era uma pessoa que havia atraído minha atenção quando nos tinham levado até o cais. Era um rapaz de rosto claro e escanhoado, nariz longo e fino, maxilar protuberante. Mantinha a cabeça erguida num desafio, tinha o andar cadenciado e era notável pela altura extraordinária. Creio que nenhum de nós chegava-lhe aos ombros. Não devia ter menos de 2,10 metros. Era estranho ver entre tantas fisionomias tristes e cansadas alguém cheio de energia e decisão. Vê-lo era para mim como encontrar uma fogueira em meio a uma nevasca. Foi um prazer descobrir que era meu vizinho e fiquei mais satisfeito ao ouvir, na calada da noite, alguém murmurar ao meu ouvido e descobrir que ele conseguira abrir um orifício na madeira que nos separava.

— Olá, amigo! Como se chama e por que está aqui?

Respondi e também perguntei com quem estava falando.

— Sou Jack Prendergast, e prometo que aprenderá a abençoar meu nome antes que cada um vá para o seu lado!

Lembrei-me de ter ouvido falar no caso dele, que havia abalado o país algum tempo antes da minha prisão. Era um homem de boa família e grande talento, mas de hábitos incuravelmente corruptos e que havia obtido, graças a um engenhoso sistema de fraudes, imensas quantias de dinheiro dos comerciantes de Londres.

— Ah! Lembra-se do meu caso? — perguntou, orgulhoso.

— Lembro-me muito bem.

— Então, talvez se lembre de que ele tinha algo de estranho.

— Estranho, como?

— Eu tinha quase um quarto de milhão, não é exato?

— Foi o que disseram.

— Mas o dinheiro não foi recuperado, não é?

— Não.

— Onde acha que ele está?

— Não tenho a menor ideia.

— Está aqui mesmo, entre o meu polegar e o indicador — exclamou. — Tenho mais libras em meu nome do que você tem cabelo na cabeça. Quem tem algum dinheiro, meu velho, e sabe manejá-lo e distribuí-lo, é capaz de fazer qualquer coisa! Acha provável que um homem capaz de

tudo gaste as calças sentado nesta embarcação fedorenta e infestada de ratos e insetos, este velho caixão bolorento que comerciava nas costas da China? Não, senhor! Esse homem cuidaria de si próprio e dos amigos, pode apostar! Você poderia se agarrar a ele e jurar pelo livro sagrado que o sujeito iria libertá-lo.

Era nesse estilo que ele costumava falar e a princípio achei que eram palavras ocas; mas depois que ele me testou e me fez prestar um juramento com toda a solenidade, revelou-me que havia um plano para assumir o controle do navio. Uma dúzia de prisioneiros havia elaborado esse plano antes de embarcar. Prendergast era o líder, e seu dinheiro, a força propulsora.

— Eu tenho um sócio, um sujeito excelente, de toda confiança. Ele ganha uma percentagem. E onde acha que está neste momento? É o capelão do navio! O capelão, nada menos! Subiu a bordo de casaco preto, documentos em ordem e dinheiro suficiente para adquirir todo o brigue, dos porões à gávea. A tripulação é dele, de corpo e alma. Podia comprá-la por atacado, com desconto à vista, e o fez antes mesmo de serem contratados. Dois dos carcereiros e o segundo oficial estão no papo, e ele conseguiria comprar o próprio comandante se achasse que valia a pena.

— O que faremos, então?

— O que é que você acha? Deixaremos os casacos de alguns desses marinheiros mais vermelhos do que quando saíram das mãos do alfaiate.

— Mas estão armados! — objetei.

— Nós também estaremos, rapaz. Há um monte de pistolas para cada filho da mãe, e se não conseguirmos dominar este navio, apoiados por toda a tripulação, deveríamos ser mandados para um internato de moças. Fale esta noite com o seu companheiro da esquerda e veja se ele é de confiança.

Foi o que fiz, descobri que meu outro vizinho era um rapaz em situação semelhante à minha. O crime fora falsificação de assinatura. Chamava-se Evans, mas depois também trocou de nome como eu, e agora é um homem abastado, que vive no sul da Inglaterra. Estava disposto a participar da conspiração como único meio de nos salvarmos, e, antes de atravessarmos a baía, só dois prisioneiros não estavam a par do segredo. Um deles era débil mental e não ousamos confiar nele, o outro sofria de icterícia e não podia nos ajudar em nada.

Desde o início não havia nada que nos impedisse de assumir o controle do navio. A tripulação era um bando de malfeitores escolhidos especialmente para a tarefa. O falso capelão entrava em nossas celas para nos confortar carregando uma valise preta que supostamente estava cheia de livros; e aparecia com tanta frequência que no terceiro dia cada um de nós escondia no beliche uma lima, um par de pistolas, meio quilo de pólvora e vinte balas. Dois dos guardas eram agentes de Prendergast e o segundo oficial era o seu braço direito. O comandante, dois oficiais, dois guardas, o tenente Martin, dezoito soldados e o médico eram as únicas pessoas que tínhamos contra nós. Embora a situação fosse segura, decidimos não descuidar de precaução alguma e deflagrar o ataque de repente, no meio da noite. Mas ele ocorreu mais depressa do que esperávamos.

Uma noite, na terceira semana de viagem, o médico desceu para ver um dos prisioneiros que estava doente e, ao apoiar a mão no beliche, sentiu o contorno de uma pistola. Se tivesse ficado calado, ele poderia ter estragado tudo, mas era um homenzinho nervoso, de modo que deu um grito de surpresa e ficou tão pálido que o homem percebeu o que se passava e o agarrou na mesma hora. Foi amordaçado antes que pudesse dar o alarme e amarrado no beliche. Ele havia destrancado a porta que dava para o convés e nós passamos por ela correndo. As duas sentinelas foram abatidas a tiros, assim como um cabo que apareceu para saber o que estava acontecendo. Havia dois outros soldados à porta do salão e aparentemente seus mosquetes não estavam carregados, porque não atiraram contra nós e foram abatidos quando tentavam atacar-nos com as baionetas. Então corremos para o camarote do comandante, mas, quando abrimos a porta, houve uma explosão lá dentro. Demos com ele caído sobre um mapa do Atlântico pregado na mesa e o capelão ao lado, empunhando uma pistola fumegante. Os dois oficiais já haviam sido imobilizados pela tripulação e o caso parecia encerrado.

O salão ficava ao lado da cabine e ali nos reunimos, instalando-nos nas poltronas, falando todos ao mesmo tempo, enlouquecidos pela sensação de estarmos novamente em liberdade. Havia armários em todas as paredes, e Wilson, o falso capelão, arrombou um deles e tirou dali uma dúzia de garrafas de xerez. Quebramos os gargalos e despejamos a bebida em canecas. Estávamos bebendo quando, de repente, sem qualquer aviso, disparos de mosquetes soaram nos nossos ouvidos, e o salão ficou tão cheio de fumaça que não conseguíamos ver nada do outro lado da mesa.

Quando a fumaça se dissipou, o lugar estava em ruínas. Wilson e oito dos nossos contorciam-se no chão, uns sobre os outros, e o sangue misturado ao xerez sobre a mesa me provocam náuseas até hoje, só de pensar. Ficamos tão amedrontados diante da cena que teríamos desistido de tudo se não fosse Prendergast. Berrando como um touro, correu para a porta com todos os que ainda estavam vivos. Na popa encontramos o tenente e dez dos seus homens. As claraboias que iluminavam o salão estavam meio abertas e pela fresta eles haviam atirado contra nós. Foram dominados antes de poderem recarregar as armas e resistiram como homens. Levamos a melhor, e em cinco minutos o caso estava encerrado. Meu Deus! Terá havido algum dia pior abatedouro do que aquele navio? Prendergast parecia um touro enfurecido. Agarrava os soldados como se fossem crianças e os atirava ao mar, vivos ou mortos. Havia um sargento horrivelmente ferido que continuou a nadar durante tempo espantoso, até que alguém, misericordiosamente, estourou-lhe os miolos. Quando a luta terminou, não restava um só dos nossos inimigos, exceto os guardas, os oficiais e o médico.

Foi por causa deles que surgiu a grande discussão. Muitos de nós estávamos satisfeitos em recuperar a liberdade, mas não queríamos ter na consciência o peso de assassínios. Uma coisa era abater soldados armados de mosquetes e outra vê-los assassinados a sangue-frio. Eu e mais sete — cinco prisioneiros e três marinheiros — afirmamos que não queríamos saber daquilo. Mas foi impossível demover Prendergast e os que o apoiaram. Nossa única possibilidade de segurança residia em levar a tarefa até o fim, disse ele. Não queria deixar ninguém capaz de dar com a língua nos dentes no banco das testemunhas. Quase tivemos o mesmo destino dos prisioneiros, mas ele acabou dizendo que, se quiséssemos, poderíamos pegar um dos escaleres e ir embora. Ficamos satisfeitos com a proposta, porque estávamos fartos da carnificina e percebemos que iriam acontecer coisas piores antes que o caso chegasse ao fim. Deram-nos roupas de marinheiro, um barril de água, dois tonéis — um de carne-seca e outro de biscoitos — e uma bússola. Prendergast nos mostrou um mapa, disse que éramos marinheiros salvos de um naufrágio ocorrido a 15° de latitude norte e 25° de longitude oeste. Cortou a amarra e nos deixou partir.

Chegamos agora à parte mais surpreendente da minha história, querido filho. Os marinheiros haviam puxado a bandeira da verga do mastro dianteiro durante o motim, mas, quando nos afastamos, eles a recolocaram no lugar. E, como soprava uma brisa do nordeste, a embarcação começou a se afastar lentamente de nós. O nosso escaler subia e descia nas ondas longas e suaves. Evans e eu, que éramos os mais instruídos do grupo, instalamo-nos na escota, calculando a posição e planejando o rumo que deveríamos seguir. Era uma questão difícil, porque Cabo Verde ficava quinhentas milhas ao norte e a costa da África, cerca de setecentas milhas a leste. No fim das contas, como o vento soprava do norte, achamos que Serra Leoa seria a melhor opção e rumamos naquela direção. O brigue, àquela altura, havia quase desaparecido a estibordo. De repente, enquanto o observávamos, avistamos uma densa fumaça escura saindo do seu interior e projetando-se, como uma árvore monstruosa, no horizonte. Segundos depois ouvimos um estrondo parecido com um trovão, e quando a fumaça se dissipou, não havia mais vestígio do Gloria Scott. *Manobramos imediatamente o escaler e remamos com todas as forças para o local onde a névoa, que ainda pairava sobre a água, marcava o cenário da catástrofe.*

Levamos uma longa hora para alcançá-lo, e a princípio achamos que tínhamos chegado tarde demais para encontrar sobreviventes. Um escaler destroçado, vários engradados e fragmentos de verga ondulando nas águas revelavam que o brigue havia naufragado; mas não vimos sinais de vida e já nos afastávamos horrorizados quando ouvimos um grito de socorro e avistamos a distância um pedaço de madeira com um homem estirado em cima. Quando o arrastamos para bordo, verificamos que era um jovem marinheiro chamado Hudson, tão queimado e exausto que só na manhã seguinte foi capaz de contar o que havia acontecido.

Ao que parece, depois que nos afastamos, Prendergast e a gangue decidiram executar os cinco prisioneiros restantes; os dois guardas já haviam sido liquidados e atirados ao mar, assim como o terceiro oficial. Prendergast desceu então aos porões e, com as próprias mãos, cortou a garganta do infeliz médico. Restava apenas o primeiro oficial, um sujeito ousado e ativo. Ao ver Prendergast aproximar-se empunhando a faca ensanguentada, livrou-se das cordas que o prendiam e que ele conseguira afrouxar, desceu correndo o tombadilho e mergulhou no porão do navio.

Doze condenados que desceram com as pistolas à procura dele encontraram-no com uma caixa de fósforos em punho, sentado num barril de pólvora aberto — um dos cem que o navio transportava — e jurando que mandaria tudo pelos ares se alguém se aproximasse. Um instante depois ocorreu a explosão, embora, na opinião de Hudson, fosse causada pelo disparo de um dos condenados e não pelo fósforo. Qualquer que fosse a causa, era o fim do Gloria Scott *e dos miseráveis que o dominavam.*

É esta, em poucas palavras, meu querido filho, a história terrível em que estive envolvido. No dia seguinte fomos recolhidos pelo Hotspur, *que viajava para a Austrália e cujo comandante acreditou que éramos os sobreviventes de um navio de passageiros naufragado. O navio de transporte* Gloria Scott *foi dado como perdido no mar pelo Almirantado e nunca se soube coisa alguma a respeito do verdadeiro destino. Após uma viagem excelente, o* Hotspur *nos deixou em Sydney, onde Evans e eu trocamos de nome e rumamos para as minas, e não foi difícil nos livrarmos da antiga identidade em meio à multidão de homens de todas as nações.*

Não preciso contar o resto. Prosperamos, viajamos, voltamos à Inglaterra como colonos ricos e adquirimos propriedades no campo. Durante mais de vinte anos vivemos uma existência tranquila e útil, esperando que o passado estivesse enterrado para sempre. Imagine o que senti quando, no marinheiro que nos procurou, reconheci imediatamente o homem que havíamos recolhido do naufrágio! Ele havia, não sei como, descoberto a nossa pista e decidido lucrar com os nossos temores. Você compreenderá agora por que procurei não brigar com ele e entenderá, até certo ponto, o medo que me dominou quando ele saiu daqui em busca de outra vítima a quem ameaçava delatar.

"No pé da página estava escrito numa letra tão trêmula que mal se podia ler:

Beddoes escreveu em código dizendo que H. contou tudo. Deus, tenha piedade de nós!

"Foi esta a narrativa que li naquela noite para o jovem Trevor, e acho, Watson, que, naquelas circunstâncias, foi muito dramática. O rapaz, desolado, resolveu ir para Terai plantar chá, e ouvi dizer que prosperou lá. Quanto ao marinheiro e a Beddoes, nunca mais ouvi falar neles após o dia em que li a carta. Os dois desapareceram por completo. Não foi apresentada queixa à polícia, de modo que Beddoes deve ter confundido uma ameaça com um fato. Hudson foi visto rondando pelas imediações, e a polícia acreditou que ele havia liquidado Beddoes e depois fugido. Mas eu acredito que ocorreu exatamente o oposto. O mais provável é que Beddoes, levado ao desespero e julgando-se traído, vingou-se de Hudson e fugiu do país, levando todo o dinheiro em que conseguiu pôr as mãos. São estes os fatos do caso, doutor, e se forem úteis à sua coletânea, estão inteiramente a seu dispor."

O Ritual Musgrave

Uma anomalia que me impressionava com frequência no caráter de meu amigo Sherlock Holmes era que, embora nos sistemas de raciocínio ele fosse o homem mais cuidadoso e sistemático do mundo, e apesar de mostrar um discreto requinte na maneira de se vestir, os hábitos pessoais eram dos mais excêntricos e capazes de levar à loucura um companheiro de quarto. Não que eu seja muito convencional nesse aspecto. O trabalho irregular no Afeganistão, além de uma natural tendência à boêmia, fez com que eu ficasse mais negligente do que convém a um médico. Mas eu tenho um limite. Quando encontro alguém que guarda os charutos no balde do carvão, o tabaco enfiado num chinelo persa e a correspondência ainda não respondida presa com um punhal no meio do consolo da lareira, começo a considerar-me um verdadeiro santo. Sempre afirmei também que o tiro ao alvo deve ser praticado ao ar livre, e quando Holmes, num dos estranhos humores dele, resolve instalar-se numa poltrona e adornar a parede fronteira com um patriótico V.R. feito à bala, sinto que nem a atmosfera nem a aparência de nossa sala ganharão com isso.

Nossos aposentos estavam sempre tão cheios de produtos químicos e relíquias criminais, que acabavam ocupando os lugares mais absurdos, como a manteigueira, ou até locais menos desejáveis. Mas os seus papéis eram o meu grande problema. Holmes tinha horror a destruir documentos, principalmente os relacionados com casos passados, e apenas uma vez por ano, ou a cada dois anos, conseguia coragem para juntá-los e arrumá-los, porque, como mencionei em algum ponto destas memórias incoerentes, os surtos de energia apaixonada, quando ele realizava façanhas extraordinárias associadas ao seu nome, eram seguidos de reações letárgicas. Então ficava deitado, segurando o violino ou os livros, e mal se movia, a não ser para se transferir do sofá para a mesa. E assim, mês após mês, os papéis se acumulavam, até que todos os cantos da sala ficavam cobertos de manuscritos, que não deviam ser queimados de modo algum, e só podiam ser guardados por ele mesmo.

Numa noite de inverno, quando estávamos sentados diante da lareira e ele acabara de colar recortes no seu álbum de ocorrências policiais, arrisquei-me a sugerir que ele poderia ocupar as duas horas seguintes tornando a nossa sala um pouco mais habitável. Ele não pôde negar a justiça do pedido e, com expressão melancólica, dirigiu-se para o quarto, de onde voltou instantes depois com um grande baú de metal. Ele o colocou no meio da sala, sentou-se num banquinho diante dele e abriu a tampa. Vi que o baú já estava quase cheio de pilhas de documentos atados com fita vermelha e separados em pacotes.

— Há muitos casos guardados aqui, Watson — disse, lançando-me um olhar malicioso. — Acho que se você soubesse tudo o que este baú contém, seria capaz de me pedir que tirasse alguns daqui, em vez de guardar outros documentos.

— Então são registros dos seus primeiros casos? Muitas vezes desejei ter anotações desses casos.

— Sim, meu rapaz. Tudo isso foi feito prematuramente, antes que meu biógrafo surgisse para me cobrir de glória. — Ele ergueu um pacote após outro, num gesto carinhoso: — Nem todos são sucessos, Watson. Mas entre eles há probleminhas interessantes. Aqui estão as anotações referentes aos crimes de Tarleton e o caso de Vamberry, o negociante de vinhos; a aventura da senhora russa e o caso singular da muleta de alumínio; assim como o depoimento completo de Ricoletti, o perna de pau, e sua mulher abominável. E aqui... Ah! Este é realmente algo especial.

Mergulhou o braço até o fundo do baú e retirou uma caixinha de madeira com tampa deslizante, do tipo que serve para guardar brinquedos de criança. Tirou de dentro um papel amassado, uma chave de bronze de feitio antigo, um gancho de madeira ao qual estava presa uma bola de barbante e três discos de metal enferrujados.

— Então, meu caro, o que acha disto? — perguntou, sorrindo ao ver a minha expressão.

— É uma coleção estranha.

— Muito estranha. E a história que a envolve é mais estranha ainda.

— Estas relíquias têm uma história?

— Elas é que são a história.

— O que quer dizer com isso?

Sherlock Holmes recolheu os objetos um a um e colocou-os em fila na borda da mesa. Depois tornou a sentar-se e ficou observando-os com um brilho de satisfação no olhar.

— Isto é tudo o que me restou do episódio do Ritual Musgrave.

Eu o ouvira falar do caso mais de uma vez, embora nunca tivesse conhecimento dos detalhes.

— Gostaria muito que você me contasse a história.

— E deixasse essa confusão como está? — perguntou, com um sorriso malicioso. — Seu espírito de ordem não suporta muita pressão, Watson. Mas gostaria que você acrescentasse este caso aos seus anais, porque há pontos que o tornam absolutamente singular nos registros criminais deste país ou mesmo, eu acredito, de qualquer outro. Uma coletânea das minhas pequenas realizações seria incompleta se não incluísse uma narrativa deste caso singular.

"Você deve se lembrar de que a história do *Gloria Scott* e a minha conversa com o infeliz homem cujo destino eu lhe contei implicaram-me no rumo que se tornou a minha profissão. Hoje em dia meu nome é conhecido em toda parte e em geral sou reconhecido pelo público e pela polícia como a Suprema Corte de Apelação em casos duvidosos. Mesmo quando você me conheceu, na época do caso que batizou de *Um estudo em vermelho*, eu já havia adquirido uma reputação considerável, embora não muito lucrativa. Portanto, será difícil para você compreender como foi duro a princípio e quanto tempo esperei para fazer sucesso na carreira.

"Ao me mudar para Londres, instalei-me na Montague Street, pertinho do Museu Britânico, e ali esperava, preenchendo as minhas muitas horas vagas, com o estudo de todos os ramos da ciência que poderiam tornar-me mais eficiente. De vez em quando surgia algum caso, principalmente por intermédio de antigos colegas, porque durante os meus últimos anos na universidade já se falava bastante a meu respeito e a respeito dos meus métodos. O terceiro desses casos foi o Ritual Musgrave e é ao interesse despertado por esse encadeamento singular de ocorrências e às grandes questões que estavam em jogo que atribuo o meu primeiro grande passo em direção à posição que tenho agora.

"Reginald Musgrave estudava na mesma faculdade, e eu o conhecia ligeiramente. Não era muito popular entre os alunos, embora eu sempre tivesse a impressão de que seu suposto orgulho era, na verdade, uma tentativa de ocultar uma excessiva timidez natural. Tinha aparência aristocrática, era magro, de nariz fino e olhos grandes, um jeito lânguido, mas cortês. E era herdeiro de uma das famílias mais antigas do reino, embora pertencesse a um dos ramos mais novos, que se separara dos Musgrave do norte em algum momento do século XVI, estabelecendo-se no oeste, em Sussex, onde a mansão de Hurlstone talvez seja a mais antiga construção habitada existente no condado. Alguma coisa da sua terra natal parecia aderir ao homem e nunca olhei para o rosto pálido e atento, ou para a posição da cabeça, sem associá-lo a arcadas cinzentas, janelas de pinázio e a toda a venerável ruína de uma moradia feudal. Conversamos uma ou duas vezes e lembro-me de que ele manifestou profundo interesse pelos meus métodos de observação e dedução.

"Passei quatro anos sem vê-lo, até que certa manhã ele apareceu no meu quarto, na Montague Street. Pouco mudara. Vestia-se como um rapaz da moda — sempre fora um dândi —, e conservava as maneiras discretas e suaves que o distinguiam no passado.

"'Como vai a vida, Musgrave?', perguntei, depois de um cordial aperto de mãos.

"'Deve ter sabido da morte de meu pai', disse ele. 'Faleceu há dois anos. Desde então, é claro, precisei administrar a propriedade de Hurlstone. E como sou representante do distrito, tenho andado muito ocupado. Mas soube, Holmes, que você passou a aplicar a fins práticos aqueles talentos que costumavam nos surpreender.'

"'Sim, vivo à custa das minhas faculdades mentais.'

"'Estou encantado em saber disso, porque o seu conselho seria extremamente valioso para mim no momento. Ocorreram algumas coisas muito estranhas em Hurlstone e a polícia não conseguiu esclarecer a questão, que é de fato extraordinária e inexplicável.'

"Você pode imaginar com que interesse eu o escutei, Watson. A oportunidade que vinha esperando durante meses de inatividade parecia estar ao meu alcance. No fundo do coração eu acreditava ser capaz de vencer onde outros haviam fracassado. E ali estava a oportunidade para testar-me.

"'Conte com detalhes', pedi.

"Reginald Musgrave sentou-se à minha frente e acendeu o cigarro que lhe ofereci.

"'Deve saber que, embora eu seja solteiro, preciso manter uma grande criadagem em Hurlstone, uma casa ampla e antiga, exigindo muito trabalho de manutenção. Tenho também uma reserva de caça e nos meses do faisão reúno um grupo de convidados, de modo que não posso ficar sem ajudantes. Ao todo são oito criadas, a cozinheira, o mordomo, dois criados e um lacaio. Os jardins e as cavalariças têm o seu staff separado, é claro.

"'Desses criados, o que está há mais tempo a nosso serviço é Brunton, o mordomo. Ele era um jovem professor desempregado quando meu pai o contratou, mas, como homem de grande energia e caráter, em pouco tempo tornou-se indispensável à família. Um rapaz bonito, bem-proporcionado. Embora esteja conosco há vinte anos, não teria agora mais de quarenta. Com as vantagens pessoais e talentos extraordinários que tem, porque fala várias línguas e toca quase todos os instrumentos musicais, é espantoso que se tenha contentado por tanto tempo com esse emprego. Mas creio que achava a vida confortável e não tinha energia para modificá-la. O mordomo de Hurlstone é sempre lembrado por todos os que nos visitam.

"'Mas esse homem ideal tem um defeito. É um Don Juan e, como pode imaginar, para alguém como ele não é difícil representar o papel numa tranquila região campestre.

"'Enquanto esteve casado, tudo correu bem, mas depois que enviuvou tivemos uma série de aborrecimentos. Alguns meses atrás tínhamos esperança de que ele assentasse de novo a cabeça, porque ficou noivo de Rachel Howells, uma das criadas da casa, mas desistiu dela e passou a interessar-se por Janet Tregellis, filha do chefe dos guarda-caças. Rachel, que é uma boa moça, mas com um arrebatado temperamento galês, teve uma febre que lhe afetou ligeiramente o cérebro e passou a vagar pela casa — ou pelo menos vagava até ontem — como uma sombra de si mesma. Foi o nosso primeiro drama em Hurlstone. Mas outro drama veio afastar este de nossa mente, e foi precedido pela desonra e demissão do mordomo Brunton.

"'O caso aconteceu assim. Eu disse que o homem é inteligente, e foi essa inteligência que o levou à ruína, porque estimulou nele uma curiosidade insaciável a respeito de coisas que não eram de jeito algum da conta dele. Eu não imaginava a que ponto essa curiosidade o levaria, até que um simples acidente chamou minha atenção.

"'Disse que a casa é ampla. Numa noite da semana passada — na quinta-feira, para ser mais exato —, não consegui dormir depois de ter tomado uma xícara de café forte após o jantar. Lutei contra a insônia até as duas horas, quando desisti, me levantei e acendi uma vela com a intenção de continuar a leitura de um romance. Mas eu deixara o livro na sala de bilhar, de modo que vesti um roupão e saí do quarto para ir buscá-lo.

"'Para chegar à sala de bilhar eu precisava descer um lanço de escada e atravessar o patamar que dava para a biblioteca e a sala de armas. Pode imaginar a minha surpresa quando olhei para o corredor e vi um reflexo de luz saindo da porta aberta da biblioteca, porque eu mesmo havia apagado a lâmpada e fechado a porta antes de me deitar. Naturalmente, no primeiro momento pensei que eram ladrões. As paredes dos corredores de Hurlstone são decoradas com troféus e armas antigas. Peguei um machado de guerra e, deixando a vela para trás, segui em silêncio pelo corredor e olhei pela porta aberta.

"'Brunton, o mordomo, estava na biblioteca, sentado numa poltrona, inteiramente vestido, segurando um papel que parecia um mapa estendido sobre os joelhos. Estava com a cabeça apoiada na mão, pensando. Fiquei imóvel, muito espantado, observando-o do corredor escuro. Uma vela pousada na borda da mesa lançava uma luz fraca, mas suficiente para mostrar que ele estava inteiramente vestido. De repente, levantou-se, aproximou-se de uma escrivaninha, destrancou-a e abriu uma das gavetas. Dali retirou um papel e voltou a sentar-se na poltrona. Colocou-o ao lado da vela na borda da mesa e começou a lê-lo com a maior atenção. Indignado diante da tranquilidade com que ele examinava os documentos de nossa família, adiantei-me um passo. Brunton, erguendo a cabeça, viu-me à porta. Levantou-se de um salto, pálido de susto, e enfiou no colete o papel semelhante a um mapa e que estivera lendo: 'Então é assim que retribui a confiança que depositamos em você! Está dispensado a partir de amanhã.'

"'Inclinou-se com o aspecto de um homem totalmente arrasado e saiu sem uma palavra. A vela continuava na mesa e pude dar uma olhada no papel que Brunton havia tirado da gaveta. Para minha surpresa, não era nada de importante. Apenas uma cópia das perguntas e respostas da antiga e singular prática chamada Ritual Musgrave. É uma espécie de cerimônia específica da nossa família, pela qual cada Musgrave passa há séculos, ao atingir a maioridade. Uma coisa de interesse particular e talvez de alguma importância para um arqueólogo, como nossos brasões e divisas, mas sem qualquer utilidade prática.'

"'É melhor voltarmos mais tarde ao documento', observei.

"'Se achar mesmo necessário...', respondeu com certa hesitação. 'Continuando a minha narrativa, tornei a trancar a gaveta, usando a chave que Brunton havia deixado. Virei-me para sair e fiquei surpreso ao ver que o mordomo tinha voltado e estava diante de mim. 'Sr. Musgrave, não posso suportar a desonra', disse numa voz rouca de emoção. 'Sempre me orgulhei de estar acima de minha posição e a desonra iria me matar. Meu sangue cairia sobre sua cabeça, senhor, — isto é exato — se me levar ao desespero. Se não pode me manter aqui depois do que se passou, pelo amor de Deus, permita que eu peça demissão e saia dentro de um mês, como se fosse por livre e espontânea vontade. Isso eu suportaria, sr. Musgrave, mas não ser expulso diante de todas as pessoas que conheço tão bem.' 'Não merece muita consideração, Brunton', respondi. 'Sua conduta é infame. Mas, como está há muito tempo na família, não quero desonrá-lo publicamente. Mas um mês é demais. Saia dentro de uma semana e apresente o motivo que quiser.' 'Só uma semana, senhor?', exclamou, desesperado. 'Quinze dias. Quinze dias pelo menos!' 'Uma semana!', repeti. 'E considere-se tratado com muita clemência.'

"'Ele saiu cabisbaixo, um homem arrasado, enquanto eu apagava a vela e voltava para o meu quarto.

"'Nos dois dias seguintes Brunton dedicou-se o máximo possível aos deveres. Não aludi ao que se passara e aguardei com curiosidade o motivo que ele apresentaria para disfarçar a humilhação. Na terceira manhã ele não apareceu, como de costume, para receber as minhas instruções do dia, após o café da manhã. Ao sair da sala, encontrei por acaso Rachel Howells, a criada. Já contei que ela estava se recuperando de uma doença recente e pareceu-me tão pálida e abatida que a censurei por estar trabalhando. 'Devia estar na cama. Volte às suas obrigações quando estiver melhor.'

"'Ela olhou-me com uma expressão tão estranha que comecei a desconfiar de que a febre lhe afetara mesmo o cérebro. 'Já estou bastante forte, sr. Musgrave', respondeu. 'Veremos o que diz o médico. Pare de trabalhar agora e, quando descer, avise a Brunton que quero falar com ele.' 'O mordomo desapareceu.' 'Desapareceu! Como?' 'Desapareceu. Ninguém o viu. Não está no quarto. É, foi embora, foi embora!'

"'E encostou-se na parede gritando e rindo ao mesmo tempo, enquanto eu, horrorizado diante daquele súbito ataque histérico, toquei a campainha para pedir ajuda. A moça foi levada para o quarto ainda gritando e soluçando, enquanto eu perguntava a respeito de Brunton. Não havia dúvida de que tinha desaparecido. A cama não fora desfeita; ninguém o vira depois que ele fora para o quarto na noite anterior; ainda assim era difícil descobrir como havia saído de casa, já que as janelas e as portas estavam trancadas pela manhã. As roupas, o relógio e até o dinheiro estavam no quarto, mas o terno preto que costumava vestir havia desaparecido, assim como os chinelos. As botas, porém, continuavam ali. Para onde teria ido o mordomo Brunton no meio da noite e onde estaria naquele momento?

"'Claro que revistamos a casa do sótão às adegas, mas não encontramos sinal dele. Como disse, a velha casa é um labirinto, principalmente na ala original, agora quase desabitada, mas revistamos todas as peças e o sótão sem descobrir o menor sinal do desaparecido. Era inacreditável que ele tivesse ido embora sem levar os pertences. Mas onde ele estaria? Chamei a polícia local, mas sem resultado. Chovera na noite anterior, e examinamos os gramados e alamedas em torno da casa, mas sem utilidade. As coisas estavam nesse pé quando uma nova ocorrência desviou nossa atenção do mistério inicial.

"'Rachel Howells esteve tão mal durante dois dias, ora delirando, ora histérica, que foi preciso contratar uma enfermeira para cuidar dela noite e dia. Na terceira noite após o desaparecimento de Brunton, a enfermeira, vendo que a doente dormia tranquila, cochilou numa poltrona. Ao despertar de manhã cedo, encontrou a cama vazia, a janela aberta e nenhum sinal de Rachel. Não foi difícil descobrir que direção ela havia tomado, pois a partir da janela seguimos as pegadas nítidas no gramado até a margem do lago, onde desapareciam junto a uma trilha de cascalho que vai até os limites da propriedade. O lago ali tem 2,5 metros de profundidade e você pode imaginar o que sentimos ao ver as pegadas da pobre moça enlouquecida chegarem até a margem.

"'Mandamos dragar as águas no mesmo instante, decididos a recuperar o corpo, mas não encontramos qualquer vestígio. Por outro lado, veio à tona um objeto dos mais inesperados: uma mala de pano, contendo um amontoado de metal enferrujado e manchado e vários pedaços de rocha ou vidro opaco. Esse achado estranho foi a única coisa que retiramos do lago e, embora fizéssemos ontem todas as buscas e indagações possíveis, continuamos ignorando o paradeiro de Rachel Howells e Richard Brunton. A polícia do condado não sabe o que fazer e vim procurá-lo como último recurso.'

"Você pode imaginar, Watson, com que atenção escutei essa extraordinária sequência de acontecimentos, tentando uni-los e descobrir um elo entre eles. O mordomo havia desaparecido. A empregada idem. A empregada amava o mordomo, mas depois teve motivos para odiá-lo. Tinha sangue galês, era ardente e apaixonada. Estava profundamente abalada após o desaparecimento do mordomo e havia atirado no lago uma mala contendo objetos estranhos. Todos esses fatores precisavam ser levados em consideração, mas nenhum conduzia ao âmago da questão. Qual o ponto de partida daquela cadeia de acontecimentos? Víamos apenas o fim de uma linha emaranhada.

"'Preciso ver aquele papel, Musgrave. O papel que o seu mordomo achou que valia a pena examinar mesmo arriscando-se a perder o emprego.'

"'É um tanto absurdo esse nosso Ritual, mas tem pelo menos o encanto da antiguidade como justificativa. Tenho uma cópia das perguntas e respostas, se quiser dar uma olhada nela.'

"Entregou-me este documento que está aqui, Watson. É o estranho catecismo a que cada Musgrave se submete ao atingir a maioridade. Vou ler as perguntas e respostas:

— *De quem é isto?*
— *Daquele que se foi.*
— *Quem o terá?*
— *Aquele que virá.*
— *Qual foi o mês?*
— *O sexto a partir do primeiro.*
— *Onde estava o sol?*
— *Sobre o carvalho.*
— *Onde estava a sombra?*
— *Debaixo do olmo.*
— *A quantos passos?*
— *Norte por dez e dez, leste por cinco e cinco, sul por dois e dois, oeste por um e um, e assim debaixo.*
— *O que daremos em troca?*
— *Tudo o que é nosso.*
— *Por que o daremos?*
— *Por razões de confiança.*

"'O original não tem data, mas a grafia é de meados do século XVII', observou Musgrave. 'Mas temo que não ajude muito na solução do mistério.'

"'Pelo menos nos proporciona outro mistério ainda mais interessante que o primeiro. É possível que a solução de um seja a solução do outro. Perdoe, Musgrave, se digo que seu mordomo parece ter sido um homem muito esperto, com uma percepção mais aguçada do que dez gerações de fidalgos.'

"'Não entendo. O documento não me parece ter qualquer importância prática.'

"'Pois a mim parece muito prático e imagino que Brunton tenha pensado da mesma maneira. É provável que o tenha visto bem antes da noite em que foi surpreendido.'

"'É bem possível. Nunca tomamos qualquer precaução para escondê-lo.'

"'Ele queria simplesmente reavivar a memória naquela última vez. Como você disse, ele tinha uma espécie de mapa e o estava comparando com o manuscrito. Enfiou-o no bolso quando você apareceu?'

"'É. Mas o que ele teria a ver com esse velho costume da nossa família, e o que significa toda essa confusão?'

"'Creio que não será muito difícil descobrir', respondi. 'Com a sua permissão, tomaremos o primeiro trem que segue para Sussex e examinaremos a questão com mais profundidade no próprio local.'

"Naquela mesma tarde estávamos em Hurlstone. É possível que você tenha visto fotos ou tenha lido descrições da famosa construção antiga, de modo que me limitarei a dizer que a residência é em forma de L, sendo o braço longo a parte mais moderna, e o curto, o núcleo antigo a partir do qual o outro se desenvolveu. Sobre a porta baixa e pesada, no centro da parte antiga, está gravada a data de 1607, mas especialistas afirmam que as traves e o trabalho de cantaria são bem mais antigos. As paredes de largura extraordinária e as minúsculas janelas daquela ala levaram a família, no último século, a construir uma ala nova, passando a antiga a ser usada como depósito e adega, quando era usada. Um esplêndido parque, cheio de belas árvores antigas, rodeia a casa, e o lago a que meu cliente se referiu fica perto da alameda, a cerca de duzentos metros da construção.

"Eu já estava convencido, Watson, de que não havia três mistérios independentes no caso, mas só um, e que se conseguisse interpretar de maneira correta o Ritual Musgrave, teria na minha mão a pista que me levaria à verdade referente tanto ao mordomo Brunton como à criada Howells. Concentrei todas as minhas energias nessa direção. Por que o mordomo estaria tão ansioso para dominar aquele antigo ritual? Evidentemente porque via nele algo que escapara a todas aquelas gerações de aristocratas, e do qual esperava tirar alguma vantagem pessoal. O que seria e como afetaria o seu destino?

"Ficou óbvio para mim, ao ler o Ritual, que as medidas deviam referir-se a algum local mencionado no resto do documento, e que se pudéssemos encontrá-lo, estaríamos numa boa pista para descobrir o segredo que os antigos Musgrave haviam julgado necessário embalsamar de maneira tão curiosa. Havia dois pontos de partida, um carvalho e um olmo. Quanto ao carvalho, não podia haver dúvidas. Bem na frente da casa, do lado esquerdo da alameda, havia um patriarca entre todos os carvalhos, uma das árvores mais magníficas que já vi.

"'Ele já existia quando o seu Ritual foi redigido?', perguntei, quando passamos pelo carvalho.

"'Provavelmente já estava aí na época da conquista normanda. Tem sete metros de circunferência.'

"Um dos pontos que eu determinara estava garantido.

"'Existem velhos olmos por aqui?', perguntei.

"'Havia um muito antigo lá adiante, mas foi atingido por um raio há dez anos e cortamos o que restou do tronco.'

"'É possível ver o local onde ele ficava?'

"'Com certeza.'

"'Não há outros olmos?'

"'Antigos, não. Mas temos uma porção de faias.'

"'Gostaria de ver o lugar onde ficava o olmo.'

"Tínhamos vindo de charrete e meu cliente levou-me até o local antes mesmo de entrarmos na casa. Havia uma cicatriz no gramado naquele ponto, que ficava quase no meio do caminho entre o carvalho e a residência. Aparentemente minha investigação progredia.

"'Creio que é impossível saber a altura do olmo...'

"'Posso dizer agora mesmo, 19, 20 metros...'

"'Como sabe?', eu perguntei, surpreso.

"'Quando meu velho preceptor me passava exercícios de trigonometria, eles eram sempre sobre medidas de altura. Em menino calculei todas as árvores e construções da propriedade.'

"Era uma sorte inesperada. Estava obtendo os meus dados mais depressa do que imaginara.

"'Diga-me, o mordomo algum dia fez esta pergunta a você?'

"Reginald Musgrave olhou-me espantado.

"'Agora que falou nisso... Brunton perguntou-me a respeito da altura da árvore alguns meses atrás, por causa de uma discussão com um criado.'

"Era uma excelente notícia, Watson, porque indicava que estávamos no caminho certo.

"Observei o sol. Estava baixo no céu e calculei que em menos de uma hora ficaria exatamente sobre os ramos mais altos do velho carvalho. Uma das condições mencionadas no Ritual estaria então preenchida. E a sombra do olmo significaria o seu ponto extremo; caso contrário, o tronco teria sido escolhido como ponto de referência. Então eu precisava descobrir onde cairia o ponto extremo da sombra quando o sol fosse ocultado pelo carvalho."

— Deve ter sido muito difícil, Holmes, já que o olmo não estava mais lá.

— Bem, se Brunton era capaz de calcular, eu também seria. Além disso, não era de fato uma dificuldade. Fui com Musgrave até o gabinete dele, e eu mesmo talhei este prego de madeira, ao qual atei este barbante com um nó de metro em metro. Depois peguei uma vara de pescar com 1,80 metro e voltei com meu cliente ao ponto onde estivera o olmo. O sol roçava a copa do carvalho. Finquei a vara verticalmente, marquei a direção da sombra e a medi. Tinha 2,70 metros de comprimento. O cálculo era simples, naturalmente. Se uma vara de 1,80 metro lançava uma sombra de 2,70 metros, uma árvore de 19,20 metros projetaria com certeza uma sombra de 28,80 metros, e uma sombra estaria, é claro, em linha com a outra. Medi a distância, que me levou quase até a parede da casa, e marquei o lugar com o prego. Pode imaginar a minha alegria, Watson, quando vi, a cinco centímetros do prego, uma depressão cônica no solo. Eu sabia que era a marca deixada por Brunton quando fez a sua medição. Eu estava, portanto, na pista dele.

"A partir dali prossegui cautelosamente, depois de estabelecer os pontos cardeais com a ajuda da minha bússola portátil. Dez passos com cada pé levaram-me ao longo da parede da casa. Marquei de novo o local com um prego. Em seguida, medi com cuidado cinco passos para leste e dois para o sul, o que me deixou na soleira da velha porta. Dois passos para oeste significavam que eu precisava avançar pelo corredor com piso de pedras, onde estava o ponto indicado pelo Ritual.

"Nunca senti um tal arrepio de decepção como aquele, Watson. Por um instante pensei que tinha errado completamente o cálculo. O sol poente batia em cheio no chão do corredor e eu via que as velhas pedras cinzentas, desgastadas pelo uso e que formavam o piso, estavam firmemente cimentadas e com certeza não eram deslocadas havia muitos anos. Brunton não estivera trabalhando por ali. Bati no piso, mas o som era o mesmo em toda parte, não havia sinal de brechas ou rachaduras. Felizmente Musgrave, que começava a entender o sentido do meu procedimento e estava tão empolgado quanto eu, tirou do bolso o manuscrito para verificar os meus cálculos.

"'*Debaixo!*', exclamou. 'Esqueceu o *debaixo*.'

"Eu havia pensado que a palavra queria dizer que deveríamos cavar, mas naquele momento percebi o engano.

"'Então há porões aqui embaixo?', perguntei.

"'Sim, tão antigos quanto a casa. Vamos por esta porta.'

"Descemos por uma escada circular de pedra e meu amigo, riscando um fósforo, acendeu uma grande lanterna que estava sobre um barril a um canto. No mesmo instante tornou-se óbvio que finalmente estávamos no lugar certo e não éramos as únicas pessoas que o visitavam nos últimos tempos.

"Ele havia sido usado para armazenar lenha, mas as achas, que antes deviam estar espalhadas pelo chão, estavam empilhadas dos lados, a fim de deixar um espaço livre no centro. Nesse espaço via-se uma laje grande e pesada, com uma argola enferrujada no centro, à qual fora amarrado um grosso cachecol de pastor.

"'Por Deus! É o cachecol de Brunton! Eu o vi com ele, sou capaz de jurar. O que é que o patife andou fazendo por aqui?'

"Por sugestão minha foram chamados dois policiais do condado. E então tentei levantar a laje com a ajuda do cachecol. Só consegui movê-lo ligeiramente e precisei do auxílio de um dos policiais para conseguir por fim afastá-la para o lado. Apareceu um buraco negro embaixo, e todos nós olhamos lá para dentro, enquanto Musgrave, ajoelhado, aproximou a lanterna.

"Uma pequena câmara com cerca de dois metros de profundidade e 1,20 metro de largura surgiu diante de nós. De um lado havia uma arca baixa de madeira com adornos de bronze, a tampa aberta e uma estranha chave antiga na fechadura. Estava recoberta de espessa camada de poeira. A umidade e os vermes haviam corroído a madeira, de modo que o interior se achava revestido de mofo. Vários discos de metal — velhas moedas, aparentemente —, como este aqui, estavam espalhados no fundo da arca, que não tinha mais nada.

"Naquele momento, porém, mal demos atenção à arca, porque nossos olhos foram atraídos pelo que estava ao lado. Era o vulto de um homem, vestido com um terno preto, agachado, testa inclinada sobre a borda da arca e braços estendidos para os lados. A posição fizera afluir todo o sangue estagnado para o rosto e ninguém poderia reconhecer aquela fisionomia alterada, violácea; mas a altura, as roupas, o cabelo, eram suficientes para mostrar ao meu cliente, quando ele puxou o corpo, que era de fato do mordomo desaparecido. Estava morto havia dias, mas não havia ferimentos ou marcas que indicassem de que modo chegara ao horrível fim. Depois que o corpo foi carregado para fora da adega, nós continuávamos diante de um problema quase tão grande quanto aquele que tínhamos de início.

"Confesso que até então, Watson, eu estava decepcionado com a investigação. Esperava resolver o assunto quando descobrisse o local indicado no Ritual, mas agora eu estava ali, e, ao que parecia, tão distante quanto antes do que a família havia escondido com tão complicadas precauções. É verdade que eu havia descoberto o paradeiro de Brunton, mas precisava descobrir agora o que havia acontecido com ele e que papel fora desempenhado no caso pela mulher desaparecida. Sentei-me num barril a um canto, e refleti com cuidado sobre toda a questão.

"Você conhece meus métodos nesses casos, Watson. Coloquei-me no lugar do homem e, depois de avaliar sua inteligência, tentei imaginar como eu teria agido nas mesmas circunstâncias. A questão foi simplificada pelo fato de a inteligência de Brunton ser de primeira ordem, dispensando qualquer concessão para uma equação pessoal, como dizem os astrônomos. Ele sabia que algo valioso fora escondido e localizara o esconderijo. Havia descoberto que a laje que o cobria era pesada demais para ser erguida por uma só pessoa. O que faria então? Não podia pedir ajuda de fora, ainda que fosse alguém de confiança, sem abrir portas e correr um risco considerável de ser surpreendido. Seria melhor, se possível, conseguir ajuda dentro de casa. Mas a quem poderia pedir? A moça fora apaixonada por ele. Um homem sempre acha difícil compreender que finalmente perdeu o amor de uma mulher, por pior que a tenha tratado. Ele tentaria, com algumas gentilezas, fazer as pazes com a moça Howells e, em seguida, a aliciaria como cúmplice. Juntos iriam à noite ao porão e conseguiriam erguer a laje. Até aí, eu era capaz de acompanhar suas ações como se as tivesse testemunhado.

"Mas para duas pessoas, uma delas mulher, deve ter sido um trabalho difícil erguer aquela laje.

"Um robusto policial de Sussex e eu não havíamos achado fácil a tarefa. O que fariam para facilitá-la? Provavelmente o que eu mesmo teria feito. Levantei-me e examinei com cuidado os pedaços de madeira espalhados pelo chão. Quase na mesma hora encontrei o que estava procurando. Uma tora com cerca de noventa centímetros de comprimento apresentava numa extremidade uma marca acentuada, e várias outras estavam achatadas dos lados, como se tivessem sido comprimidos por um grande peso. É evidente que, à medida que erguiam a laje, iam colocando pedaços de madeira na brecha, até que por fim, quando a abertura já estava grande o suficiente para permitir a passagem, mantiveram-na assim com um pedaço de madeira colocado de través, e que poderia muito bem ter ficado marcado na parte inferior, já que todo o peso da laje o comprimiria contra a borda oposta. Até então, eu me achava em terreno seguro.

"Mas como reconstituir o drama da meia-noite? Era claro que apenas uma pessoa podia introduzir-se na câmara, e essa pessoa seria Brunton. A moça devia ter esperado em cima. O mordomo abriu a arca, passou para ela o conteúdo, provavelmente — já que a arca estava vazia —, e depois... E depois, o que teria acontecido?

"Que explosão de vingança havia eclodido de súbito na alma daquela apaixonada mulher celta ao ver à sua mercê o homem que a tinha repudiado — e talvez mais profundamente do que suspeitávamos? O pedaço de madeira teria rolado por acaso e deixado Brunton preso no lugar que se transformou na sua sepultura? Ela era culpada apenas do silêncio em relação ao destino do mordomo? Ou algum súbito golpe da sua mão teria atirado longe o apoio, fazendo com que a laje se fechasse? Fosse como fosse, tive a impressão de ver o vulto dessa mulher ainda segurando o tesouro e fugindo desvairada pela escada circular, com os gritos abafados que deixava para trás vibrando nos seus ouvidos, junto com batidas frenéticas de mãos contra a laje de pedra que mataria por sufocação o amante infiel.

"Era este o segredo do rosto pálido, dos nervos abalados, das gargalhadas histéricas na manhã seguinte. Mas o que havia no cofre? O que ela teria feito com o conteúdo? Claro que deviam ser os fragmentos de metal e os calhaus que meu cliente havia retirado do lago. Ela os atirara na água na primeira oportunidade a fim de apagar os últimos vestígios do crime.

"Durante cerca de vinte minutos fiquei sentado, imóvel, pensando no caso. Musgrave continuava de pé, muito pálido, agitando a lanterna e olhando para dentro do buraco.

"'São moedas de Carlos I', disse, examinando as poucas que ainda restavam no cofre. 'Como vê, tínhamos razão ao fixar a data para o Ritual.'

"'Talvez encontremos outra coisa de Carlos I', exclamei, quando de repente me ocorreu o provável significado das duas primeiras perguntas do Ritual. 'Vamos examinar o conteúdo da sacola que foi pescada do lago.'

"Subimos até o gabinete, e Musgrave colocou diante de mim os fragmentos metálicos. Compreendi que ele devia tê-los considerado de pouca importância, já que o metal estava quase preto e as pedras, totalmente sem brilho. Esfreguei uma delas na manga e ela cintilou na concavidade da minha mão. O trabalho de metal tinha a forma de um duplo anel, mas estava entortado, perdendo a forma original.

"'É preciso ter em mente que o partido realista tinha prestígio na Inglaterra mesmo após a morte do rei, e que quando finalmente resolveram fugir, devem ter deixado enterrados muitos dos bens mais preciosos, com a intenção de voltar e recuperá-los em tempos mais tranquilos', observei.

"'Meu antepassado, sir Ralph Musgrave, era um destacado cavaleiro, o braço direito de Carlos II em suas viagens', disse meu amigo.

"'Verdade? Bem, creio que isso nos fornece o último elo de que precisávamos. Devo congratulá-lo por tomar posse, embora de modo um tanto trágico, de uma relíquia de grande valor intrínseco e de importância ainda maior como curiosidade histórica.'

"'Que relíquia?', ele perguntou, espantado.

"'Nada menos que a antiga coroa dos reis da Inglaterra.'

"'A coroa!'

"'Exatamente. Considere o que diz o Ritual. O que diz ele? 'A quem pertenceu? Àquele que se foi.' Isso ocorreu depois da execução de Carlos I. E depois: 'Quem o terá? Aquele que virá', ou seja, Carlos II, cujo advento já estava previsto. Não pode haver dúvida de que este diadema amassado e disforme coroou a fronte dos reis Stuart.'

"'E como foi parar no lago?'

"'Ah, esta é uma pergunta que levaremos algum tempo para responder.'

"E esbocei para ele toda a longa cadeia de suposições e provas que eu havia elaborado. O crepúsculo havia baixado e a lua brilhava no céu quando terminei a narrativa.

"'E por que Carlos II não recuperou a coroa quando voltou?', perguntou Musgrave, guardando a relíquia na sacola de linho.

"'Você tocou num ponto que provavelmente jamais conseguiremos esclarecer. É possível que o Musgrave que guardava o segredo tenha morrido no intervalo e, por algum lapso, deixou ao descendente esta orientação sem explicar o que significava. Dessa época até hoje passou de pai para filho, e acabou caindo nas mãos de um homem que desvendou o segredo e perdeu a vida na aventura.'

"Esta é a história do Ritual Musgrave, Watson. A coroa continua em Hurlstone, embora houvesse algum empecilho legal e fosse necessário pagar uma soma considerável para obterem a permissão de conservá-la. Tenho certeza de que se você mencionar meu nome, eles terão prazer em mostrá-la. Da mulher nunca mais se teve notícia e o mais provável é que tenha saído da Inglaterra, levando a lembrança do crime para algum país de além-mar."

Os senhores de Reigate

Meu amigo Sherlock Holmes levou algum tempo para se recuperar das tensões provocadas por sua intensa atividade na primavera de 1887. Toda a questão da Companhia Netherland-Sumatra e dos colossais planos do barão Malpertuis ainda está bem viva na memória do público e ligada muito intimamente à política e às finanças para ser assunto adequado a esta série de resumos. Mas o caso levou, de maneira indireta, a um problema singular e complexo, que proporcionou ao meu amigo uma oportunidade para demonstrar o valor de uma arma nova entre as muitas que ele manejava na sua eterna luta contra o crime.

Consultando minhas anotações, vejo que foi no dia 14 de abril que recebi um telegrama de Lyons informando que Holmes estava doente no Hotel Dulong. Em 24 horas eu estava ao lado dele, e aliviado por saber que não havia nada de grave nos sintomas. Sua constituição férrea cedera sob as tensões de uma investigação que se prolongara por dois meses, período em que nunca trabalhara menos de quinze horas diárias e mais de uma vez, como me afirmou, ficara em atividade durante cinco dias seguidos. O resultado triunfal dos esforços não o salvara da reação a um trabalho tão cansativo. Numa época em que a Europa inteira vibrava com o nome dele e ele tinha o quarto literalmente coberto de telegramas de congratulações, encontrei-o mergulhado na mais profunda depressão. Nem mesmo o fato de saber que tivera êxito onde a polícia de três países havia fracassado e de ter ludibriado em todos os sentidos o mais requintado vigarista da Europa foram suficientes para arrancá-lo da prostração nervosa.

Três dias depois estávamos de volta à Baker Street, mas era evidente que meu amigo precisava de uma mudança. E a ideia de uma semana de primavera no campo também me parecia atraente. Meu velho amigo, o coronel Hayter, que estivera sob os meus cuidados profissionais no Afeganistão, havia alugado uma casa perto de Reigate, no Surrey, e frequentemente me convidava para visitá-lo. Na última vez, ele comentara que se meu amigo quisesse me acompanhar, ele teria prazer em oferecer-lhe sua hospitalidade. Foi necessário um pouco de diplomacia, mas quando Holmes compreendeu que nosso anfitrião era solteiro e que ele gozaria da mais ampla liberdade, concordou com meus planos, e uma semana depois de regressarmos de Lyons estávamos na casa do coronel. Hayter era um velho e excelente militar, que conhecia grande parte do mundo. E descobriu em pouco tempo, como eu esperava, que ele e Holmes tinham muitas coisas em comum.

Na noite da nossa chegada, estávamos na sala de armas do coronel, depois do jantar, Holmes estirado no sofá, enquanto Hayter e eu examinávamos a pequena coleção de armas de fogo.

— Vou levar uma dessas pistolas lá para cima, para o caso de haver algum alarme — disse ele de repente.

— Alarme! — exclamei.

— Sim, temos tido problemas nesta região nos últimos tempos. O velho Acton, um dos magnatas do nosso condado, teve a casa arrombada na segunda-feira passada. Não houve grandes prejuízos, mas o sujeito continua à solta.

— Alguma pista? — perguntou Holmes, olhando para o coronel.

— Ainda não. Mas o caso é insignificante, um crimezinho do interior, pequeno demais para a sua atenção, sr. Holmes, depois desse grande caso internacional.

Holmes abanou a mão num gesto de modéstia ao ouvir o elogio, embora o sorriso revelasse satisfação.

— Alguma característica interessante?

— Creio que não. Os ladrões vasculharam a biblioteca, mas este trabalho rendeu bem pouco. A sala inteira foi revirada, gavetas esvaziadas, prateleiras em desordem, e o resultado foi que desapareceram um volume de *Homero*, de Pope, dois castiçais prateados, um peso de papéis de marfim, um pequeno barômetro de carvalho e um rolo de barbante!

— Que extraordinário conjunto de objetos! — exclamei.

— É evidente que os sujeitos agarraram tudo que puderam.

Holmes grunhiu lá do sofá:

— A polícia do condado devia dar alguma importância ao caso — falou. — Afinal, é óbvio que...

Mas eu ergui o dedo num sinal de advertência.

— Você está aqui para descansar, meu caro. Pelo amor de Deus, não se envolva em novos problemas quando seus nervos estão em farrapos.

Holmes deu de ombros, lançou ao coronel um olhar resignado, e a conversa passou para temas menos perigosos.

Toda a minha cautela profissional estava destinada a ir por água abaixo, porque na manhã seguinte o problema se impôs de tal maneira que foi impossível ignorá-lo. E nossa visita ao campo assumiu características imprevisíveis. Estávamos tomando o café da manhã quando o mordomo do coronel irrompeu na sala, ignorando as conveniências.

— Soube da notícia, senhor? — arquejou. — Na casa dos Cunningham, senhor!

— Roubo! — exclamou o coronel, com a xícara de café suspensa no ar.

— Homicídio!

O coronel assobiou.

— Meu Deus! Quem foi assassinado? O juiz de paz ou o filho?

— Nem um, nem outro. Foi William, o cocheiro. Abatido com um tiro no coração, senhor, e não abriu mais a boca.

— Mas quem o matou?

— O ladrão, senhor. Saiu voando como uma bala e escapou. Tinha acabado de quebrar a janela da despensa quando William o surpreendeu, e morreu defendendo a propriedade do patrão.

— A que horas?

— Foi ontem à noite, senhor, por volta da meia-noite.

— Nesse caso, iremos até lá mais tarde — disse o coronel, voltando com tranquilidade à refeição. — Um caso desagradável — acrescentou quando o mordomo saiu. — O velho Cunningham é o morador mais importante da região e um excelente sujeito. Deve estar muito abalado, porque o criado trabalhava para ele há anos e era muito bom. Devem ser os mesmos bandidos que assaltaram a casa de Acton.

— E roubaram aquela estranha coleção de objetos — disse Holmes, pensativo.

— Exatamente.

— Hum! Talvez seja a coisa mais simples do mundo, mas à primeira vista é meio estranho, não acham? Um bando de ladrões agindo no campo para variar o cenário de suas atividades é coisa de se esperar, mas não dariam dois golpes no mesmo distrito com poucos dias de intervalo. Quando falou ontem à noite em tomar precauções, lembrei-me de que esta região seria a última na Inglaterra para a qual um ladrão, ou ladrões, voltaria a atenção. O que demonstra que ainda tenho muito a aprender.

— Creio que se trata de algum aprendiz local — disse o coronel. — Nesse caso, as residências de Acton e Cunningham seriam exatamente as que ele procuraria, já que são as maiores.

— E as mais ricas?

— Bem, é provável. Mas estão com um processo que dura anos e sugou os recursos de ambos, eu imagino. O velho Acton alega ser proprietário de metade das terras de Cunningham, e os advogados vêm lutando de forma acirrada na questão.

— Se for um criminoso local, não deve ser muito difícil encontrá-lo — disse Holmes com um bocejo. — Está bem, Watson. Não pretendo me envolver.

— O inspetor Forrester, coronel — anunciou o mordomo, abrindo a porta.

O policial, um rapaz elegante, de expressão viva, entrou na sala.

— Bom dia, coronel. Espero não estar incomodando, mas soube que o sr. Holmes, da Baker Street, está aqui.

O coronel indicou meu amigo com um gesto, e o inspetor se inclinou.

— Pensamos que talvez quisesse nos ajudar, sr. Holmes.

— O destino está contra você, Watson — disse ele, rindo. — Conversávamos sobre o assunto quando entrou, inspetor. Poderia dar alguns detalhes?

E quando se recostou na cadeira, naquela pose familiar, compreendi que seria inútil protestar.

— Não tínhamos pistas no caso Acton. Mas neste dispomos de várias, e não há dúvida de que se trata da mesma pessoa. O homem foi visto.

— Ah!

— Sim, senhor. Mas fugiu como um cervo após o tiro que matou o pobre William Kirwan. O sr. Cunningham viu-o da janela do quarto e o sr. Alec Cunningham viu-o do corredor dos fundos. Faltava quinze minutos para a meia-noite quando se deu o alarme. O sr. Cunningham acabava de se deitar e o sr. Alec fumava cachimbo, de roupão. Ambos ouviram William, o cocheiro, pedir socorro, e o sr. Alec correu para baixo, a fim de verificar o que estava acontecendo. Encontrou a porta dos fundos aberta e, ao chegar ao pé da escada, viu dois homens lutando. Um deles disparou, o outro caiu. O assassino atravessou o jardim correndo e saltou a cerca viva. O sr. Cunningham, olhando pela janela do quarto, viu o sujeito chegar à estrada, mas perdeu-o de vista logo depois. O sr. Alec parou para socorrer o moribundo, e assim o assassino conseguiu fugir. Além do fato de ser um homem de estatura mediana e vestir roupa escura, não temos pista pessoal, mas estamos fazendo investigações rigorosas e, se ele for um estranho por aqui, logo o encontraremos.

— O que esse William fazia lá? Disse alguma coisa antes de morrer?

— Nem uma palavra. Morava no pavilhão com a mãe e era um sujeito muito leal. Supomos que tenha ido até a casa para verificar se estava tudo em ordem. É claro que o caso Acton deixou todo mundo alerta. O ladrão deve ter arrombado a porta, a fechadura foi forçada, e logo em seguida William apareceu.

— William disse alguma coisa à mãe antes de sair?

— Ela é muito idosa e surda. Não conseguimos obter informação alguma. O choque deixou-a atordoada, mas eu soube que ela nunca foi muito inteligente. Mas há um detalhe muito importante. Vejam!

Tirou de um caderninho um fragmento de papel e alisou-o sobre o joelho.

— Isto foi encontrado entre o indicador e o polegar do morto. Parece um pedaço arrancado de uma folha maior. Observem que a hora mencionada é a mesma em que o pobre sujeito morreu. O assassino talvez tenha arrancado dele o resto da folha ou ele pode ter tirado este fragmento da mão do assassino. Dá a impressão de que havia um encontro marcado.

Holmes pegou o pedaço de papel, cujo fac-símile está reproduzido aqui.

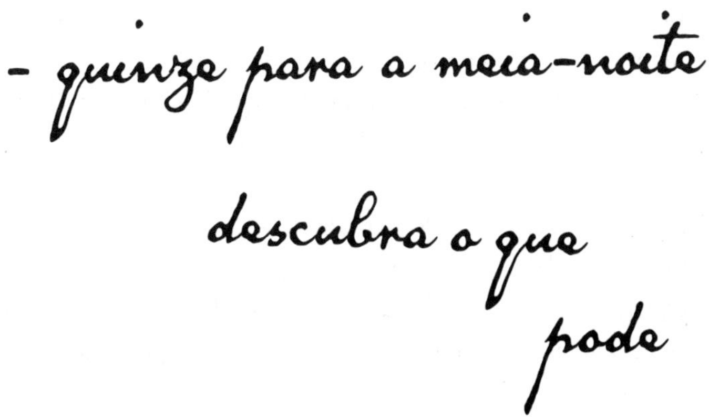

— Supondo-se que havia um encontro marcado — continuou o inspetor —, é concebível a teoria de que esse William Kirwan, apesar da reputação de homem honesto, estivesse de conluio com o ladrão. Talvez tenha vindo encontrá-lo no local, pode até tê-lo ajudado a arrombar a porta, e depois os dois se desentenderam.

— A caligrafia é extraordinariamente interessante — observou Holmes, que a examinava com grande concentração. — O caso é bem mais complicado do que imaginei.

Apoiou a cabeça nas mãos enquanto o inspetor sorria diante do efeito que o caso produzia no famoso especialista londrino.

— Sua última observação relativa à possibilidade de haver um entendimento entre o ladrão e o empregado, e de este papel ser um bilhete marcando encontro entre os dois, é uma hipótese engenhosa e não de todo impossível. Mas este fragmento de escrita sugere...

Mergulhou de novo a cabeça nas mãos e permaneceu por alguns minutos na mais profunda meditação. Quando ergueu a cabeça, fiquei surpreso ao vê-lo corado e de olhos brilhantes, como antes de adoecer. Levantou-se vivamente, com toda a antiga energia.

— Sabem de uma coisa? Eu gostaria de dar uma espiada discreta nos detalhes deste caso. Ele contém algo que me fascina bastante. Se me permite, coronel, deixarei meu amigo Watson e o senhor, para acompanhar o inspetor e testar a veracidade de uma ou duas ideias minhas. Voltaremos em meia hora.

Uma hora e meia se passou antes que o inspetor voltasse, sozinho.

— O sr. Holmes está caminhando de um lado para outro no campo lá fora — anunciou. — Quer que nós quatro vamos juntos à casa.

— À casa do sr. Cunningham?

— Sim, senhor.

— Para quê?

O inspetor encolheu os ombros.

— Não sei exatamente, senhor. Cá entre nós, acho que o sr. Holmes ainda não se recuperou por completo da doença. Age de maneira estranha e está muito agitado.

— Não precisa ficar alarmado — disse ele. — Geralmente descubro que há método na loucura dele.

— Há quem diga que há loucura no método dele — murmurou o inspetor. — Mas ele está ansioso para agir, coronel, de modo que será melhor irmos logo, se já estiver pronto.

Encontramos Holmes caminhando de um lado para outro no campo, a cabeça inclinada sobre o peito e as mãos enfiadas nos bolsos da calça.

— O caso está cada vez mais interessante — disse ele. — Watson, sua viagem ao campo foi um sucesso. Passei uma manhã muito agradável.

— Esteve no local do crime, pelo que eu soube — disse o coronel.

— Sim, o inspetor e eu fizemos juntos uma boa investigação.

— E foram bem-sucedidos?

— Encontramos coisas muito interessantes. Contarei tudo quando estivermos a caminho. Antes de mais nada, vimos o corpo daquele homem infeliz. Ele morreu, com certeza, de um disparo de revólver.

— Então tinha alguma dúvida?

— É bom verificar tudo. Nossa investigação não foi inútil. Conversamos depois com o sr. Cunningham e o filho, que indicaram o local exato onde o assassino atravessou a cerca do jardim na fuga. É um ponto de grande interesse.

— Naturalmente.

— Em seguida visitamos a mãe do pobre coitado. Mas não conseguimos qualquer informação. Ela é muito idosa e doente.

— E qual foi o resultado da investigação?

— A convicção de que o crime é muito peculiar. Talvez a nossa visita agora possa esclarecer alguma coisa. Creio que nós dois concordamos, inspetor, que o fragmento de papel encontrado na mão do morto, em que estava indicada a hora exata de sua morte, é de extrema importância.

— Isso deveria fornecer uma pista, sr. Holmes.

— E *fornece* uma pista. A pessoa que escreveu o bilhete foi o homem que tirou William Kirwan da cama àquela hora. Mas onde está o resto do papel?

— Examinei com cuidado o terreno na esperança de encontrá-lo — disse o inspetor.

— Foi arrancado da mão do morto. Por que alguém estaria tão ansioso para recuperá-lo? Porque o incriminava. E o que faria com ele? Enfiaria no bolso, provavelmente, sem notar que um fragmento ficara na mão do morto. Se conseguíssemos obter o resto do papel, é óbvio que avançaríamos bastante na solução do mistério.

— Sim, mas como chegar aos bolsos de um criminoso antes de pegar o próprio criminoso?

— Vale a pena meditar no assunto. E há outro ponto óbvio. O bilhete foi enviado a William. O homem que o escreveu não deve ser o mesmo que entregou, porque, neste caso, daria pessoalmente o recado. Quem levou o bilhete? Ou teria vindo pelo correio?

— Andei investigando — disse o inspetor. — William recebeu uma carta ontem, pelo correio da tarde. O envelope foi destruído por ele.

— Ótimo — exclamou Holmes, dando uma palmada nas costas do inspetor. — Interrogou o carteiro. É um prazer trabalhar a seu lado. Bem, aqui está o pavilhão, e se quiser subir, coronel, eu lhe mostrarei o local do crime.

Passamos pelo bonito chalé onde morara o homem assassinado e seguimos pela alameda ladeada de carvalhos que conduzia à antiga e bela residência em estilo Queen Anne, ostentando a marca de Malplaquet sobre o lintel da porta de entrada. Holmes e o inspetor contornaram a casa até o portão lateral, separado por um jardim da cerca viva que o isola da estrada. Havia um policial na porta da cozinha.

— Abra a porta — pediu Holmes. — Era nesta escada que o sr. Cunningham filho estava, e dali avistou os dois homens lutando no lugar onde estamos agora. O sr. Cunningham pai estava na janela, a segunda à esquerda, e viu o sujeito escapar pelo lado esquerdo daquele arbusto. O filho também viu. Ambos têm certeza por causa daquela sebe. Então o sr. Alec correu para fora e ajoelhou-se ao lado do ferido. O solo é muito duro, como podem ver, e não há pegadas para nos orientar.

Enquanto ele falava, dois homens aproximaram-se pela trilha do jardim, depois de contornarem um ângulo da casa. Um deles era idoso, de expressão enérgica, rosto enrugado, pálpebras pesadas; o outro era um rapaz elegante que, com a expressão viva e sorridente e as roupas de cores alegres, fazia um estranho contraste com o assunto que nos levara até ali.

— Continua investigando? — perguntou, dirigindo-se a Holmes. — Pensei que vocês, londrinos, não erravam nunca. Não parece tão rápido, no fim das contas.

— Precisa conceder-nos algum tempo — disse Holmes, bem-humorado.

— E vão precisar mesmo — disse Alec Cunningham. — Aparentemente, não há pista alguma.

— Apenas uma — disse o inspetor. — Achamos que se encontrássemos... Meu Deus, sr. Holmes, o que aconteceu?

O rosto do meu pobre amigo havia assumido de repente uma expressão muito assustadora. Revirou os olhos para cima, fisionomia alterada pela dor e, com um gemido abafado, caiu de bruços no chão. Horrorizados diante do ataque repentino e grave, nós o carregamos para a cozinha, onde foi instalado numa cadeira grande, respirando com dificuldade durante alguns minutos. Afinal, com um pedido de desculpas pelo desmaio, levantou-se.

— Watson lhes dirá que acabo de me recuperar de uma doença grave — explicou. — Sou sujeito a esses ataques nervosos.

— Quer que mande minha charrete levá-lo para casa? — perguntou o velho Cunningham.

— Já que estou aqui, há um ponto que gostaria de comprovar. É bem fácil verificá-lo.

— Qual é?

— É possível que o pobre William tivesse chegado à casa não depois e sim antes do ladrão. Todos parecem aceitar como ponto pacífico que, embora a porta tenha sido forçada, o ladrão não chegou a entrar.

— Creio que é bastante óbvio — disse o sr. Cunningham gravemente. — Meu filho Alec ainda não se deitara e com certeza ouviria alguém que se movimentasse por aqui.

— Onde estava sentado?

— Eu estava fumando no meu quarto de vestir.

— Qual é a janela?

— A última à esquerda, ao lado da de meu pai.

— As luzes nos dois quartos estavam acesas, naturalmente.

— É claro.

— Há pontos muito estranhos aqui — disse Holmes, sorrindo. — Não é extraordinário que um ladrão, e um ladrão com certa experiência prévia, invadisse uma casa numa hora em que, como ele podia ver pelas luzes, ainda havia duas pessoas da família acordadas?

— Devia ser um sujeito muito frio.

— É claro que se o caso não fosse tão estranho, não precisaríamos recorrer ao senhor para obter uma explicação — disse o sr. Alec. — Mas quanto à sua ideia de que o homem já havia roubado a casa antes de William surpreendê-lo, é totalmente absurda. Não teríamos encontrado o lugar revirado e dado pela falta dos objetos que ele teria roubado?

— Depende do tipo de objetos — disse Holmes. — Deve lembrar-se de que lidamos com um ladrão muito peculiar e que parece ter uma linha de trabalho toda pessoal. Veja, por exemplo, a estranha coleção de objetos que roubou da casa dos Acton: um rolo de barbante, um peso de papéis e não sei que outras ninharias!

— Bem, estamos inteiramente em suas mãos, sr. Holmes — disse o velho Cunningham. — Qualquer coisa que o senhor ou o inspetor proponham será aceita com certeza.

— Em primeiro lugar, gostaria que oferecessem uma recompensa. Deve partir dos senhores, porque a polícia levaria algum tempo para chegar a um acordo a respeito da quantia, e isto precisa ser feito rápido. Tenho aqui um esboço, caso não se importem em assiná-lo... Cinquenta libras são mais que suficientes, eu acho.

— Eu daria quinhentas de boa vontade — disse o juiz de paz, pegando o papel e o lápis que Holmes lhe estendia. — Mas isto não está muito correto — acrescentou, olhando para o documento.

— Eu escrevi às pressas.

— Vejo que começou assim: "Tendo em vista que na madrugada de terça-feira, faltando quinze para uma, foi feita uma tentativa..." etc. Era quinze para a meia-noite, para ser exato.

Eu me afligi por causa do erro, pois sabia que Holmes ficaria profundamente abalado com um engano daquele tipo. Era sua especialidade manter-se fiel aos fatos, mas a doença recente o havia abalado e aquele pequeno incidente era suficiente para mostrar que ainda estava longe da recuperação. Ele ficou embaraçado por um momento, enquanto o inspetor erguia as sobrancelhas e Alec Cunningham caía na gargalhada. Mas o velho corrigiu o erro e devolveu o papel a Holmes.

— Mande imprimir o mais depressa possível. Creio que sua ideia é excelente.

Holmes guardou com cuidado o papel na carteira.

— E agora seria muito bom visitarmos juntos a casa para verificar se esse ladrão excêntrico, afinal, não levou alguma coisa.

Antes de entrar, Holmes examinou a porta que tinha sido forçada. Era evidente que haviam usado um cinzel e uma faca resistente para arrombar a fechadura. Eram visíveis as marcas na madeira, no lugar onde a porta fora empurrada.

— Não usam barras? — perguntou.

— Nunca achamos necessário.

— E não têm cachorro?

— Sim, mas está preso do outro lado da casa.

— A que horas se deitam os criados?

— Por volta de dez da noite.

— Soube que William também se recolhia mais ou menos a essa hora.

— É exato.

— Estranho que exatamente nessa noite ele estivesse acordado. Gostaria que nos mostrasse a casa, sr. Cunningham.

Um corredor de pedra, que dava para a cozinha, conduzia por uma escada de madeira direto ao primeiro andar. Terminava num patamar fronteiro à outra escada mais rebuscada, que saía do vestíbulo. Para esse patamar davam as portas da sala de visitas e de vários quartos, inclusive os dos srs. Cunningham pai e filho. Holmes caminhava devagar, observando a arquitetura da casa. Percebi por sua expressão que seguia uma pista importante, mas não consegui imaginar em que direção as deduções o conduziam.

— Sr. Holmes, tudo isso certamente é desnecessário — disse o sr. Cunningham meio impaciente. — Meu quarto fica no final da escada e o de meu filho logo depois. Deixo a seu critério verificar se seria possível o ladrão subir até aqui sem que percebêssemos.

— Precisa tentar outra pista, na minha opinião — disse o filho, com um sorriso malicioso.

— Peço que tenham um pouco de paciência. Eu gostaria, por exemplo, de ver até que ponto se pode avistar a frente da casa pelas janelas. Este é o quarto do seu filho — disse, abrindo uma porta — e aquele, eu presumo, é o quarto de vestir onde ele estava fumando quando foi dado o alarme. Para onde dão as janelas?

Ele atravessou o quarto, abriu a porta e deu uma olhada no aposento contíguo.

— Espero que esteja satisfeito agora — disse o sr. Cunningham secamente.

— Obrigado. Acho que vi tudo o que desejava.

— Então, se for mesmo necessário, podemos ir para o meu quarto.

— Se não for demasiado incômodo.

O juiz de paz deu de ombros e entrou na frente em seu quarto, que era mobiliado com simplicidade e nada tinha de extraordinário. Quando atravessava o quarto em direção à janela, Holmes recuou de modo que ele e eu fôssemos os últimos do grupo. Ao pé da cama havia uma mesinha quadrada sobre a qual se viam um prato de laranjas e um jarro de água. Quando passávamos por ela, Holmes, para minha imensa surpresa, inclinou-se na minha frente e deliberadamente derrubou a mesinha. A jarra quebrou-se em mil pedaços e as frutas rolaram para todos os cantos do quarto.

— Você é desajeitado, Watson — disse, frio. — Molhou todo o tapete.

Abaixei-me, confuso, e comecei a recolher as frutas, compreendendo que por algum motivo o meu amigo queria que eu assumisse a culpa. Os outros fizeram o mesmo, recolocando a mesa no lugar.

— Ora! Para onde ele foi? — exclamou o inspetor. Holmes havia desaparecido.

— Esperem aqui um instante — disse Alec Cunningham. — Na minha opinião, o sujeito não está muito bom da cabeça. Venha comigo, papai. Vamos ver onde ele se meteu!

Saíram às pressas do quarto, enquanto o inspetor, o coronel e eu ficamos ali, olhando uns para os outros.

— Palavra que concordo com o sr. Alec — disse o policial. Talvez seja consequência da doença, mas parece-me que...

Foi interrompido por um grito repentino: "Socorro! Socorro! Assassino!". Com um arrepio, reconheci a voz do meu amigo e saí correndo do quarto para o patamar. Os gritos, que estavam reduzidos a um murmúrio inarticulado e rouco, vinham do quarto que tínhamos visto antes. Entrei correndo e fui até o quarto de dormir. Os dois Cunningham estavam inclinados sobre o vulto prostrado de Sherlock Holmes, o mais moço agarrando-lhe o pescoço com as duas mãos, enquanto o mais velho torcia-lhe um dos pulsos. No mesmo instante nós três o libertamos, e Holmes levantou-se muito pálido e evidentemente exausto.

— Prenda estes homens, inspetor! — arquejou.

— Sob que acusação?

— O assassinato do cocheiro William Kirwan!

O inspetor olhou para ele, aturdido.

— Ora, sr. Holmes... — disse enfim. — Tenho certeza de que não fala a sério...

— Quieto, homem! Olhe para eles! — ordenou Holmes secamente.

De fato, nunca tinha visto uma confissão de culpa estampada de forma tão nítida num rosto humano. O mais velho parecia aturdido. O rosto de traços bem marcados estava carrancudo. O filho, por sua vez, havia perdido toda a vivacidade que o caracterizava e a ferocidade de um animal selvagem brilhava nos olhos escuros, distorcendo os traços harmoniosos. O inspetor não disse nada, mas, aproximando-se da porta, fez soar o apito. Dois policiais surgiram de imediato.

— Não tenho alternativa, sr. Cunningham. Confio em que tudo isso se revele um erro absurdo, mas compreenda que... Ah! Largue isso!

Deu um golpe com a mão, e o revólver que o rapaz fazia menção de sacar caiu no chão.

— Guarde isso — disse Holmes, colocando rápido o pé sobre a arma. — Será útil no julgamento. Mas é disto que realmente precisamos.

E ergueu um pedaço de papel amassado.

— O resto do bilhete? — perguntou o inspetor.

— Exatamente.

— E onde estava?

— Onde eu tinha certeza de que estaria. Esclarecerei todo o caso daqui a pouco. Acho, coronel, que o senhor e Watson podem ir para casa. Eu me encontrarei com os dois dentro de uma hora, no máximo. O inspetor e eu precisamos conversar com os prisioneiros. Mas estarei de volta para o almoço, com certeza.

Sherlock Holmes cumpriu a palavra. Cerca de uma hora depois estava conosco na sala de fumar do coronel. Vinha acompanhado de um homenzinho idoso, apresentado como o sr. Acton. Em sua residência fora cometido o primeiro roubo.

— Queria que o sr. Acton ouvisse o meu relato do caso, pois é natural que ele esteja muito interessado nos detalhes — disse Holmes. — Meu caro coronel, temo que amaldiçoe a hora em que resolveu acolher em sua casa um sujeito complicado como eu.

— Pelo contrário — protestou o coronel. — Considero o maior privilégio poder acompanhar de perto os seus métodos de trabalho. Confesso que ultrapassam minhas expectativas e que sou incapaz de compreender os resultados. Até agora não vi um só vestígio de pista.

— Temo que minhas explicações o decepcionem, mas sempre tive o hábito de deixar bem claros os meus métodos, seja para o meu amigo Watson, seja para qualquer pessoa que revele por eles um interesse inteligente. Mas, para começar, como ainda estou um tanto abalado com a agressão sofrida no quarto de vestir, creio que tomarei um pouco do seu brandy, coronel. Minhas forças andam combalidas ultimamente.

— Espero que não sofra outro ataque nervoso.

Sherlock Holmes deu uma boa risada.

— Chegaremos lá. Antes farei um relato do caso na devida ordem, mostrando os vários pontos que orientaram a minha decisão. Interrompam-me, por favor, se alguma dedução não estiver bem clara.

"É da maior importância na arte da detecção saber distinguir, entre vários fatos, quais os triviais e quais os decisivos. Do contrário, a energia e a atenção se dispersariam em vez de se concentrarem. Neste caso eu não tinha, desde o início, a menor dúvida de que a chave estava no pedaço de papel encontrado na mão do morto.

"Antes de prosseguir, gostaria de chamar a atenção para o fato de que, se o relato de Alec Cunningham estivesse correto e o assaltante, depois de atirar em William Kirwan, tivesse desaparecido imediatamente, era óbvio que não fora ele quem arrancara o papel da mão do morto. Mas, caso não fosse ele, teria que ser o próprio Alec Cunningham, pois quando o velho desceu, vários criados já estavam no local. O detalhe é simples, mas o inspetor não o percebeu porque partia do pressuposto de que os magnatas da região nada tinham a ver com o caso. Quanto a mim, faço questão de me desfazer de preconceitos e obedecer docilmente quando os fatos me orientam. Assim, logo na primeira etapa da investigação, comecei a olhar com desconfiança o papel desempenhado pelo sr. Alec Cunningham.

"Fiz um exame cuidadoso do fragmento de papel que o inspetor nos mostrou. Ficou logo claro para mim que ele era parte de um documento extraordinário. Aqui está. Vocês notam agora algo de muito sugestivo nele?"

— Tem uma aparência muito desigual — disse o coronel.

— Meu caro senhor, não pode haver a mínima dúvida de que foi escrito por duas pessoas que traçavam palavras alternadas. Quando chamo atenção para os *t* vigorosos de algumas palavras e peço que os comparem às palavras "quinze" e "meia-noite", que são hesitantes, perceberão no mesmo instante o fato. Uma análise rápida das palavras permitirá dizer com toda a segurança que o "saberá" e o "talvez" foram escritas por mão mais firme e o "que" por outra mais fraca.

— Por Deus! É claro como o dia! — exclamou o coronel. — Por que duas pessoas escreveriam a carta dessa maneira?

— Era óbvio que se tratava de uma trama escusa, e um deles, que desconfiava do outro, estava decidido que, fosse qual fosse o resultado, ambos teriam responsabilidade igual. É evidente que aquele que escreveu "um" e "para" era o chefe.

— Como descobriu isto?

— É possível deduzi-lo do simples estudo comparativo das caligrafias. Mas temos motivos mais fortes do que esse. Se examinarem com atenção este fragmento, chegarão à conclusão de que o homem de caligrafia mais vigorosa escreveu primeiro todas as palavras, deixando em branco as outras para serem preenchidas. Esses espaços em branco nem sempre foram suficientes, e podem notar que o segundo homem teve que comprimir o "quinze" entre as outras duas palavras, revelando que a carta já havia sido escrita. Aquele que escreveu primeiro foi, sem dúvida, o que planejou toda a história.

— Excelente! — exclamou o sr. Acton.

— Mas bastante superficial — disse Holmes. — Entretanto, chegamos agora a um ponto importante. Talvez ignorem que os especialistas conseguiram determinar a idade das pessoas pela caligrafia com grande exatidão. Em casos normais é possível situar a pessoa na respectiva década com razoável acerto. Digo casos normais porque a doença e a fraqueza física reproduzem os sinais da velhice, ainda que o doente seja moço. Nesse caso, examinando a caligrafia forte e ousada de um e a outra de aparência frágil, mas que conserva a sua legibilidade, embora os *t* tenham começado a perder o traço, podemos dizer que um era jovem e o outro tinha idade avançada, sem ser decrépito.

— Excelente! — repetiu o sr. Acton.

— Há um outro ponto, mais sutil e interessante. Existe algo em comum nas duas caligrafias. Eles pertencem a pessoas consanguíneas. É muito óbvio nos *e*, mas para mim há detalhes menores que indicam a mesma coisa. Não tenho dúvidas de que poderão ser encontrados maneirismos de família nestas duas amostras de caligrafia. Estou apresentando apenas, é claro, os principais resultados do meu exame. Há 23 outras deduções que seriam mais interessantes para os especialistas. Todas tendem a reforçar minha impressão de que os Cunningham, pai e filho, escreveram esta carta.

"Meu passo seguinte foi examinar os detalhes do crime para ver até que ponto ajudariam. Fui até a casa com o inspetor e vi tudo o que era necessário. O ferimento na cabeça do morto era, como pude determinar com absoluta certeza, causado por disparo de revólver a uma distância de cerca de quatro metros. Não havia marcas de pólvora nas roupas. Era evidente, portanto, que Alec Cunningham mentira ao dizer que os homens estavam lutando quando o tiro foi disparado. Pai e filho concordavam em relação ao local por onde o homem fugira para a estrada. Mas acontece que naquele ponto há um fosso largo, úmido no fundo. Como não havia pegadas no fosso, tive certeza absoluta de que os Cunningham haviam mentido de novo e também de que nunca houvera nenhum desconhecido em cena.

"Precisava então verificar o motivo daquele crime singular. Para isso, tentei primeiro descobrir o motivo do roubo anterior na casa do sr. Acton.

Graças a uma coisa dita pelo coronel, soube que havia um processo envolvendo o sr. Acton e os Cunningham. Ocorreu-me logo, é claro, que tinham invadido a biblioteca com a intenção de obter algum documento importante do caso."

— Exato — disse o sr. Acton. — Não há dúvidas quanto às intenções. Eu tenho direito incontestável sobre metade das terras atuais dos Cunningham, se eles tivessem encontrado um único documento, que felizmente está no cofre de meus advogados, sem dúvida prejudicariam o nosso caso.

— Estão vendo? — exclamou Holmes, sorridente. — Foi uma tentativa perigosa e desvairada, na qual percebo a influência do jovem Alec. Nada encontrando, tentaram afastar as suspeitas fazendo com que o caso parecesse um roubo comum. Para isso, carregaram tudo o que encontraram ao alcance das mãos. Essa parte é bastante clara, mas ainda restavam muitos detalhes obscuros. O que eu queria acima de tudo era descobrir a parte desaparecida do bilhete. Tinha certeza de que Alec o arrancara da mão do morto e estava quase certo de que o enfiara no bolso do roupão. Onde mais o teria guardado? O único problema seria verificar se ainda estava lá. Valia a pena fazer um esforço para descobrir, e com esse objetivo todos nós fomos até a casa.

"Os Cunningham se encontraram conosco, como devem recordar, junto à porta da cozinha. Era essencial que nem sequer se lembrassem da existência do papel, do contrário o destruiriam imediatamente. O inspetor estava a ponto de aludir à importância do detalhe quando, por um feliz acaso, fui acometido de uma espécie de ataque, alterando o rumo da conversa."

— Meu Deus! — exclamou o coronel, rindo. — Quer dizer que desperdiçamos nossa solicitude num falso ataque?

— Falando como profissional, foi admiravelmente representado — exclamei, olhando surpreso para o homem que vivia a me espantar com novas facetas de sua astúcia.

— Trata-se de uma arte muito útil. Quando me recuperei, consegui, graças a um artifício que talvez tivesse o pequeno mérito da engenhosidade, que o velho Cunningham escrevesse a palavra "meia-noite" de modo que eu pudesse compará-la à "meia-noite" escrita no bilhete.

— Ah, como fui idiota! — exclamei.

— Percebi que você estava penalizado com a minha falha — disse Holmes com um sorriso. — Lamentei causar-lhe a decepção que eu sei que você sentiu. Subimos juntos e, depois de entrar no quarto de vestir e ver o roupão pendurado atrás da porta, consegui atirar a mesinha no chão, distrair a atenção de todos e voltar para examinar os bolsos. Mal havia encontrado o papel, que estava onde eu esperava, quando os Cunningham saltaram em cima de mim. E teriam me assassinado ali mesmo, tenho certeza, não fosse a sua pronta ajuda. Sinto até agora as mãos daquele rapaz na minha garganta e as do pai torcendo-me o pulso para arrancar o papel da minha mão. Perceberam que eu sabia de tudo, e a repentina passagem da segurança total para o desespero absoluto deixou-os enlouquecidos.

"Tive uma conversa com o velho Cunningham sobre o motivo do crime, mais tarde. Ele estava mais calmo, embora o filho se mostrasse um perfeito demônio, disposto a estourar os próprios miolos e os de qualquer pessoa se conseguisse um revólver. Ao ver que o caso contra ele era arrasador, perdeu o ânimo e confessou tudo. Parece que William acompanhara às escondidas os patrões na noite em que eles invadiram a casa do sr. Acton e, obtendo assim poder sobre eles, passou a ameaçá-los de denúncia, fazendo chantagem. Mas o sr. Alec é um homem perigoso nesse tipo de jogo. Foi um golpe genial de sua parte ver no pavor de ladrões que agitava a região uma oportunidade de livrar-se do homem que temiam. William foi atraído e eliminado. E se estivessem com o bilhete inteiro e tivessem prestado um pouco mais de atenção aos detalhes, é bem possível que ninguém jamais suspeitasse."

— E o bilhete? — perguntei.

Sherlock Holmes colocou diante de nós o documento abaixo:

Se você só aparecer
no portão oeste você vai
ficar muito surpreso e
vai ajudar muito você e também
a Anne Morrison. Mas não diga nada para ninguém
sobre o assunto

— É o tipo de coisa que eu esperava — disse Holmes. — Não conhecemos ainda, é claro, as relações entre Alec Cunningham, William Kirwan e Annie

Morrison. O resultado demonstra que a isca foi bem colocada. Estou certo de que se interessarão pelos traços hereditários revelados nos *p* e nos *g*. A ausência de pingos nos *i* na caligrafia do velho é também bastante característica. Watson, creio que o seu repouso no campo foi um sucesso incontestável. E certamente voltarei amanhã bastante revigorado para a Baker Street.

O aleijado

Certa noite de verão, alguns meses após meu casamento, eu estava sentado sozinho, fumando o último cachimbo antes de ir para o quarto, e cochilava sobre um romance, porque o dia de trabalho fora exaustivo. Minha mulher já havia subido e o ruído da porta sendo trancada algum tempo depois indicava que os criados também já tinham se recolhido. Levantei-me da poltrona e estava sacudindo as cinzas do cachimbo quando de repente ouvi a campainha.

Olhei para o relógio. Eram 23h45. Não podia ser uma visita em hora tão tardia. Um paciente, era claro, e talvez uma consulta que levasse a noite inteira. Resignado, fui até o vestíbulo e abri a porta. Para minha surpresa, dei com Sherlock Holmes no patamar.

— Ah, Watson! Esperava chegar a tempo de pegá-lo ainda de pé.

— Entre, meu caro, por favor.

— Você parece surpreso e não sem razão! Aliviado também, eu creio! Hum! Continua fumando aquela mistura *Arcadia* dos tempos de solteiro! A cinza solta no seu casaco é inconfundível. É fácil perceber que você está habituado a usar uniforme, Watson; jamais passará por civil cem por cento enquanto mantiver o hábito de levar o lenço na manga. Pode me hospedar esta noite?

— Com prazer.

— Você disse que tinha acomodações para um solteiro e vejo que não está hospedando nenhum cavalheiro no momento. Sua chapeleira anuncia isso.

— Ficarei encantado se você dormir aqui.

— Obrigado. Vou usar o gancho vago na chapeleira. Lamento ver que você teve um operário inglês nesta casa. Isto é sinal de problemas. Não são os encanamentos de água, espero.

— Não. O gás.

— Ah! Ele deixou duas marcas de solas tacheadas no seu linóleo, exatamente no lugar onde incide a luz. Não, obrigado, jantei em Waterloo, mas fumarei com todo o prazer um cachimbo na sua companhia.

Passei-lhe a minha bolsa de fumo e ele se sentou na minha frente, fumando em silêncio durante algum tempo. Eu sabia muito bem que somente um caso importante o traria à minha casa àquela hora, de modo que aguardei pacientemente que ele se decidisse a falar.

— Vejo que tem trabalhado muito — observou, olhando-me com atenção.

— Sim, tive um dia muito atarefado. Pode parecer tolice — acrescentei —, mas não sei como você deduziu isso.

Holmes riu consigo mesmo.

— Tenho a vantagem de conhecer os seus hábitos, meu caro Watson. Quando a sua ronda de visitas é curta, você vai a pé, e quando é longa, toma uma carruagem. Noto que suas botas, embora gastas, não estão absolutamente sujas. Não há dúvida de que no momento anda bastante ocupado para justificar a carruagem.

— Excelente! — exclamei.

— Elementar. É um dos casos em que a pessoa que raciocina pode produzir um efeito que parece extraordinário ao interlocutor, porque este deixou de perceber um pequeno detalhe que é a base da dedução. O mesmo pode ser dito, meu caro amigo, para o efeito de um de seus resumos, que são totalmente falsos, já que dependem de você reter em suas mãos determinados fatores do problema que nunca são apresentados ao leitor. No momento estou na posição desses mesmos leitores, porque disponho de vários fios de um dos casos mais estranhos que jamais intrigaram a mente humana, mas não tenho um ou dois que são necessários para completar a minha teoria. Mas eu os terei, Watson! Eu os terei!

Os olhos estavam brilhantes, e a face, ligeiramente corada. Por um instante o véu que protegia sua natureza interior entreabriu-se, mas só por um instante. Quando olhei mais uma vez para ele, o rosto readquiria a expressão impassível de um pele-vermelha que induzia tanta gente a considerá-lo mais uma máquina do que um ser humano.

— O problema apresenta características interessantes — observou. — Posso dizer até que são características de interesse excepcional. Já examinei a questão e creio que cheguei perto da solução. Se puder me acompanhar nessa última etapa, você me prestará um grande serviço.

— Será um prazer.

— Poderia ir a Aldershot amanhã?

— Tenho certeza de que Jackson se encarregará dos meus clientes.

— Ótimo. Quero sair no trem das 11h10 de Waterloo.

— Isso me dará tempo para tomar providências.

— Nesse caso, se não estiver com sono, vou dar-lhe um resumo do que aconteceu e do que falta fazer.

— Eu estava com sono antes de você chegar, mas agora estou completamente acordado.

— Vou resumir a história o máximo possível sem omitir nenhum fato fundamental. É possível que já tenha lido alguma reportagem a respeito. Trata-se do suposto assassinato do coronel Barclay, do Royal Munsters, em Aldershot, que estou investigando.

— Não soube de nada a respeito.

— Ainda não atraiu muita atenção, a não ser local. Os fatos são apenas de dois dias atrás. Em resumo, trata-se do seguinte:

"O Royal Munsters, como sabe, é um dos mais famosos regimentos irlandeses do Exército Britânico. Fez maravilhas tanto na Crimeia como durante o Motim, e depois distinguiu-se em várias outras ocasiões. Era comandado até segunda-feira à noite por James Barclay, um corajoso veterano, que começou como soldado raso, foi promovido por bravura na época do Motim e chegou ao comando do regimento no qual havia carregado um mosquete.

"O coronel Barclay, quando era sargento, casou-se com uma jovem chamada Nancy Devoy, filha de um antigo sargento mestiço da mesma corporação. Houve, portanto, como você pode imaginar, um certo atrito social quando o jovem casal (pois eram ainda jovens) ingressou em novo ambiente. Mas, aparentemente, eles se adaptaram depressa e a sra. Barclay foi sempre muito popular entre as senhoras do regimento, assim como o marido o era entre os outros oficiais. Devo acrescentar que era muito bonita, e ainda hoje, após mais de trinta anos de casada, conserva uma aparência impressionante.

"A vida familiar do coronel Barclay parece ter sido sempre feliz. O major Murphy, que me contou a maioria dos fatos, afirma que nunca soube de nenhum desentendimento entre os dois. Ele acha que, de modo geral, Barclay era mais dedicado à mulher do que ela ao marido. Ficava muito inquieto se ela se ausentava por um dia inteiro. Ela, por sua vez, embora dedicada e fiel, parecia menos afetuosa. Contudo, eram considerados no regimento o próprio modelo do casal de meia-idade. Não havia nada em suas relações que sugerisse às pessoas a tragédia que ocorreria.

"Parece que o próprio coronel Barclay tinha alguns traços singulares de temperamento. Era um velho militar em geral jovial e bem-humorado, mas em certas ocasiões mostrava-se capaz de ser violento e vingativo. Este aspecto do seu temperamento nunca se manifestava em relação à mulher, ao que parece. Outro fato que impressionou o major Murphy e três entre cinco dos oficiais com quem conversei era a estranha depressão que o acometia de vez em quando. Conforme a expressão do major, o sorriso desaparecia de seus lábios como que arrancado por mão invisível quando ele participava dos gracejos e brincadeiras na hora do rancho. E ficava dias seguidos mergulhado na mais profunda depressão. Isto e uma certa dose de superstição eram os únicos traços incomuns do seu temperamento observados pelos colegas de farda. Esta última peculiaridade fazia com que ele detestasse ficar sozinho, principalmente depois de anoitecer. Esse traço pueril em uma natureza bastante máscula provocou algumas vezes comentários e conjecturas.

"O primeiro batalhão do Royal Munsters (o antigo 117º) está sediado em Aldershot há alguns anos. Os oficiais casados residem fora dos alojamentos e o coronel, quando era comandante, ocupava uma vila chamada Lachine, localizada a cerca de um quilômetro do Campo Norte. A casa é cercada de jardins, mas o lado oeste não fica a mais de trinta metros da estrada. A criadagem é formada por um cocheiro e duas criadas. Além dos patrões, são os únicos moradores de Lachine, pois os Barclays não têm filhos e não costumavam receber visitantes locais.

"Vamos agora aos fatos ocorridos em Lachine entre nove e dez da noite da última segunda-feira.

"A sra. Barclay é membro da Igreja Católica e muito interessada no estabelecimento da Confraria de São Jorge, fundada em conexão com a Capela de Watt Street com o objetivo de distribuir roupas usadas para os pobres. Havia uma reunião da confraria às oito horas e a sra. Barclay jantou apressadamente para poder comparecer. O cocheiro ouviu-a fazer uma observação banal ao marido, garantindo-lhe que voltaria logo. Chamou então a srta. Morrison, uma jovem que mora na casa ao lado, e as duas saíram juntas para a reunião. Esta durou quarenta minutos, e eram 21h15 quando a sra. Barclay voltou, depois de deixar em casa a srta. Morrison.

"Em Lachine há um aposento usado como sala de estar, que dá para a estrada. Grandes portas de vidro abrem-se para um gramado, que tem trinta metros de extensão e é separado da estrada apenas por um muro baixo, encimado por uma grade de ferro. Foi para essa sala que a sra. Barclay se dirigiu ao chegar. As venezianas não estavam abaixadas, porque a sala raramente era usada à noite, mas a própria sra. Barclay acendeu um lampião e tocou a campainha, pedindo a Jane Stewart, a criada, que lhe trouxesse uma xícara de chá, o que era contrário aos seus hábitos. O coronel estava na sala de jantar, mas ao perceber que a mulher havia regressado, foi encontrá-la na sala de estar. O cocheiro viu quando ele atravessou o corredor e entrou na sala. Depois disso, ele não foi visto de novo com vida.

"O chá pedido foi levado dez minutos depois, mas a criada, ao aproximar-se da porta, surpreendeu-se ao ouvir as vozes dos patrões numa violenta discussão. Bateu sem receber resposta e chegou a girar a maçaneta. Percebeu então que a porta estava trancada por dentro. É natural que tenha ido correndo contar à cozinheira, e as duas, juntamente com o cocheiro, foram até o vestíbulo para escutar a discussão que prosseguia. Todos afirmam que só ouviram duas vozes, a de Barclay e a da esposa. As observações do coronel eram feitas em tom brusco e abafado, inaudível para os criados. As da senhora eram amargas, e quando ela ergueu a voz, ouviram-na com nitidez repetir várias vezes: 'Covarde! Covarde!'. Esses fragmentos de discussão terminaram num repentino grito medonho emitido pelo homem, seguido do ruído de uma queda, e no grito agudo da mulher. Convencido de que acabava de ocorrer uma tragédia, o cocheiro aproximou-se da porta e tentou arrombá-la, enquanto os gritos se repetiam lá dentro. Não conseguiu quebrar a fechadura e as criadas estavam aturdidas demais para ajudá-lo. De repente, teve uma ideia. Atravessou o vestíbulo e contornou a casa até o gramado, para onde se abriam as portas-janelas. Uma parte delas estava aberta, o que, pelo que soube, era comum agora no verão, e ele entrou na sala com facilidade. A patroa tinha deixado de gritar e estava desmaiada num sofá, enquanto o infeliz militar, os pés surgindo por cima do braço de uma poltrona, a cabeça no chão, junto à guarda da lareira, estava morto, banhado no próprio sangue.

"A primeira ideia do cocheiro, naturalmente, ao verificar que nada podia fazer pelo patrão, foi abrir a porta. Mas surgiu então uma dificuldade inesperada e estranha. A chave não estava do lado de dentro e ele não conseguiu encontrá-la em parte alguma da sala. Tornou a sair pela porta-janela e voltou depois de chamar um policial e um médico. A senhora, sobre quem decerto recaíam as maiores suspeitas, foi levada para o quarto, ainda desmaiada. O corpo do coronel foi colocado no sofá, e teve início um exame cuidadoso do local da tragédia.

"O infeliz veterano apresentava um ferimento irregular na parte de trás da cabeça, sem dúvida causado por um golpe violento contundente de arma. Não foi difícil adivinhar qual seria a arma. No chão, perto do corpo, havia um bastão de madeira entalhada com um cabo de osso. O coronel possuía uma coleção variada de armas trazidas dos diferentes países onde havia lutado, e a polícia levantou a hipótese de que a bengala era um dos seus troféus. Os criados negam tê-la visto antes, mas entre as numerosas curiosidades existentes na casa é possível que aquela tivesse passado despercebida. A polícia não constatou mais nada de importância na sala, exceto o fato inexplicável de a chave não ter sido encontrada com a sra. Barclay, nem com a vítima, nem em qualquer lugar do recinto. A porta teve de ser aberta por um serralheiro de Aldershot.

"Esta era a situação, Watson, quando na manhã de terça-feira, a pedido do major Murphy, fui para Aldershot, a fim de colaborar com as investigações da polícia. Você perceberá que o problema já era interessante, mas as minhas observações logo me fizeram perceber que ele era, na verdade, muito mais extraordinário do que parecia à primeira vista.

"Antes de examinar a sala interroguei os criados, mas só consegui obter fatos já conhecidos. Um detalhe interessante foi lembrado por Jane Stewart, a criada. Você deve recordar que, ao ouvir a discussão, ela desceu e voltou com outros criados. Na primeira vez, quando estava sozinha, diz que os patrões falavam em voz tão baixa que mal ouviu o que diziam, calculando pelo tom, e não pelas palavras, que os dois estavam discutindo. Quando insisti, porém, lembrou-se de ter ouvido a palavra 'David' pronunciada duas vezes pela patroa. O detalhe é da maior importância, porque pode nos indicar o motivo da briga repentina. O nome do coronel, você deve lembrar, era James.

"Havia um detalhe do caso que impressionou profundamente tanto os criados como a polícia: o rosto contorcido do coronel. Segundo afirmam, os traços estavam imobilizados na mais terrível expressão de medo e horror que um rosto humano seria capaz de assumir. Mais de uma pessoa desmaiou ao vê-lo, tão horrível era o efeito. Parecia que ele previra o fim e que este lhe causara o mais profundo horror. Claro que este detalhe se encaixava na teoria da polícia, isto é, de que o coronel viu a esposa agredi-lo com intenção de matá-lo. O fato de o ferimento se achar na parte posterior da cabeça não era objeção importante, já que ele poderia ter se virado para evitar o golpe. Não foi possível obter nenhuma informação da própria mulher, que perdeu temporariamente o juízo em consequência de uma meningite aguda.

"A polícia informou que a srta. Morrison, que havia saído naquela noite com a sra. Barclay, disse que não sabia o que poderia ter causado o mau humor da amiga quando ela voltou para casa.

"Depois de reunir esses fatos, Watson, fumei vários cachimbos tentando separar os fundamentais dos meramente acidentais. Sem dúvida alguma, o ponto mais relevante e sugestivo do caso era o estranho desaparecimento da chave. Apesar de busca minuciosa, não foi encontrada na sala. Portanto, fora levada dali. Mas nem o coronel nem a esposa poderiam tê-la levado, isso era bem claro. Nesse caso, uma terceira pessoa havia entrado na sala. E essa terceira pessoa só podia ter entrado pela porta-janela. Achei que um exame cuidadoso da sala e do gramado revelaria indícios desse indivíduo. Você conhece meus métodos, Watson. Não deixei de aplicar um só a essa investigação. E acabei descobrindo indícios, mas bem diferentes daqueles que esperava encontrar. Um homem havia estado na sala depois de atravessar o gramado, vindo da estrada. Consegui encontrar cinco pegadas nítidas — uma na própria estrada, no ponto em que ele galgara o muro baixo, duas no gramado e duas, muito leves, na madeira encerada perto da janela por onde havia entrado. Ao que parece, ele havia atravessado correndo o gramado, porque a marca da parte anterior dos pés era mais profunda que a do calcanhar. Mas não foi o homem que me surpreendeu, e sim seu companheiro."

— O companheiro!

Holmes tirou do bolso uma grande folha de papel fino e desdobrou-a com cuidado sobre os joelhos.

— O que acha disto? — perguntou.

O papel estava coberto de marcas de pegadas de um animal de pequeno porte. Patas de cinco dedos com vestígios de unhas longas, e as marcas inteiras não eram maiores do que uma colher de sobremesa.

— É um cachorro — disse ele.

— Já ouviu falar de algum cão que subisse numa cortina? Encontrei marcas nítidas deixadas por este animal.

— Um macaco, então?

— Mas isto não é pegada de macaco.

— Então, o que será?

— Nem cão, nem gato, nem macaco, nem qualquer animal nosso conhecido. Tentei reconstituí-lo com base nas medidas. Aqui estão quatro pegadas do local onde o animal estava imóvel. Como vê, não há mais de quarenta centímetros entre as patas dianteiras e as traseiras. Acrescente a isso o comprimento do pescoço e da cabeça e verá que o animal tem cerca de sessenta centímetros ao todo, e é provável que mais, se tiver cauda. Mas observe esta outra medida. O animal estava em movimento; temos, portanto, a largura do passo. Cada caso não ultrapassa oito centímetros. Temos aqui a indicação de um corpo longo ao qual estão ligadas pernas muito curtas. O animal não foi suficientemente gentil para deixar algum pelo, mas a forma geral deve ser a que indiquei. Além disso, é capaz de subir correndo por uma cortina, e é carnívoro.

— Como deduziu isso?

— Pelo fato de ter subido correndo a cortina. Havia uma gaiola de canário pendurada na janela e, pelo visto, o objetivo era abocanhar o pássaro.

— Então que animal seria esse?

— Se eu pudesse identificá-lo, faria um grande progresso no sentido de solucionar o caso. Provavelmente é da família da doninha ou do arminho. Entretanto, é maior do que qualquer um desses que eu já tenha visto.

— Mas o que tem ele a ver com o crime?

— Isso também ainda não está claro. Mas já descobrimos muita coisa, como você pode perceber. Sabemos que havia um homem na estrada assistindo à briga do casal Barclay: as venezianas estavam levantadas e a sala, iluminada. Sabemos também que ele correu pelo gramado, entrou na sala acompanhado do estranho animal e, ou agrediu o coronel, ou, o que também é possível, o coronel caiu por ter ficado terrivelmente assustado ao vê-lo, cortando a cabeça na quina da guarda da lareira. Por fim, temos o estranho fato de que o intruso levou a chave da sala quando saiu.

— Parece que suas descobertas deixaram o caso ainda mais complicado do que antes — observei.

— Exato. Mostraram que o caso era bem mais complexo do que parecia a princípio. Analisei a questão e cheguei à conclusão de que devo abordá-la por outro ângulo. Mas, Watson, eu não estou deixando você dormir. Posso muito bem contar tudo a caminho de Aldershot, amanhã.

— Obrigado, mas você foi longe demais para parar agora.

— É certo que quando a sra. Barclay saiu de casa às 19h30, estava bem com o marido. Nunca foi, como já mencionei, ostensivamente afetuosa, mas o cocheiro a ouviu conversando amigavelmente com o coronel. Mas também é certo que, ao voltar, ela foi direto para a sala onde seria menos provável encontrar o marido e pediu chá, como faria uma pessoa agitada. E enfim, quando o marido entrou, irrompeu em violentas recriminações. Portanto, entre 19h30 e nove horas aconteceu alguma coisa que alterou completamente os sentimentos dela em relação ao marido. Mas a srta. Morrison esteve ao lado dela durante aquela hora e meia. Tenho certeza absoluta, portanto, de que, apesar da negativa, ela sabia de alguma coisa.

"Minha primeira hipótese foi de que houve algum episódio entre essa moça e o velho soldado, e que ele confessou tudo à esposa. Isso explicaria a raiva na volta e também o fato de a moça negar que tivesse acontecido alguma coisa. A hipótese não seria totalmente incompatível com a maioria das palavras ouvidas. Mas havia a referência a David e a conhecida afeição do coronel pela mulher pesando contra isso, para não mencionar a trágica intromissão desse outro homem, que poderia, é claro, não ter nada a ver com o que aconteceu. Não foi fácil tomar uma decisão, mas, de modo geral, eu estava inclinado a afastar a ideia de que houve algo entre o coronel e a srta. Morrison, embora estivesse mais convencido do que nunca de que a moça tem a pista do que transformou em ódio o afeto da sra. Barclay pelo marido. Enveredei pelo caminho óbvio, portanto, visitando a srta. Morrison e explicando que eu estava absolutamente convencido de que ela sabia dos fatos e afirmando que a amiga, a sra. Barclay, poderia parar no banco dos réus se o caso não fosse esclarecido.

"A srta. Morrison é uma jovem miúda e etérea, de olhos tímidos e cabelo loiro. Mas não lhe faltam argúcia e bom senso. Ficou refletindo durante algum tempo a respeito das minhas palavras e depois, virando-se para mim com ar decidido, fez esta declaração extraordinária, que resumirei para você.

"'Prometi à minha amiga não falar nada sobre o caso, e promessa é promessa. Mas se eu puder de fato ajudá-la, quando ela está sendo acusada de uma coisa tão grave e os próprios lábios estão selados pela doença, creio que estou dispensada do compromisso. Vou contar com exatidão o que se passou na noite de segunda-feira.

"'Estávamos voltando da Missão de Watt Street, por volta de 20h45, e no caminho tínhamos que passar pela Hudson Street, uma rua muito tranquila. Há apenas um lampião, do lado esquerdo, e quando nos aproximávamos dele, vi um homem andando na nossa direção, costas muito curvadas, e com uma coisa parecida com uma caixa equilibrada no ombro. Parecia aleijado, pois mantinha a cabeça baixa e caminhava de joelhos inclinados. Quando passamos por ele, o homem ergueu a cabeça para nos olhar à luz do lampião, parou e gritou com uma voz assustadora: 'Meu Deus, é Nancy!'. A sra. Barclay ficou bastante pálida e teria caído se aquela criatura horrível não a tivesse segurado. Eu ia chamar a polícia quando ela, para minha surpresa, dirigiu-se ao sujeito em tom polido. 'Pensei que tivesse morrido há trinta anos, Henry', disse com voz trêmula. 'E estive morto', respondeu, e era horrível ouvir o tom de sua voz.

"'Tinha o rosto cuja pele era negra, assustador, e olhos brilhantes que me aparecem em sonhos. O cabelo e as suíças eram grisalhos, e a pele, muito marcada de rugas como uma maçã murcha. 'Vá andando um pouco, meu bem', disse a sra. Barclay. 'Quero falar com este homem. Não há nada a temer.'

"'Tentava falar com serenidade, mas continuava extremamente pálida e mal conseguia articular as palavras, tão trêmulos estavam seus lábios.

"'Fiz o que ela pediu, e os dois conversaram durante alguns minutos. Em seguida, ela desceu a rua de olhos faiscantes e vi o aleijado de pé, junto ao lampião, sacudindo no ar os punhos cerrados, como se estivesse enfurecido. Ela não pronunciou nenhuma palavra até chegarmos à minha porta e, então, segurando minha mão, suplicou que eu não contasse a ninguém o que se passara. 'É um velho conhecido meu que decaiu na vida', ela disse. Quando prometi que não falaria nada, ela me beijou e depois disso não tornei a vê-la. Relatei toda a verdade e se não a revelei à polícia, foi por não ter percebido o perigo que corria a minha amiga. Sei que só pode ser vantajoso para ela que tudo se esclareça.'

"Este foi o relato, Watson, e para mim, como pode imaginar, foi como uma luz em noite escura. Tudo o que parecia desconexo antes começou logo a ocupar o lugar verdadeiro, e eu tive um pressentimento sombrio de toda a sequência de acontecimentos. Minha providência seguinte, é óbvio, foi procurar o homem que tinha impressionado tanto a sra. Barclay. Se ainda estivesse em Aldershot, não seria difícil encontrá-lo. Não há muitos civis ali, e um homem deformado chamaria atenção. Passei o dia nessa busca e ao anoitecer — ao anoitecer de hoje, Watson — eu o encontrei. Chama-se

Henry Wood e mora na rua em que as duas senhoras o encontraram. Está há apenas cinco dias no lugar. Fazendo o papel de agente de registros, tive uma conversa muito interessante com a senhoria. O homem é mágico e ator profissional, e à noite percorre cantinas, onde se exibe. Carrega numa caixa um animal, que parece ter assustado bastante a senhoria. Ela afirma nunca ter visto criatura semelhante. O homem utiliza o animal em algumas das mágicas, segundo ela contou. Revelou-me tudo isso e também não sabe como o homem consegue viver, de tão torto que ele é; fala às vezes numa língua estranha, e nas duas últimas noites ela o ouviu gemer e chorar no quarto. Aparentemente tinha dinheiro, mas o depósito que pagou incluía o que ela achou que era um florim falso. Mostrou-me a moeda, Watson. Era uma rupia indiana.

"Agora, meu caro amigo, você sabe decerto em que ponto estamos e por que preciso da sua ajuda. É óbvio que, quando as mulheres se afastaram, o homem as seguiu a distância e assistiu à briga entre marido e mulher pela janela. Depois, entrou na sala, e o animal que ele levava na caixa soltou-se. Tudo isso é certo. Mas ele é a única pessoa neste mundo capaz de contar com precisão o que aconteceu naquela sala."

— E você pretende interrogá-lo?

— Com certeza... mas na presença de uma testemunha.

— E sou eu a testemunha?

— Se quiser ter a bondade... Caso o homem seja capaz de esclarecer a questão, tudo bem. Se ele se recusar, não temos alternativa a não ser pedir um mandado de prisão.

— Mas como sabe que ele estará lá quando chegarmos?

— Tomei certas precauções. Deixei de guarda um dos meus rapazes da Baker Street. Alguém que não o perderá de vista um instante, para onde quer que ele vá. Nós o encontraremos na Hudson Street amanhã, Watson. Entretanto, eu mesmo seria um criminoso se o impedisse de dormir por mais tempo.

Era meio-dia quando chegamos ao local da tragédia e, sob a orientação de meu amigo, fomos para a Hudson Street. Apesar da capacidade de ocultar as emoções, eu percebia que Holmes estava numa ansiedade contida e eu mesmo vibrava com aquele prazer meio esportivo, meio intelectual que invariavelmente sentia quando participava das suas investigações.

— É esta, a rua — disse, enveredando por uma viela curta de sobrados modestos e fachadas de tijolos. — Ah, aí vem Simpson para fazer o relatório.

— Ele está em casa, sr. Holmes — anunciou um pequeno árabe, correndo ao nosso encontro.

— Ótimo, Simpson! — aprovou Holmes, dando-lhe um tapinha na cabeça. — Vamos, Watson. A casa é esta.

E enviou um cartão com o recado de que se tratava de assunto importante. Alguns minutos depois estávamos diante do homem que procurávamos. Apesar do dia quente, ele se inclinava sobre o fogo e o quarto minúsculo parecia um forno. Sentado numa cadeira, completamente torto e encolhido, dava uma indescritível impressão de deformidade, mas o rosto que virou na nossa direção, embora de um homem negro e abatido, devia ter sido de uma beleza excepcional. Olhou-nos desconfiado, com olhos amarelados, e sem falar ou levantar-se, fez um gesto indicando duas cadeiras.

— Sr. Henry Wood, que residia na Índia, eu creio — disse Holmes, amável. — Vim falar a respeito da morte do coronel Barclay.

— E o que eu saberia a respeito?

— É o que quero verificar. Deve saber que, se o caso não for esclarecido, a sra. Barclay, velha amiga sua, será provavelmente julgada por homicídio.

O homem estremeceu violentamente.

— Não sei quem é nem como chegou a saber disso, mas jura que é verdade o que está dizendo?

— Estão apenas esperando que ela volte a si para prendê-la.

— Meu Deus! É da polícia?

— Não.

— Então o que é que o senhor teve com este caso?

— É dever de todos zelar para que a justiça seja feita.

— Juro que ela é inocente.

— Então o culpado é o senhor?

— Não, não sou.

— Quem matou o coronel James Barclay?

— Foi a justiça divina que o matou. Mas saiba que se eu lhe tivesse estourado os miolos, como tinha intenção de fazer, ele receberia de minhas mãos apenas aquilo que merecia. Se a própria consciência culpada não o tivesse abatido, é bem provável que seu sangue me pesasse sobre a alma. Quer que eu conte a história? Não vejo por que não deveria, já que não tenho motivos para me envergonhar.

"Foi assim, senhor. Como vê, agora tenho costas de camelo e costelas todas tortas, mas houve um tempo em que o cabo Henry Wood era o homem mais elegante do 117º de Infantaria. Estávamos na Índia, acantonados, num lugar chamado Bhurtee. Barclay, que morreu há dias, era sargento da minha companhia. E a estrela do regimento, a moça mais bela que já viveu sobre a terra, era Nancy Devoy, filha do sargento mestiço. Dois homens a amavam e ela amava um deles. São capazes de rir ao olhar para esta pobre coisa agachada diante do fogo e ouvi-la dizer que era a mim que ela amava, por minha bela aparência.

"Embora o coração dela fosse meu, o pai estava decidido a casá-la com Barclay. Eu era um rapaz irresponsável, imprudente, e ele tivera uma formação e já estava destinado à carreira militar. Mas a moça conservou-se fiel a mim e parecia que eu a teria, quando estourou o Motim e o país virou um inferno.

"Nosso regimento estava isolado em Bhurtee, com meia bateria de artilharia, uma companhia de *sikhs* e uma porção de civis, inclusive mulheres. Dez mil rebeldes nos cercavam, alertas como um bando de terriers em volta de uma ratoeira. Na segunda semana, a água acabou e era uma questão de vida ou morte entrarmos em contato com a coluna do general Neill, que avançava para o norte. Era a nossa única chance, porque não havia possibilidade de abrir caminho à força com mulheres e crianças. Ofereci-me como voluntário para avisar o general Neill do perigo que corríamos. Minha proposta foi aceita e eu conversei a respeito com o sargento Barclay, considerado o melhor conhecedor do terreno. Ele traçou um caminho que me permitiria passar pelas linhas rebeldes. Às dez horas daquela noite, parti em missão. Tinha mil vidas a salvar, mas eu só pensava em uma pessoa quando saltei a muralha depois do anoitecer.

"O caminho passava por um rio seco e esperávamos que ele me protegesse das sentinelas inimigas. Mas, ao completar uma curva de rastros, caí no meio de um grupo de seis rebeldes que estava à minha espera na escuridão. No mesmo instante recebi um golpe na cabeça, fiquei atordoado, e amarraram meus pés e mãos. Mas o pior golpe foi vibrado no meu coração ao recuperar os sentidos e ouvir o suficiente para saber que meu camarada, o próprio homem que traçara o caminho, me traíra por intermédio de um criado nativo, entregando-me ao inimigo.

"Bem, não preciso me estender nesta parte da história. Sabem agora do que James Barclay era capaz. Bhurtee foi salvo por Neill no dia seguinte, mas os rebeldes levaram-me para seu refúgio e passei longos anos sem ver um rosto branco. Era torturado e tentava fugir, eles me recapturavam e novamente me torturavam. Podem ver o estado em que me deixaram. Um grupo que fugiu para o Nepal carregou-me, e passei então por Darjeeling, onde os montanheses da região assassinaram os rebeldes que me mantinham prisioneiro. Tornei-me escravo deles até conseguir escapar. Mas, em vez de seguir para o sul, tive de ir para o norte, até que me encontrei entre afegãos. Vaguei por ali durante vários anos, até por fim voltar a Punjab, onde vivi entre os nativos e aprendi a me sustentar com as mágicas que tinha aprendido. Que utilidade teria para mim, um infeliz aleijado, voltar à Inglaterra, ou procurar os meus antigos camaradas? Nem mesmo o desejo de vingança me levaria a isso. Preferia que Nancy e meus companheiros pensassem que Henry Wood havia morrido de pé a que me vissem arrastar-me apoiado num graveto, como um chimpanzé. Ninguém duvidou que eu estivesse morto e era isso o que eu desejava. Soube que Barclay havia se casado com Nancy e que estava sendo promovido com rapidez no regimento, mas nem isso fez com que eu me manifestasse.

"A velhice traz a saudade da pátria. Passei anos sonhando com os campos verdes e as colinas da Inglaterra. Finalmente decidi revê-los antes de morrer. Economizei o suficiente para a passagem e vim para onde se encontram soldados, pois conheço a sua maneira de ser, sei diverti-los, ganhando assim o suficiente para me sustentar."

— Sua narrativa é muito interessante — disse Sherlock Holmes. — Já soube de seu encontro com a sra. Barclay e que os dois se reconheceram. Suponho que a tenha seguido até em casa e assistido pela janela à altercação com o marido, durante a qual ela deve tê-lo acusado de trair o senhor. Dominado pelos sentimentos, atravessou correndo o gramado e irrompeu na sala.

— Foi o que fiz. E quando me viu, ele ficou com uma expressão que eu nunca tinha visto em homem nenhum e caiu, batendo com a cabeça na guarda da lareira. Mas já estava morto quando caiu. Li a morte no seu rosto com a nitidez com que leio aquele texto sobre a lareira. A minha simples presença foi como um tiro no seu coração culpado.

— E depois?

— Nancy desmaiou e eu peguei a chave que ela segurava, com a intenção de abrir a porta e pedir socorro. Mas naquele momento achei melhor deixar a situação como estava e fugir, pois tudo se voltaria contra mim e meu segredo viria à tona se me prendessem. Na pressa, guardei a chave no bolso e deixei cair a bengala enquanto perseguia Teddy, que escapara da caixa e subira pela cortina. Assim que consegui prendê-lo de novo, fugi o mais depressa possível.

— Quem é Teddy? — perguntou Holmes.

Inclinando-se, o homem ergueu a parte dianteira de uma espécie de gaiola que estava num canto. No mesmo instante saltou para fora um belo animal de pelo marrom-avermelhado, esguio e ágil, com pernas de arminho, longo bico fino e os mais lindos olhos vermelhos que já vi num animal.

— É um mangusto! — exclamei.

— Há quem o chame assim e há quem o chame de icnêumon — disse o homem. — Apanhador de serpentes é como eu o chamo. Teddy é espantosamente rápido com as cobras. Tenho uma aqui sem as presas e Teddy a agarra todas as noites para divertir o pessoal nas cantinas. Quer saber mais alguma coisa, senhor?

— Talvez seja preciso recorrer de novo ao senhor se a sra. Barclay estiver em sérias complicações.

— Nesse caso, eu me apresentarei, é claro.

— Mas, do contrário, não há necessidade de reavivar esse escândalo que envolve um morto, por mais desprezível que tenha sido o seu modo de agir. O senhor teve pelo menos a satisfação de saber que durante trinta anos a consciência o censurou amargamente. Ah, lá vai o major Murphy do outro lado da rua. Adeus, Wood. Quero saber se aconteceu alguma coisa de ontem para hoje.

Conseguimos alcançar o major antes que ele chegasse à esquina.

— Olá, Holmes! Deve ter sabido que toda essa confusão deu em nada.

— O que aconteceu?

— O inquérito está encerrado. O laudo médico demonstrou de modo conclusivo que a morte foi causada por apoplexia. Um caso muito simples, afinal.

— Bastante superficial — disse Holmes, sorrindo. — Vamos, Watson. Creio que não precisam mais de nós em Aldershot.

A caminho da estação, observei:

— Há um detalhe que não entendi. Se o nome do marido era James e o do outro era Henry, quem era esse tal David?

— Essa palavra, meu caro Watson, poderia ter me revelado toda a história se eu fosse o raciocinador ideal que você gosta tanto de descrever. É evidente que se tratava de uma censura.

— Censura?

— Sim. David saía do bom caminho de vez em quando, como se sabe, e em certa ocasião seguiu o mesmo rumo do sargento James Barclay. Lembra-se daquele caso de Uriah e Betsabá? Meus conhecimentos bíblicos estão um tanto enferrujados, mas você encontrará a história no primeiro ou no segundo capítulo de Samuel.

O paciente interno

Ao rever a série um tanto incoerente de recordações com que tentei ilustrar algumas das peculiaridades intelectuais do meu amigo Sherlock Holmes, fiquei impressionado com a dificuldade que tive para escolher exemplos que correspondessem em todos os sentidos ao meu objetivo. Porque nos casos em que Holmes fez um *tour de force* de raciocínio analítico e demonstrou o valor dos seus métodos peculiares de investigação, os próprios fatos quase sempre revelaram-se tão tênues ou vulgares que eu não teria a justificativa para apresentá-los ao público. Por outro lado, houve casos frequentes em que Holmes se envolveu em alguma pesquisa em que os fatos tinham características extraordinárias e dramáticas, mas sua participação na determinação das causas foi menos marcante do que eu, como biógrafo, desejaria. O episódio que registrei com o título de *Um estudo em vermelho* e outro mais tarde ligado à perda do *Gloria Scott* servem como exemplos de Cila e Caríbdes, que vivem ameaçando o historiador. É possível que, no caso que me disponho a relatar agora, o papel desempenhado pelo meu amigo não tenha sido relevante o suficiente, mas todo o encadeamento de circunstâncias é tão extraordinário que não posso omiti-lo nesta série.

Era um dia abafado e chuvoso de agosto. As venezianas estavam descidas até o meio e Holmes se achava enroscado no sofá, lendo e relendo uma carta recebida pela manhã. Quanto a mim, o serviço na Índia me ensinara a suportar melhor o calor do que o frio, e uma temperatura de 32 graus Celsius não representava nenhum sacrifício. Mas o jornal não tinha nada de interessante. O Parlamento estava em recesso. Todo mundo havia saído da cidade e eu ansiava pelos prados de New Forest ou pelas praias de Southsea. A conta bancária em baixa me forçara a adiar as férias. Quanto ao meu amigo, nem o campo nem o mar tinham qualquer atrativo para ele. Adorava estar bem no meio de uma população de cinco milhões de pessoas, com seus filamentos estendendo-se em todas as direções, ligado a qualquer boato ou suspeita de crime não solucionado. Apreciar a natureza era uma coisa que não estava entre os seus muitos talentos e só mudava de cenário quando desviava sua atenção de um criminoso da cidade para seguir a pista de outro do campo.

Percebendo que Holmes estava absorto demais para conversar, deixei de lado o jornal sem interesse e, reclinando-me na poltrona, mergulhei em divagações. De repente, a voz do meu amigo interrompeu o meu devaneio.

— Você tem razão, Watson. Parece um meio bastante absurdo de resolver a questão.

— Muito absurdo! — exclamei, e percebi de repente que ele havia captado meu pensamento mais íntimo.

Retesei-me na cadeira e olhei espantado para ele.

— Que história é essa, Holmes? Isso ultrapassa tudo o que eu poderia imaginar.

Ele deu uma boa risada diante da minha perplexidade.

— Deve lembrar que algum tempo atrás, quando li para você um trecho de Poe, no qual um raciocinador acompanha os pensamentos não expressos do companheiro, você achou que devia considerar o caso um simples *tour de force* do autor. Quando comentei que tinha o hábito de fazer a mesma coisa, você se mostrou incrédulo.

— Não!

— Talvez não com palavras, meu caro Watson, mas sem dúvida com as sobrancelhas. Quando o vi atirar o jornal no chão e mergulhar em meditação, fiquei feliz com a oportunidade de captá-la e, finalmente, interrompê-la, provando que estava em sintonia com você.

Mas eu estava longe de me satisfazer com isso.

— No exemplo que você leu para mim — falei —, a pessoa que fazia deduções tirava conclusões dos atos da pessoa observada. Se me lembro bem, ele tropeçou num monte de pedras, olhou para as estrelas etc. Mas eu estou sentado, quieto, nesta cadeira. Que pistas posso ter fornecido?

— Você está sendo injusto consigo mesmo. A fisionomia é um meio de que o homem dispõe para expressar as emoções, e a sua é um servo fiel.

— Quer dizer que leu meus pensamentos baseado na minha fisionomia?

— Seus olhos, principalmente. Talvez não recorde como teve início o devaneio.

— Não, não recordo.

— Então vou dizer. Depois de jogar o jornal para o lado, gesto que atraiu a minha atenção, ficou sentado meio minuto, sem expressão. Então olhou para o quadro recém-emoldurado do general Gordon, e vi pela alteração nos traços que você havia iniciado uma linha de pensamentos. Mas estes não foram muito longe. Seus olhos voltaram-se para o retrato sem moldura de Henry Ward Beecher, que está sobre seus livros. Olhou então para o alto da parede e sua intenção era óbvia. Pensou que, se o retrato estivesse emoldurado, cobriria aquele espaço vazio correspondente ao retrato de Gordon, ali adiante.

— Você me acompanhou maravilhosamente! — exclamei.

— Até aí seria difícil errar. Mas seus pensamentos voltaram a Beecher, e você o olhou com atenção, como se estudasse o caráter estampado na fisionomia. E então franziu as pálpebras, continuando a olhar firme, ar pensativo. Recordava os incidentes da carreira de Beecher. Eu sabia muito bem que você seria incapaz de fazer isso sem pensar na missão que ele empreendeu a favor do Norte, durante a Guerra Civil, porque lembro-me de tê-lo ouvido manifestar profunda indignação pela maneira como ele foi recebido pelas camadas mais turbulentas do nosso povo. Você tinha sentimentos tão exaltados sobre isso que eu sabia que não pensaria em Beecher sem se lembrar disso também. Quando, instantes depois, vi seus olhos se afastarem do quadro, suspeitei que sua mente se voltara para a Guerra Civil e, ao observar o traço severo dos seus lábios, os olhos brilhantes e as mãos contraídas, tive certeza de que estava pensando na valentia demonstrada pelas duas facções naquela luta desesperada. Mas, em seguida, você ficou triste, sacudiu a cabeça. Estava pensando nos sofrimentos, no horror e no desperdício de vidas. Sua mão deslizou até o antigo ferimento e um sorriso surgiu nos seus lábios, o que indicou que você estava pensando no lado ridículo desse método de resolver questões internacionais. A essa altura, concordei com você que era absurdo, e tive o prazer de descobrir que minhas deduções estavam corretas.

— Totalmente! E, embora você tenha explicado, confesso que continuo tão abismado quanto antes.

— Foi muito superficial, meu caro Watson, asseguro-lhe. Eu não me intrometeria, chamando sua atenção, se você não tivesse revelado certa incredulidade outro dia. Mas a noite trouxe uma brisa. O que diz de um passeio por Londres?

Eu estava cansado da nossa sala acanhada e concordei com prazer. Durante três horas passeamos juntos, observando o eterno caleidoscópio da vida que fluía e refluía na Fleet Street e no Strand. A conversa característica de Holmes, com a atenta observação de detalhes e sutil capacidade de dedução, me divertiu e me fascinou.

Eram dez horas da noite quando voltamos à Baker Street. Uma carruagem esperava à nossa porta.

— Hum! Carruagem de médico. Clínico geral, pelo que vejo — observou Holmes. — Não clinica há muito tempo, mas tem tido muito trabalho. Veio consultar-nos, eu imagino! Ainda bem que estamos de volta!

Eu tinha bastante conhecimento dos métodos de Holmes para acompanhar seu raciocínio e verificar que a natureza e o estado dos vários instrumentos médicos na cesta de vime que pendia da lanterna no interior do veículo haviam fornecido os detalhes para a rápida dedução. A luz na nossa janela indicava que a visita tardia era, de fato, para nós. Curioso para saber o que teria levado um colega de profissão à nossa casa a essa hora, acompanhei Holmes até a sala.

Um homem pálido, de rosto comprido e suíças louras, levantou-se da poltrona junto à lareira quando entramos. Não devia ter mais de 33 ou 34 anos, mas a expressão abatida e a cor doentia da pele revelavam uma vida que havia lhe solapado as forças, roubando-lhe a juventude. Tinha um jeito nervoso e tímido, como o de uma pessoa sensível. A mão branca e magra que apoiou na lareira ao levantar-se era mais de um artista que de um cirurgião. Vestia-se com discrição em tons escuros — casaca preta, calça cinzenta, com um toque de cor na gravata.

— Boa noite, doutor — disse Holmes amavelmente. — Ainda bem que está esperando há poucos minutos apenas.

— Então falou com o cocheiro?

— Não, a vela da mesinha me mostrou. Sente-se, por favor, e diga em que posso servi-lo.

— Meu nome é dr. Percy Trevelyan e moro na Brook Street, 403.

— Não é o autor de uma monografia sobre lesões nervosas obscuras? — perguntei.

O rosto pálido corou de prazer ao verificar que eu conhecia seu trabalho.

— É tão raro ouvir falar neste trabalho que achei que ele estava completamente esquecido. Os editores me deram informações desanimadoras sobre as vendas. Suponho que seja médico.

— Cirurgião aposentado do Exército.

— Meu hobby sempre foram as doenças nervosas. Gostaria de transformá-lo numa especialidade exclusiva, mas é claro que de início é preciso aceitar o que aparece. Mas isso não vem ao caso, sr. Sherlock Holmes. Sei que seu tempo é precioso. O fato é que uma sequência de acontecimentos muito estranhos vem ocorrendo nos últimos tempos na minha casa, na Brook Street, e esta noite eles chegaram a tal ponto que achei impossível esperar mais tempo para pedir seu conselho e sua ajuda.

Sherlock Holmes sentou-se e acendeu o cachimbo.

— Pode dispor de ambos. Faça um relato detalhado dos fatos que o perturbaram, por favor.

— Um ou dois são tão banais que me envergonho de mencioná-los — respondeu o dr. Trevelyan. — Mas o caso é tão inexplicável e o aspecto que recém-assumiu é tão complicado que contarei tudo, e então avaliará o que é essencial e o que não é.

“Sou obrigado, para começar, a falar um pouco a respeito de meus estudos universitários. Estudei na Universidade de Londres e espero que não pense que estou me gabando de forma indevida se disser que minha carreira de estudante foi considerada pelos professores bastante promissora. Depois de me formar, continuei a dedicar-me à pesquisa, ocupando uma função secundária no King’s College Hospital. Tive a sorte de atrair bastante interesse com minha pesquisa sobre a patologia da catalepsia, por fim conquistando o prêmio Bruce Pinkerton e uma medalha pela monografia sobre lesões nervosas, à qual o seu amigo acaba de aludir. Não estarei exagerando se disser que, na época, era opinião geral que eu faria uma bela carreira.

“Mas o grande obstáculo era a falta de capital. Compreenderão logo que um especialista de objetivos elevados é obrigado a começar numa das ruas de Cavendish Square, pagando aluguéis caros e despesas de instalação. Além dessa despesa preliminar, precisará manter-se durante alguns anos e alugar carruagem e cavalo apresentáveis. Tudo isso estava além das minhas possibilidades. Limitava-me a esperar que, fazendo economia, em dez anos eu teria o suficiente para montar a clínica desejada. Mas, de repente, um incidente inesperado abriu-me novas perspectivas.

"Trata-se da visita de um cavalheiro chamado Blessington, que me era completamente desconhecido. Entrou na minha sala certa manhã e foi direto ao assunto.

"'É Percy Trevelyan, que fez uma carreira tão destacada e ganhou um prêmio há pouco tempo?'

"Respondi que sim.

"'Responda com franqueza', ele continuou, 'pois descobrirá que é do seu interesse. Tem inteligência para fazer sucesso. Mas tem tato também?'.

"Não pude deixar de sorrir diante daquela pergunta inesperada.

"'Espero ter o suficiente.'

"'Maus hábitos? Inclinação para a bebida?'

"'Ora, meu senhor!', exclamei.

"'Tem razão! Não se preocupe, mas eu precisava perguntar. Com todas essas qualidades, por que não está clinicando?'

"Dei de ombros.

"'Vamos, fale!', disse, de maneira expansiva. 'É a velha história. Muita inteligência e pouco dinheiro, não é? O que diria se eu o fizesse começar na Brook Street?'

"Olhei para ele, espantado.

"'É em meu benefício, não no seu!', exclamou. 'Falarei com toda a franqueza e, se lhe convier, para mim será ótimo. Tenho alguns milhares para investir e decidi fazê-lo na sua pessoa.'

"'Mas por quê?'

"'É como qualquer outra especulação e mais segura que a maioria.'

"'O que é que eu devo fazer, nesse caso?'

"'Digo já. Eu alugo a casa, providencio as instalações, pago os criados e administro tudo. De sua parte, basta ocupar a cadeira do consultório. Eu lhe darei dinheiro para as despesas e tudo o mais. Depois me dará três quartos do que ganhar e ficará com um quarto para si mesmo.'

"Foi esta a estranha proposta que me apresentou o homem chamado Blessington, sr. Holmes. Não pretendo cansá-lo com o relato da negociação. A história terminou com a minha mudança para a casa no Lady Day*, e ali comecei a clinicar nas condições que ele havia sugerido. Ele veio morar co-

* Dia da Anunciação de Nossa Senhora, 25 de março. [N.T.]

migo na condição de paciente interno. Tinha o coração fraco e precisava de acompanhamento médico constante. Transformou as duas melhores peças do primeiro andar em sala e quarto para ele. Era um homem de hábitos singulares, não gostava de visitas e raramente saía. Apesar da vida irregular, em certo sentido era a própria regularidade. Todas as noites, à mesma hora, entrava no consultório, examinava os livros, separava cinco xelins e três pence de cada libra que eu ganhava e levava o restante para o cofre que havia no seu quarto.

"Posso afirmar que ele nunca teve motivo para lamentar a especulação. Desde o início foi um sucesso. Alguns casos bons e a reputação que eu havia adquirido no hospital produziram êxito imediato, e nos últimos dois anos eu o tornei um homem rico.

"Narrei minha história e minhas relações com o sr. Blessington. Só falta contar o que aconteceu para me trazer aqui esta noite.

"Algumas semanas atrás, o sr. Blessington veio me procurar, ao que parecia, muito agitado. Falou de um roubo que teria ocorrido no West End e, lembro-me bem, estava desnecessariamente inquieto, afirmando que naquele dia mesmo mandaria colocar fechaduras mais resistentes nas portas e janelas. Passou uma semana nesse estranho estado de agitação, olhando com frequência pelas janelas e deixando de fazer o curto passeio que em geral precedia o jantar. Tive a impressão de que estava mortalmente apavorado com alguém ou alguma coisa, mas quando o interroguei a respeito, mostrou-se tão grosseiro que fui obrigado a mudar de assunto. Com o passar dos dias, o temor começou a diminuir, e ele já havia voltado aos antigos hábitos, quando um novo acontecimento deixou-o no estado de prostração em que está agora.

"Aconteceu o seguinte. Há dois dias recebi a carta que vou ler. Não trazia data nem endereço.

Um nobre russo, atualmente residindo na Inglaterra, gostaria de solicitar a atenção profissional do dr. Percy Trevelyan. Há anos é vítima de ataques de catalepsia, mal em que o dr. Trevelyan é uma autoridade reconhecida. Ele pretende visitá-lo amanhã, às 18h15, caso o dr. Trevelyan julgue de sua conveniência.

"A carta interessou-me profundamente porque a principal dificuldade no estudo da catalepsia é a raridade da doença. Podem compreender por que eu estava no consultório na hora marcada, quando o assistente mandou o paciente entrar.

"Era um homem idoso, magro, quieto e vulgar. Não correspondia de maneira alguma à ideia que em geral se faz de um nobre russo. Fiquei ainda mais impressionado com a aparência de seu companheiro. Era um rapaz alto e de bela figura, fisionomia agressiva e fechada, torso e membros de um Hércules. Segurava o braço do outro quando entraram e ajudou-o a sentar-se numa cadeira com cuidados que não eram de se esperar em alguém com aquela aparência.

"'Perdoe a minha presença, doutor', disse com ligeiro sotaque. 'Este é meu pai e sua saúde é motivo de grande preocupação para mim.'

"Fiquei comovido com aquela ansiedade filial.

"'Gostaria de assistir à consulta?', perguntei.

"'De modo algum!', exclamou, com um gesto de horror. 'É muito penoso para mim. Se assistisse a mais um ataque de meu pai, tenho certeza de que eu não sobreviveria a ele. Meu sistema nervoso é excepcionalmente sensível. Com sua permissão, ficarei na sala de espera enquanto o examina.'

"Concordei, claro, e o rapaz se retirou. O paciente e eu mergulhamos no debate do seu caso, enquanto eu fazia anotações minuciosas. Ele não brilhava pela inteligência e as respostas eram às vezes obscuras, o que atribuí ao limitado conhecimento do nosso idioma. De repente, enquanto eu escrevia, ele deixou de responder às minhas perguntas e, ao erguer a cabeça, tive um choque ao vê-lo sentado muito teso na cadeira, com expressão totalmente vazia e feições rígidas. Estava sofrendo um ataque da misteriosa doença.

"Meu primeiro impulso, como acabo de dizer, foi de compaixão e horror. O segundo, lamento dizer, foi de satisfação profissional. Verifiquei a pulsação e a temperatura do paciente, testei a rigidez muscular e os reflexos. Nada havia de pronunciadamente excepcional em qualquer desses aspectos, o que estava de acordo com minha experiência prévia. Eu havia obtido bons resultados em casos assim com a inalação de nitrato de amido, e aquela oportunidade parecia excelente para testar as suas virtudes. O vidro estava no laboratório, de modo que deixei o paciente sentado na cadeira e corri para buscá-lo. Levei algum tempo para encontrá-lo, talvez uns cinco minutos — e então voltei ao consultório. Imaginem o meu espanto ao encontrar a sala vazia. O paciente havia desaparecido!

"Claro que meu primeiro impulso foi correr à sala de espera. O filho também havia desaparecido. A porta que dava para o vestíbulo estava fechada, mas não trancada. Meu ajudante é um rapazinho novo e nem um pouco brilhante. Espera embaixo e sobe correndo a escada para levar os clientes até a porta quando toco a campainha no consultório. Ele não tinha ouvido nada, e o caso virou um verdadeiro mistério. O sr. Blessington voltou do passeio pouco depois, mas não contei o que havia acontecido; para falar a verdade, habituei-me nos últimos tempos a me comunicar o menos possível com ele.

"Bem, pensei que não tornaria a ver o russo e o filho. Imaginem a minha surpresa quando na tarde de hoje, à mesma hora, os dois entraram no meu consultório, exatamente como haviam feito na véspera.

"'Devo-lhe mil desculpas pelo desaparecimento repentino de ontem, doutor', disse o paciente.

"'Confesso que fiquei bastante surpreso', repliquei.

"'O fato é que quando me recupero desses ataques, nunca me lembro do que aconteceu antes. Quando voltei a mim, achei que estava numa sala estranha e saí para a rua meio tonto na hora em que o senhor estava ausente.'

"'E eu, vendo meu pai sair do consultório, pensei que a consulta tinha terminado. Só quando chegamos em casa, percebi o que havia acontecido.'

"'Não houve problema, exceto o fato de terem me deixado bastante intrigado', eu disse, rindo. 'Se quiser ter a bondade de se retirar para a sala de espera, continuarei a nossa consulta, que foi interrompida de modo tão brusco.'

"Durante cerca de meia hora discuti os sintomas com o paciente e, depois de prescrever um remédio, eu o vi sair apoiado no braço do filho.

"Já contei que o sr. Blessington costuma fazer um passeio a essa hora. Ele chegou pouco depois e subiu. Logo em seguida desceu correndo e entrou no consultório como um louco.

"'Quem esteve no meu quarto?', gritou.

"'Ninguém', respondi.

"'Mentira! Suba e veja!'

"Ignorei a grosseria das palavras porque ele parecia estar transtornado de medo. Quando subíamos, ele apontou várias pegadas no tapete claro.

"'Pretende dizer que essas pegadas são minhas?', gritou.

"Eram bem maiores que as dele e bastante recentes. Choveu forte à tarde, como sabem, e os dois pacientes eram as únicas pessoas que haviam entrado em casa. Era possível que o homem que ficara na sala de espera, por algum motivo, enquanto eu estava ocupado com o pai, tivesse subido ao quarto do meu paciente interno. Nada fora tocado ou roubado, mas as pegadas provavam que a intromissão era um fato inegável.

"O sr. Blessington está mais abalado com o caso do que me parece razoável, embora o assunto seja desagradável o suficiente para abalar a tranquilidade de qualquer um. Sentou-se chorando numa poltrona e mal consegui que falasse alguma coisa coerente. Por sugestão dele recorri ao senhor, e percebi logo a conveniência disso, porque o incidente era muito estranho, embora ele pareça estar exagerando a sua importância. Se quiserem ir na minha carruagem, poderão ao menos tranquilizá-lo, ainda que dificilmente se possa esperar que expliquem esse fato extraordinário."

Sherlock Holmes escutou a longa narrativa com uma atenção que mostrava estar com profundo interesse. A expressão continuava imperturbável, como sempre, mas as pálpebras caíam mais pesadas sobre os olhos, a fumaça enroscava-se mais espessa ao sair do cachimbo, sublinhando cada um dos estranhos episódios da narrativa do médico. Quando o nosso visitante terminou, Holmes levantou-se sem uma palavra, entregou-me o meu chapéu, apanhou o dele, que estava sobre a mesa, e saímos junto com o dr. Trevelyan. Quinze minutos depois saltávamos diante da residência do médico, na Brook Street, uma daquelas construções sombrias, de fachada lisa, que costumamos associar a uma clínica do West End. Um rapazinho abriu a porta para nós, e subimos a escada ampla e bem atapetada.

Mas uma interrupção estranha nos deixou imóveis. A luz do alto da escada apagou-se de repente, e na escuridão ouvimos uma voz trêmula gritar:

— Estou com uma pistola e juro que vou disparar se insistirem em subir!

— Isso é um absurdo, sr. Blessington! — gritou o dr. Trevelyan.

— Ah, é o doutor? — disse a voz, num arquejo de alívio. — Mas os outros senhores são de fato quem dizem ser?

Percebemos que, do escuro, ele nos observava atentamente.

— Sim, sim, está bem — disse a voz por fim. — Podem subir e perdoem as minhas precauções.

Ele tornou a acender a lâmpada a gás que iluminava a escada e nós nos vimos diante de um homem estranho, cuja aparência e voz revelavam extremo abalo nervoso. Era muito gordo, mas ao que tudo indicava já fora mais, porque a pele pendia do rosto em bolsas flácidas, lembrando o focinho de um mastim. A pele tinha uma cor doentia e o cabelo loiro e ralo parecia estar em pé devido à intensidade da emoção. Empunhava uma pistola, que guardou no bolso quando nos aproximamos.

— Boa noite, sr. Holmes — cumprimentou. — Sou muito grato por ter vindo. Ninguém precisa mais dos seus conselhos do que eu. Suponho que o dr. Trevelyan tenha contado a inexplicável invasão do meu quarto.

— Exatamente — disse Holmes. — Quem são esses dois homens, sr. Blessington, e por que querem prejudicá-lo?

Nervoso, o paciente interno respondeu:

— Ora, é difícil saber. Como espera que eu responda a uma pergunta dessas, sr. Holmes?

— Então não sabe?

— Entrem, por favor. Tenham a bondade de entrar.

E conduziu-nos ao seu quarto, que era amplo e confortavelmente mobiliado.

— Estão vendo aquilo? — disse, apontando para uma grande caixa preta aos pés da cama. — Nunca fui muito rico, sr. Holmes. Só fiz um investimento na vida, como o dr. Trevelyan deve ter contado. Não acredito em banqueiros. Jamais confiaria num banqueiro, sr. Holmes. Aqui entre nós, o pouco que tenho está naquela caixa, de modo que podem imaginar o que significa para mim saber que pessoas desconhecidas invadiram meu quarto.

Holmes olhou para Blessington com seu jeito interrogativo e meneou a cabeça.

— Não posso dar-lhe nenhum conselho quando tenta me enganar.

— Mas já contei tudo.

Virando-lhe as costas com um gesto de aborrecimento, Holmes disse:

— Boa noite, dr. Trevelyan.

— E não vai me dar nenhum conselho? — exclamou Blessington com a voz trêmula.

— Meu conselho é que diga a verdade, senhor.

Um minuto depois estávamos na rua, voltando a pé para casa. Tínhamos atravessado a Oxford Street e estávamos no meio da Harley Street quando consegui extrair uma palavra do meu amigo.

— Lamento tê-lo arrastado para esta missão idiota, Watson — disse, enfim. — No fundo, é um caso interessante.

— Não entendi quase nada — confessei.

— É evidente que há dois homens, talvez mais, porém dois pelo menos, decididos, por algum motivo, a prejudicar esse Blessington. Não tenho a menor dúvida de que tanto na primeira como na segunda ocasião o rapaz entrou no quarto de Blessington, enquanto o cúmplice, graças a um artifício engenhoso, impedia o médico de interferir.

— E a catalepsia?

— Imitação fraudulenta, Watson, embora eu não ouse sugeri-lo ao nosso especialista. É muito fácil imitar um ataque. Eu mesmo já o fiz.

— E depois?

— Por mero acaso, Blessington havia saído nas duas ocasiões. O motivo da escolha de uma hora tão insólita para a consulta era evidentemente garantir que não houvesse outros pacientes na sala de espera. Acontece que o momento coincidiu com a hora do passeio de Blessington, o que demonstra que não estavam a par de sua rotina diária. É claro que se quisessem apenas roubar, teriam feito ao menos uma tentativa. Além do mais, sei ler nos olhos de um homem quando é pela própria vida que ele teme. É inconcebível que o sujeito tenha feito sem saber dois inimigos tão vingativos. É certo, portanto, que ele sabe quem são esses homens, mas se cala por motivos pessoais. É possível que amanhã nós o encontremos com uma disposição mais comunicativa.

— Não haverá alternativa concebível, por mais grotesca e improvável que seja? — sugeri. — A história do russo que sofre de catalepsia e apareceu acompanhado do filho não seria uma invenção do dr. Trevelyan, que, por motivos pessoais, entrou no quarto de Blessington?

Vi à luz de um lampião que Holmes sorria, divertido com a minha brilhante sugestão.

— Meu caro amigo, foi uma das primeiras soluções que me ocorreram, mas pude comprovar logo a veracidade da história do médico. O rapaz deixou pegadas no tapete da escada, o que me dispensou de pedir para ver as que havia deixado no quarto. Quando lhe disser que os sapatos eram de biqueira quadrada, e não pontuda como os de Blessington, e uns 2,5 centímetros maiores que as do médico, perceberá que não pode haver dúvidas quanto à identidade. Mas vamos dormir agora, e eu ficarei surpreso se não recebermos notícias de Brook Street pela manhã.

A profecia de Sherlock Holmes realizou-se logo, e de maneira dramática. Às 7h30, quando o dia seguinte começava a clarear, dei com ele ao lado da minha cama, envolto no roupão.

— Há uma carruagem à nossa espera, Watson — disse ele.

— O que aconteceu?

— O caso de Brook Street.

— Novidades?

— Trágicas, mas ambíguas — respondeu, erguendo a veneziana. — Veja, uma folha de bloco de anotações com um bilhete rabiscado a lápis: “Pelo amor de Deus, venha agora mesmo. P.T.". Nosso amigo, o médico, estava em apuros quando escreveu. Vamos, meu caro amigo, porque o chamado é urgente.

Quinze minutos depois estávamos de novo na casa do médico. Ele veio correndo ao nosso encontro, com uma expressão de horror estampada no rosto.

— Que coisa horrível! — exclamou, levando as mãos às têmporas.

— O que aconteceu?

— Blessington suicidou-se!

Holmes assobiou.

— Enforcou-se durante a noite!

Seguimos o médico e entramos no que, evidentemente, era sua sala de espera.

— Nem sei direito o que faço — disse Trevelyan. — A polícia está lá em cima. Estou profundamente chocado.

— Quando o encontrou?

— Ele faz questão que lhe levem uma xícara de chá de manhã bem cedo. Quando a empregada entrou no quarto, por volta das sete horas, o infeliz estava pendurado no meio do aposento. Amarrou uma corda no gancho de onde pendia um lustre pesado e saltou de cima da caixa que nos mostrou ontem.

Holmes ficou imóvel por algum tempo, em profunda meditação.

— Com sua permissão — disse, por fim —, gostaria de subir e examinar o local.

Subimos os dois, acompanhados pelo médico.

Deparamos com uma cena horrível ao entrar no quarto. Mencionei a impressão de flacidez que Blessington dava. Pendurado no gancho, essa impressão era exagerada e intensificada, a ponto de quase não parecer humano. O pescoço estava esticado como o de uma galinha depenada, fazendo com que o resto do corpo parecesse ainda mais obeso e pouco natural. Vestia apenas a roupa de dormir, e os tornozelos inchados e pés desajeitados apareciam, nus, sob o camisolão. Ao lado do corpo, um inspetor de polícia, com expressão atenta, tomava notas num caderninho.

— Ah, sr. Holmes! — saudou quando entramos. — Encantado em vê-lo.

— Bom dia, Lanner. Estou certo de que não vai me considerar um intruso. Soube dos fatos que resultaram neste caso?

— Sim, ouvi alguma coisa.

— Já tem alguma opinião?

— Pelo que vejo, o homem enlouqueceu de medo. A cama foi usada, como vê. Há uma marca profunda deixada pelo corpo. Os suicídios são mais frequentes por volta das cinco horas. Deve ter sido mais ou menos nessa hora que ele se enforcou. Parece uma coisa deliberada.

— Eu diria que está morto há três horas, a julgar pela rigidez dos músculos — observei.

— Notou algo de estranho no quarto? — perguntou Holmes.

— Encontrei uma chave de parafusos e alguns parafusos no lavatório. Parece que ele fumou bastante durante a noite. Aqui estão quatro pontas de charuto que recolhi na lareira.

— Hum! — fez Holmes. — Encontrou a charuteira dele?

— Não, não encontrei.

— Uma caixa de cigarros, nesse caso?

— Sim, estava no bolso do casaco.

Holmes abriu-a e cheirou o único charuto que ela continha.

— Este é um Havana e os outros são charutos diferentes, importados pelos holandeses das colônias nas Índias Orientais. Vêm em geral envoltos em palha e são mais finos do que qualquer outra marca.

Recolhendo as quatro pontas, examinou-as com a lente de bolso.

— Dois foram fumados com piteira e dois sem. Dois foram cortados com faca pouco afiada e dois tiveram as extremidades mordidas por dentes excelentes. Não se trata de suicídio, sr. Lanner. É um assassinato a sangue-frio, muito bem planejado.

— Impossível! — exclamou o inspetor.

— Por quê?

— Por que alguém haveria de assassinar um homem de um modo tão grosseiro como enforcamento?

— É o que precisamos descobrir.

— Como conseguiram entrar?

— Pela porta da frente.

— Estava fechada hoje de manhã.

— Então foi fechada depois que eles saíram.

— Como sabe?

— Vi as pegadas deles. Com licença. Daqui a alguns instantes darei novas informações a respeito.

Aproximando-se da porta, examinou a fechadura com o jeito metódico. Em seguida tirou a chave, que estava do lado de dentro, e examinou-a também.

A cama, o tapete, as cadeiras, a lareira, o corpo e a corda foram verificados, um a um. Enfim deu-se por satisfeito e, com a minha ajuda e a do inspetor, desceu o corpo e colocou-o deitado, coberto com um lençol.

— E a corda? — perguntou.

— Foi tirada daqui — disse o dr. Trevelyan, puxando um rolo de corda que estava embaixo da cama. — Ele tinha um medo mórbido de incêndios e conservava a corda ao lado dele para fugir pela janela, se a escada estivesse em chamas.

— Isso deve ter poupado muito trabalho aos homens — disse Holmes, pensativo. — Sim, os fatos são bem simples e ficarei surpreso se à tarde não conseguir apresentar-lhes também as razões. Vou levar a fotografia de Blessington que está sobre a lareira. Ela pode me ajudar na investigação.

— Mas não nos disse nada! — exclamou o médico.

— Não pode haver dúvidas quanto à sequência dos acontecimentos — falou Holmes. — Eram três homens: o rapaz, o velho e um terceiro, sobre cuja identidade ainda não tenho pistas. Os dois primeiros, não preciso dizer, são os que se fizeram passar pelo conde russo e o filho, de modo que podemos fazer dos dois uma descrição completa. Foram introduzidos pelo cúmplice que estava na casa. Permita que lhe dê um conselho, inspetor: prenda o auxiliar que, pelo que soube, está no emprego há pouco tempo, não é, doutor?

— Ninguém sabe onde está o diabrete! — disse o dr. Trevelyan. — A criada e a cozinheira já estiveram à procura dele.

Holmes deu de ombros.

— Ele desempenhou um papel sem importância neste drama. Depois que os três subiram a escada na ponta dos pés, o mais velho na frente, seguido do mais moço, com o desconhecido atrás...

— Meu caro Holmes! — exclamei.

— Não pode haver dúvidas quanto à superposição das pegadas. Tive a vantagem de poder examiná-las ontem à noite. Eles subiram até o quarto do sr. Blessington, cuja porta encontraram trancada. Mas, com a ajuda de um arame, forçaram a fechadura. Mesmo sem a lente perceberão, pelos arranhões neste recorte da chave, que foi arrombada.

"Depois de entrarem no quarto, a primeira providência deve ter sido amordaçar o sr. Blessington. Talvez ele estivesse adormecido, ou então paralisado de terror, incapaz de gritar. As paredes são grossas, e é possível que o grito dele, se chegou a soltar um, não tenha sido ouvido.

"Depois de o amarrarem, é evidente que houve algum tipo de conferência. É provável que algo parecido com um processo judicial. Deve ter durado algum tempo, pois os charutos foram fumados então. O mais velho sentou-se naquela cadeira de vime. Foi ele quem usou a piteira. O mais moço sentou-se ali e deixou cair um pouco de cinza no camiseiro. O terceiro ficou andando de um lado para outro. Acho que Blessington permaneceu sentado na cama, mas não tenho certeza absoluta.

"A reunião terminou com o enforcamento de Blessington. O caso foi preparado com tanta antecedência que, segundo creio, eles trouxeram algum bloco ou polia que servisse de patíbulo. Aquela chave de parafusos e os parafusos serviriam para fixá-lo, eu acho. Ao notarem o gancho, o trabalho foi poupado, naturalmente. Quando terminaram a tarefa, eles saíram e a porta foi trancada pelo cúmplice."

Ouvimos com o mais profundo interesse o relato dos acontecimentos daquela noite, que Holmes deduziu a partir de indícios tão sutis e minúsculos que, mesmo depois de apontados por ele, mal conseguíamos acompanhá-lo no raciocínio. O inspetor saiu logo a fim de investigar o paradeiro do auxiliar, enquanto Holmes e eu voltávamos à Baker Street para tomar o café da manhã.

— Estarei de volta às três da tarde — disse quando terminamos a refeição. — O inspetor e o médico me encontrarão aqui a essa hora, quando espero ter esclarecido qualquer ponto obscuro que o caso ainda apresente.

Nossos visitantes chegaram na hora marcada, mas o meu amigo só apareceu quando eram 15h45. Sua expressão dizia que tudo havia corrido bem.

— Alguma novidade, inspetor?

— Pegamos o garoto.

— Excelente. E eu peguei os homens.

— Pegou os homens!? — exclamamos nós três.

— Bem, pelo menos descobri a identidade deles. O que dizia se chamar Blessington é, como eu suspeitava, bastante conhecido da polícia, assim como os assassinos deles, cujos nomes são Biddle, Hayward e Moffat.

— A gangue que assaltou o Banco Worthington! — exclamou o inspetor.

— Exato — confirmou Holmes.

— E Blessington era Sutton?

— Precisamente.

— Então, tudo fica claro como cristal! — disse o inspetor.

Mas Trevelyan e eu nos entreolhamos espantados.

— Devem lembrar do grande roubo ao Banco Worthington — disse Holmes. — Havia cinco homens envolvidos no caso, esses quatro e um quinto, chamado Cartwright. Tobin, o vigia, foi assassinado e os ladrões fugiram com sete mil libras. Isso aconteceu em 1875. Os cinco foram presos, mas as provas contra eles não eram conclusivas. Blessington, ou Sutton, o pior da quadrilha, delatou os outros. Baseado no depoimento dele, Cartwright foi enforcado e os outros três pegaram quinze anos cada. Quando foram postos em liberdade, há dias, alguns anos antes de completarem a sentença, saíram na mesma hora à procura do traidor para vingar a morte do companheiro. Por duas vezes tentaram pegá-lo, mas não conseguiram. Na terceira tiveram sorte. Há mais alguma coisa a ser explicada, dr. Trevelyan?

— Creio que deixou tudo absolutamente esclarecido — respondeu o médico. — O dia em que ele apareceu tão perturbado deve ter sido aquele em que leu no jornal a notícia da libertação dos cúmplices.

— Exato. A história de roubo era simples despistamento.

— Mas por que não contou tudo?

— Conhecendo a natureza vingativa dos antigos cúmplices, tentava ocultar a sua verdadeira identidade. O segredo era vergonhoso e ele não tinha coragem de divulgá-lo. Por mais infeliz que estivesse, encontrava-se ainda sob o escudo da lei britânica, e não tenho dúvidas, inspetor, de que o senhor zelará para que, embora o escudo tenha falhado na proteção, a espada da justiça esteja presente para vingar.

Essas foram as circunstâncias singulares que envolveram o paciente interno e o médico de Brook Street. A partir daquela noite, nada mais se soube dos três assassinos, e a Scotland Yard deduziu que se encontravam entre os infelizes passageiros do vapor *Norah Creina*, que naufragou há alguns anos com toda a tripulação nas costas de Portugal, algumas milhas ao norte do Porto. O processo contra o rapazinho auxiliar do médico não foi adiante por falta de provas e o "Mistério de Brook Street", como foi chamado, nunca chegou a ser revelado por inteiro ao público.

O intérprete grego

Durante o longo e estreito relacionamento com Sherlock Holmes, nunca ouvi dele nenhuma referência à família e muito poucas à infância. Esta reticência da parte dele aumentou a impressão pouco humana que ele me transmitia, a ponto de me surpreender às vezes a observá-lo como um fenômeno isolado, um cérebro sem coração, tão desprovido de simpatia humana quanto fértil em inteligência. A aversão às mulheres e pouca inclinação a fazer novas amizades eram típicas de um temperamento seco, mas não tanto quanto a omissão total de qualquer referência à família. E eu passara a acreditar que era órfão e sem parentes vivos, até que um dia, para minha grande surpresa, ele começou a falar sobre o irmão.

Foi depois do chá, num crepúsculo de verão. A conversa que se desenrolava a esmo, de maneira espasmódica, passando de bastões de golfe às causas da mudança na obliquidade da eclíptica, enveredou finalmente pela questão do atavismo e das aptidões hereditárias. O assunto em debate era até que ponto um talento específico num indivíduo seria devido à ascendência, e até que ponto era consequência da educação inicial.

— Diante de tudo o que me disse, no seu caso parece óbvio que sua capacidade de observação e sua facilidade peculiar para a dedução devem-se ao seu próprio treinamento sistemático.

— Até certo ponto — respondeu, pensativo. — Meus antepassados pertenciam à nobreza do campo e parecem ter levado a existência normal dos de sua classe. Ainda assim, minha inclinação está nas minhas veias e talvez tenha sido herdada de minha avó, que era irmã de Vernet, o artista francês. A arte no sangue é capaz de assumir as formas mais estranhas.

— Mas como sabe que é hereditária?

— Porque meu irmão, Mycroft, a possui num grau mais acentuado.

Isso foi novidade para mim. Se houvesse na Inglaterra outro homem com poderes tão especiais, por que nem a polícia nem o público tinham ouvido falar dele? Fiz a pergunta, dando a entender que a modéstia de meu amigo é que o levava a considerar o irmão superior a ele. Holmes riu da sugestão.

— Meu caro Watson, não concordo com os que incluem a modéstia entre as virtudes. Para o lógico, todas as coisas devem ser exatamente o que são, e subestimar-se é tão falso quanto exagerar o próprio talento. Portanto, quando digo que Mycroft tem maior capacidade de observação, pode estar certo de que falo a verdade exata e literal.

— Ele é mais moço que você?

— Sete anos mais velho.

— Como é possível que ele tenha permanecido no anonimato?

— Ele é muito conhecido no próprio círculo.

— Onde?

— No Clube Diógenes, por exemplo.

Eu nunca tinha ouvido falar na instituição e minha fisionomia deve ter demonstrado isso, pois Sherlock Holmes tirou o relógio do bolso.

— O Clube Diógenes é uma das mais estranhas sociedades de Londres, e Mycroft, um dos membros mais estranhos. Está sempre ali desde as 16h45 até as 19h40. São seis horas, e se você quiser fazer um passeio neste belo anoitecer, eu terei o maior prazer em apresentá-lo a duas curiosidades.

Cinco minutos depois estávamos na rua, caminhando na direção de Regent's Circus.

— Você deve estar admirado porque Mycroft não usa os seus talentos como detetive. Ele é incapaz disso.

— Mas você não disse...!

— Disse que era superior em dedução e observação. Se a arte do detetive começasse e terminasse no raciocínio feito numa poltrona, meu irmão seria o maior criminologista que jamais existiu. Mas não é ambicioso e não tem energia. Não se preocuparia em verificar as próprias soluções, e iria preferir que o considerassem equivocado a dar-se ao trabalho de provar que estava certo. Levei-lhe muitas vezes um problema e recebi uma explicação que mais tarde foi comprovada. Contudo, ele foi totalmente incapaz de lidar com as questões práticas que devem ser resolvidas antes de se levar o caso à justiça.

— Então não é esta a profissão dele?

— De modo algum. O que para mim é um meio de vida, para ele é um simples hobby de diletante. Tem uma cabeça extraordinária para números e faz auditoria nos livros de alguns departamentos do governo. Mycroft mora em Pall Mall e todas as manhãs dobra a esquina para ir a Whitehall, e volta à noite. Durante o ano inteiro não faz outro exercício e não é visto em nenhum outro lugar, a não ser no Clube Diógenes, que fica em frente ao seu apartamento.

— Não conheço o nome.

— É bem provável. Há muitos homens em Londres que, por timidez ou por misantropia, rejeitam a companhia dos semelhantes, mas não são avessos a poltronas confortáveis e às últimas edições dos jornais. Foi para servir a essas pessoas que foi fundado o Clube Diógenes. Ele agrupa os homens menos sociáveis e agrupáveis da cidade. Nenhum membro tem permissão de dar a mínima atenção a qualquer outro. Exceto na Sala dos Estranhos, a conversa não é permitida em qualquer circunstância, e se três transgressões a essa norma forem levadas ao conhecimento do comitê, o conversador fica sujeito a expulsão. Meu irmão é um dos fundadores e eu mesmo acho muito calmante a atmosfera do clube.

Tínhamos chegado a Pall Mall enquanto conversávamos e enveredamos pela rua a partir de St. James. A certa distância do Carlton, Sherlock parou diante de uma porta e, fazendo sinal para que eu ficasse calado, me fez entrar no vestíbulo. Através do painel de vidro vi uma sala luxuosa, onde um número considerável de homens lia os jornais, cada qual no seu canto. Holmes conduziu-me a um pequeno recinto que dava para Pall Mall e, ausentando-se por um instante, voltou com alguém que só poderia ser seu irmão.

Mycroft Holmes era mais alto e vigoroso do que Sherlock. O corpo era robusto, mas o rosto, embora maciço, conservava algo da vivacidade de expressão tão notável em Sherlock. Os olhos, de um cinzento especialmente claro, pareciam manter aquela expressão distante, introspectiva, que eu observava nos do meu amigo quando ele estava utilizando plenamente os talentos.

— É um prazer conhecê-lo, senhor — disse ele, estendendo a mão lisa como a nadadeira de uma foca. — Ouço falar de Sherlock em toda parte desde que o senhor se tornou o biógrafo dele. E por falar nisso, Sherlock, esperava que você me consultasse na semana passada a respeito do caso daquela mansão. Achei que seria difícil demais para você.

— Não, consegui resolvê-lo — disse meu amigo, sorrindo.

— Foi Adams, naturalmente.

— Sim, foi Adams.

— Eu tinha certeza desde o início.

Os dois sentaram-se perto da janela do clube.

— Este é o lugar ideal para quem quiser estudar a humanidade — observou Mycroft. — Veja que tipos magníficos! Repare naqueles dois homens que estão caminhando na nossa direção, por exemplo.

— O marcador de bilhar e o outro?

— Exato. O que acha do outro?

Os dois haviam parado diante da janela. Marcas de giz sobre o bolso do colete eram os únicos sinais de bilhar que notei num deles. O outro era um homem baixinho e negro, chapéu inclinado para trás e vários pacotes debaixo do braço.

— Um velho soldado, parece-me — disse Sherlock.

— E recém-reformado — observou o irmão.

— Serviu na Índia, pelo que vejo.

— Como oficial não comissionado.

— Artilharia Real, imagino — disse Sherlock.

— E viúvo.

— Com filhos, meu caro rapaz. Com filhos.

— Ora, isso é demais — protestei, rindo.

— Não é difícil dizer que um homem com aquele porte, expressão autoritária e tez curtida de sol é um soldado, mais que um soldado raso, e recém-chegado da Índia.

— O fato de ter deixado o Exército há pouco tempo é indicado por usar ainda "botas de munição", como são chamadas — observou Mycroft.

— Não tem o andar do cavalariano, mas usava o chapéu inclinado para o lado, como demonstra a pele mais clara naquela parte do rosto. O peso indica que não podia ser sapador. Serviu na artilharia.

— E o luto fechado revela que perdeu alguém muito querido. O fato de estar fazendo compras indica que foi a mulher. Esteve comprando coisas para os filhos, como vê. Há um chocalho, o que mostra que um deles é muito pequeno. É provável que a mulher tenha morrido ao dar à luz. O fato de levar debaixo do braço um livro ilustrado indica que há uma outra criança na história.

Comecei a perceber o que meu amigo queria dizer ao mencionar os talentos mais perspicazes do irmão. Olhando para mim, ele sorriu. Mycroft aspirou rapé tirado de uma caixinha de tartaruga e sacudiu os grãos que caíram no casaco, agitando um grande lenço de seda vermelha.

— Sherlock, tenho algo bem ao seu estilo, um problema singular que me foi apresentado. Não tive disposição para acompanhá-lo, a não ser de maneira muito superficial, mas deu-me uma base para especulações muito agradáveis. Se estiver interessado nos fatos...

— Será um prazer, meu caro Mycroft.

O irmão rabiscou um bilhete numa folha do caderninho de anotações e, tocando a campainha, entregou-o ao garçom.

— Pedi ao sr. Melas que venha até aqui. Ele mora um andar acima do meu. Conheço-o ligeiramente, e por isso ele me procurou quando se viu em apuros. O sr. Melas é de origem grega, segundo eu soube, e um linguista extraordinário. Ganha a vida como intérprete em tribunais e também como guia de orientais abastados que se hospedam nos hotéis da Northumberland Avenue. Vou deixar que ele conte à sua maneira a experiência extraordinária que viveu.

Minutos depois apareceu um homem baixo e gordo, cuja tez negra e cabelo preto indicavam a origem sulina, embora o modo de falar fosse o de um inglês culto. Trocou um caloroso aperto de mãos com Sherlock Holmes, e os olhos escuros cintilaram de prazer ao perceber que o especialista estava ansioso por ouvir a sua história.

— Não acho que a polícia acredite em mim, palavra — disse em tom lamentoso. — Só porque nunca ouviram falar nisso, pensam que não possa existir. Mas eu não ficarei descansado enquanto não descobrir que fim levou o pobre homem com o rosto emplastrado de esparadrapo.

— Conte com minha total atenção — disse Sherlock.

— Hoje é a noite de quarta-feira — disse o sr. Melas. — Então, foi na segunda à noite, há dois dias apenas, que tudo aconteceu. Sou intérprete, como o meu vizinho talvez tenha dito. Traduzo todas as línguas, ou quase todas, mas como sou grego de origem e tenho nome grego, é a este idioma em particular que me associam. Há anos sou o principal intérprete do idioma em Londres e muito conhecido nos hotéis.

"Sou procurado com frequência nas horas mais estranhas. São estrangeiros em dificuldades, ou viajantes que chegam tarde e precisam dos meus serviços. Não me surpreendi, portanto, quando na segunda-feira à noite um certo sr. Latimer, rapaz muito bem-vestido, procurou-me na minha casa, pedindo que o acompanhasse no cabriolé que aguardava à porta. Um amigo grego fora visitá-lo a negócios, explicou, e como só sabia falar a sua língua, os serviços de um intérprete eram indispensáveis. Deu-me a entender que a casa ficava um tanto distante, em Kensington, e parecia muito apressado, fazendo-me entrar no cabriolé assim que chegamos à rua.

"Disse cabriolé, mas logo me perguntei se não estaria numa carruagem. O veículo era mais espaçoso que a maioria dos que desgraçadamente circulam em Londres e o estofamento, embora em mau estado, era de boa qualidade. O sr. Latimer sentou-se na minha frente e partimos, atravessando Charing Cross e enveredando pela Shaftesbury Avenue. Estávamos na Oxford Street quando me arrisquei a fazer uma observação a respeito do caminho tortuoso que fazíamos para chegar a Kensington, mas as palavras morreram-me nos lábios diante da conduta extraordinária do meu companheiro.

"Começou exibindo um cajado enorme carregado no castão com chumbo tirado do bolso e movimentou-o de um lado para outro diversas vezes, como se quisesse testar o peso e a força. Em seguida, sem uma palavra, colocou-o no banco ao lado dele. Depois levantou os vidros dos dois lados e eu descobri, espantado, que estavam recobertos de jornal para impedir que eu olhasse pelas janelas.

"'Lamento tirar-lhe a visão, sr. Melas. O fato é que não tenho intenção de permitir que veja o local para onde estamos indo. Seria inconveniente para mim se conseguisse encontrar de novo o caminho.'

"Como imaginam, fiquei abismado ao ouvir essas palavras.

"Meu companheiro era um homem forte, de ombros largos e, mesmo sem a arma, eu não teria a menor chance, se lutasse com ele.

"'É uma conduta extraordinária, sr. Latimer', gaguejei. 'Deve saber que o que está fazendo é totalmente ilegal.'

"'É uma liberdade que tomo, sem dúvida, mas será compensado. Mas devo preveni-lo, sr. Melas, que se a qualquer momento desta noite tentar dar um alarme, ou fizer alguma coisa contrária aos meus interesses, descobrirá que corre perigo. Peço que não esqueça que ninguém sabe onde está e que, nesta carruagem ou na minha casa, acha-se em meu poder.'

"As palavras foram pronunciadas com serenidade, mas em tom áspero e bastante ameaçador. Fiquei calado, perguntando a mim mesmo qual seria o motivo para me raptarem de modo tão extraordinário. Fosse qual fosse, ficara evidente que era inútil resistir. Restava-me esperar para ver o que aconteceria.

"Viajamos durante quase duas horas sem que eu tivesse a menor pista do nosso destino. Às vezes o ruído de pedras indicava um caminho calçado, outras vezes o deslizar suave e silencioso sugeria asfalto, mas, além dessa variação de sons, não havia nada que me ajudasse a descobrir onde estávamos. O papel que recobria os vidros não deixava passar a luz e uma cortina azul fora puxada sobre o vidro dianteiro. Eram 19h15 quando saímos de Pall Mall e meu relógio mostrava que eram 21h10 quando enfim a carruagem parou. Meu companheiro arriou o vidro e vi de relance uma porta em arco, baixa, sobre a qual ardia uma lâmpada. Fui tirado às pressas do veículo enquanto a porta se abria, e eu me vi no interior da casa, captando a vaga impressão de um gramado e árvores de ambos os lados da entrada. Mas eu não saberia dizer se era um jardim particular ou se estávamos no campo.

"Havia uma lâmpada colorida no interior com uma chama tão baixa que eu mal conseguia enxergar, a não ser que estava num vestíbulo amplo com quadros nas paredes. Nessa luz fraca percebi que a pessoa que abrira a porta era um homenzinho de meia-idade, de ombros caídos e expressão zangada. Quando se virou para nós, um reflexo de luz revelou que usava óculos.

"'É este o sr. Melas, Harold?', perguntou.

"'É.'

"'Muito bem! Muito bem! Espero que não leve a mal, sr. Melas. O caso é que não podíamos dispensá-lo. Se agir de forma correta, não terá motivos para se lamentar, mas se tentar algum truque, peça a Deus que o ajude!'

"Falava aos arrancos, nervoso, frases entremeadas de risadinhas, mas deu-me a impressão de estar dominado pelo medo.

"'O que querem de mim?', perguntei.

"'Apenas que faça algumas perguntas a um senhor grego que está nos visitando e transmita as respostas dele. Mas não diga nada além do que lhe pedirem, ou — nova risadinha nervosa — lamentará o dia em que nasceu.'

"Enquanto falava, abriu uma porta e levou-me a uma sala que parecia suntuosamente mobiliada, mas também estava iluminada por uma única lâmpada de chama bastante reduzida. A peça era ampla e o fato de meus pés afundarem nos tapetes indicava sua riqueza. Vi de relance poltronas forradas de veludo, uma lareira alta de mármore branco, junto à qual havia uma armadura que me pareceu japonesa. Sob a lâmpada havia uma cadeira e o senhor idoso fez sinal para que eu me sentasse. O rapaz desapareceu e voltou de repente por outra porta, trazendo um homem vestido com uma espécie de roupão solto, que se aproximou devagar de nós. Quando entrou no círculo de luz que me permitia vê-lo com mais nitidez, estremeci de horror. Estava pálido e magro ao extremo, e tinha os olhos saltados e brilhantes de alguém cuja energia interior ultrapassa as forças físicas. Mas o que me chocou, além dos sinais de fraqueza, foi o rosto grotescamente recoberto de esparadrapo, com uma faixa larga tapando-lhe a boca.

"'Trouxe a lousa, Harold?', perguntou o velho, enquanto aquele estranho personagem deixou-se cair numa cadeira. 'As mãos estão soltas? Dê-lhe o lápis. O senhor fará as perguntas, sr. Melas, e ele escreverá as respostas. Pergunte primeiro se está disposto a assinar os papéis.'

"Os olhos do homem cintilaram, enfurecidos.

"'Nunca', escreveu em grego na lousa.

"'Sob nenhuma condição?', perguntei, a pedido do nosso tirano.

"Apenas se eu a vir casada na minha presença por um sacerdote grego que eu conheça.'

"O homem soltou uma risadinha venenosa.

"'Nesse caso, sabe o que o aguarda?'

"'Não importa o que possa me acontecer.'

"Esses são exemplos das perguntas e respostas que constituíram a nossa estranha conversa meio falada e meio escrita. Pediram-me que perguntasse várias vezes se ele assinaria o documento e recebi sempre a mesma resposta indignada. Mas logo ocorreu-me uma ideia feliz. Passei a acrescentar pequenas sentenças a cada pergunta, no início inocentes, a fim de verificar se um dos homens percebia qualquer coisa, e depois, ao ver que não mostravam nenhum sinal de compreensão, iniciei um jogo mais perigoso. Nossa conversa foi mais ou menos a seguinte:

"'Não conseguirá nada com essa obstinação. *Quem é você?*'

"'Não importa. *Sou um estranho em Londres.*'

"'Seu destino está em suas mãos. *Há quanto tempo está aqui?*'

"'Não importa. *Três semanas.*'

"'Esta propriedade jamais será sua. *Qual é o seu problema?*'

"'Não cairá nas mãos de bandidos. *Estão me matando de fome.*'

"'Sairá daqui em liberdade se assinar. *Que casa é esta?*'

"'Não assinarei jamais. *Não sei.*'

"'Não está fazendo nenhum favor a ela. *Como se chama?*'

"'Quero ouvir a resposta diretamente dela. *Kratides.*'

"'Poderá vê-la se assinar. *De onde veio?*'

"'Então, nunca mais tornarei a vê-la. *Atenas.*'

"Mais cinco minutos, sr. Holmes, e eu obteria toda a história, na cara dos homens. A minha pergunta seguinte teria esclarecido a questão, mas naquele instante a porta se abriu e uma mulher entrou na sala. Não a vi com nitidez suficiente, mas sei que era alta e graciosa, de cabelo preto, e vestia uma espécie de bata branca flutuante.

"'Harold! Não aguentei mais!', ela falava inglês com sotaque. 'Fico tão solitária lá em cima, apenas com... Oh, meu Deus, é Paul!'

"As últimas palavras foram pronunciadas em grego. No mesmo instante o homem, num esforço supremo, arrancou o esparadrapo da boca, e gritando 'Sophy! Sophy!' correu a abraçá-la. Mas o abraço durou apenas um instante, pois o rapaz agarrou a mulher e arrastou-a para fora da sala, enquanto o mais velho dominava com facilidade a vítima enfraquecida, arrastando-a para a outra porta. Vendo-me sozinho por um instante na sala, levantei-me com a vaga ideia de obter uma pista a respeito da casa onde estava. Felizmente, porém, não fiz coisa alguma, pois quando ergui a cabeça, dei com o homem mais velho parado à porta e olhando para mim.

"'Quieto, sr. Melas. Deve ter percebido que lhe permitimos tomar conhecimento de assunto muito particular. Não o teríamos incomodado se o nosso amigo que fala grego, e iniciou as negociações, não fosse obrigado a voltar para o Oriente. Era necessário encontrar alguém para substituí-lo, e ficamos sabendo dos seus talentos.'

"Inclinei-me.

"'Aqui estão cinco libras', ele disse, aproximando-se. 'Espero que sejam suficientes. Mas lembre-se', e, com um risinho, bateu de leve no meu peito, 'se falar com alguém a respeito deste caso, a uma só pessoa que seja, que Deus tenha misericórdia de sua alma'.

"Não sei expressar a repulsa e o horror que aquele homenzinho de aparência insignificante me inspirou. Eu o via com mais nitidez agora que a luz incidia sobre ele. Tinha traços aquilinos, tez pálida, barba curta e pontuda, desgrenhada e maltratada. Ao falar, aproximou o rosto do meu. Os lábios e pálpebras estavam em contínuo movimento, como os de alguém que sofresse da doença de são Guido. Ocorreu-me também que aquele risinho estranho era sintoma de uma doença nervosa. O terror que seu rosto inspirava vinha dos olhos cinza-aço, de brilho frio, revelando, em suas profundezas, uma crueldade inexorável.

"'Ficaremos sabendo, se você falar no assunto. Temos nossos canais de informação. A carruagem está à sua espera e meu amigo o acompanhará.'

"Fizeram-me atravessar às pressas o vestíbulo e entrar no veículo, e nessa hora pude ver de relance as árvores e um jardim. O sr. Latimer seguiu-me de perto e sentou-se na minha frente sem pronunciar uma palavra. Percorremos em silêncio a distância interminável, vidros fechados, até que finalmente, pouco depois da meia-noite, a carruagem parou.

"'Salte aqui, sr. Melas', disse o meu companheiro. 'Lamento deixá-lo tão longe de sua casa, mas não há alternativa. Qualquer tentativa sua de seguir a carruagem resultará em dano para a sua pessoa.'

"Abriu a porta e mal tive tempo de saltar, pois o cocheiro chicoteou o cavalo e o veículo se afastou ruidosamente. Olhei em torno, espantado. Estava numa espécie de descampado coberto de arbustos de tojo. Ao longe estendia-se uma fileira de casas. Uma luz brilhava aqui e ali nos pavimentos superiores. Do lado oposto vi os sinais vermelhos de uma estrada de ferro.

"A carruagem já havia desaparecido. Olhei em volta, perguntando a mim mesmo onde estaria quando percebi que alguém se aproximava na escuridão. Quando estava perto, vi que se tratava de um carregador da estrada de ferro.

"'Pode me dizer que lugar é este?', perguntei.

"'Wandsworth Common', respondeu.

"'Posso pegar algum trem para a cidade?'

"'Se caminhar cerca de 1,5 quilômetro, chegará a Clapham Junction a tempo de pegar o último trem para Victoria.'

"Foi assim que terminou a minha aventura, sr. Holmes. Não sei onde estive, ou com quem falei, nada sei além do que acabo de contar. Mas sei que há algo de muito torpe e quero ajudar aquele infeliz, se for possível. Contei a história ao sr. Mycroft Holmes na manhã seguinte e, mais tarde, à polícia."

Ficamos em silêncio por algum tempo, depois de ouvir essa narrativa extraordinária. E então Sherlock olhou para o irmão.

— Alguma providência? — perguntou.

Mycroft pegou o *Daily News* que estava um uma mesinha.

Quem puder fornecer qualquer informação sobre o paradeiro de um senhor grego chamado Paul Kratides, de Atenas, e que não fala inglês, receberá uma recompensa. Recompensa similar será entregue a quem der informações referentes a uma senhora grega, cujo primeiro nome é Sophy. X 2.473.

Foi publicado em todos os jornais. Não houve resposta.

— E a legação da Grécia?

— Já indaguei. Não sabem de nada.

— Um telegrama ao chefe de polícia de Atenas, então?

— Sherlock concentrou toda a energia da família — comentou Mycroft, virando-se para mim. — Fique com o caso e avise-me se conseguir algum resultado.

— Combinado — disse meu amigo, levantando-se. — Eu me comunicarei com você e também com o sr. Melas. Mas, se eu fosse o senhor, ficaria bastante alerta, pois devem saber pelos anúncios que os traiu.

Enquanto caminhávamos para casa, Holmes entrou numa agência dos telégrafos e enviou vários telegramas.

— Nosso serão não foi desperdiçado, Watson — observou. — Alguns dos meus casos mais interessantes chegaram-me por intermédio de Mycroft. O problema que acabamos de ouvir, embora só possa admitir uma explicação, tem características singulares.

— Espera solucioná-lo?

— Sabemos tanta coisa a respeito que seria estranho se não descobríssemos o resto. Você mesmo já deve ter elaborado alguma teoria que explique os fatos que acabamos de ouvir.

— Sim, uma teoria vaga.

— Qual é a sua ideia?

— Parece óbvio que a moça grega foi sequestrada pelo jovem inglês chamado Harold Latimer.

— Sequestrada onde?

— Atenas, talvez.

Sherlock Holmes meneou a cabeça.

— O rapaz não falava uma só palavra de grego. A moça falava inglês razoavelmente, donde se deduz que estava na Inglaterra havia algum tempo e que ele não esteve na Grécia.

— Então, presume-se que ela veio uma vez em visita à Inglaterra e que Harold a convenceu a fugir com ele.

— Isso é mais provável.

— Então o irmão, pois creio que esse é o parentesco, veio da Grécia para interferir. Com imprudência, colocou-se à mercê do rapaz e do sócio mais velho. Agarraram-no e usaram de violência para obrigá-lo a assinar papéis que transferiam para o nome deles a fortuna da moça, da qual ele deve ser o administrador. Ele se recusa a assinar. Para negociar precisam de um intérprete e se apoderam do pobre sr. Melas, depois de usar outra pessoa. A moça não é informada da chegada do irmão e fica sabendo por mero acaso.

— Excelente, Watson! — exclamou Holmes. — Creio que não está muito longe da verdade. Temos todas as cartas na mão e só devemos temer algum ato repentino de violência por parte deles. Se nos derem tempo, nós os pegaremos.

— Mas como encontraremos a casa?

— Se nossas conjecturas estiverem corretas, o nome da moça é, ou era, Sophy Kratides. Não será difícil encontrá-la. É a nossa maior esperança, pois o irmão, naturalmente, não passa de um completo estranho. Claro que se passou algum tempo desde que esse Harold travou relações com a moça. Semanas, pelo menos, até o irmão saber na Grécia e vir para cá. Se os jovens estavam vivendo juntos nesse período, é provável que obtenhamos alguma resposta ao anúncio de Mycroft.

Enquanto conversávamos, chegamos à nossa casa, na Baker Street. Holmes subiu na frente e, ao abrir a porta da sala, soltou uma exclamação de surpresa. Olhando por cima do ombro dele, levei um susto igual. Mycroft estava sentado numa poltrona, fumando.

— Entre, Sherlock! Entre, senhor! — falou tranquilo, sorrindo diante da nossa surpresa. — Não esperava tanta energia de minha parte, não é, Sherlock? Mas este caso me atrai.

— Como veio até aqui?

— Passei por vocês num cabriolé.

— Aconteceu alguma coisa?

— Recebi uma resposta ao meu anúncio.

— Ah!

— Chegou alguns minutos depois que saíram.

— E que dizia?

Mycroft Holmes tirou do bolso um papel.

— Aqui está, escrita com pena sobre papel creme, por um homem de meia-idade e constituição franzina.

Senhor, diz ele, em resposta ao seu anúncio de hoje quero informar que conheço muito bem a senhora em questão. Se quiser me visitar, eu lhe darei alguns detalhes de sua dolorosa história. Ela reside no momento em The Myrtles, Beckenham.

Seu, atenciosamente,

J. Davenport

— Remeteu a carta de Lower Brixton — observou Mycroft Holmes. — Não acha que devemos ir agora tomar conhecimento desses detalhes, Sherlock?

— Meu caro Mycroft, a vida do irmão é mais valiosa do que a história da irmã. Creio que devemos ir à Scotland Yard procurar o inspetor Gregson e seguir direto para Beckenham. Sabemos que há um homem condenado à morte e cada hora que passa é decisiva.

— É melhor pegarmos o sr. Melas no caminho — sugeri. — Vamos precisar de um intérprete.

— Excelente! — aprovou Sherlock Holmes. — Mande o garoto buscar uma carruagem e partiremos agora mesmo.

Abriu a gaveta da escrivaninha enquanto falava e notei que enfiava o revólver no bolso. Em resposta ao meu olhar, disse:

— Sim, pelo que soubemos, estamos lidando com uma gangue muito perigosa.

Era quase noite quando chegamos a Pall Mall, onde morava o sr. Melas. Um senhor acabava de vir buscá-lo de carruagem.

— Sabe para onde foi? — perguntou Mycroft Holmes.

— Não, senhor — respondeu a mulher que abriu a porta. — Sei apenas que saiu de carruagem com um senhor.

— E ele deu o nome?

— Não, senhor.

— Era um rapaz alto, bonito, negro?

— Não, senhor. Era um cavalheiro baixinho, de óculos, rosto magro, mas muito simpático. Ria o tempo todo.

— Vamos! — disse Sherlock Holmes bruscamente. — O caso está ficando sério! — observou enquanto nos dirigíamos à Scotland Yard. — Aquela gente sequestrou Melas de novo. Ele é um homem sem coragem física, como eles sabem pela experiência da noite passada. O bandido conseguiu aterrorizá-lo com sua simples presença. Querem, sem dúvida, os seus serviços profissionais, mas depois de usá-lo vão querer castigá-lo pelo que devem considerar uma traição.

Nossa esperança era que, tomando o trem, pudéssemos chegar a Beckenham tão depressa ou mais que de carruagem. Mas, ao chegarmos à Scotland Yard, levamos mais de uma hora para encontrar o inspetor Gregson e cumprir as formalidades legais que nos permitiriam entrar na casa. Eram 21h45, portanto, quando chegamos a London Bridge e levamos mais meia hora para saltarmos na plataforma de Beckenham. Um percurso de um quilômetro levou-nos a The Myrtles — uma casa ampla e escura, separada da estrada pelos jardins que a cercavam. Dispensamos a carruagem e percorremos juntos a alameda.

— As janelas estão todas fechadas — observou o inspetor. — A casa parece deserta.

— Os pássaros abandonaram o ninho — disse Holmes.

— Por que pensa assim?

— Uma carruagem pesada, carregada de bagagens, passou por aqui há uma hora.

O inspetor riu.

— Vi as marcas das rodas à luz do portão. Mas como sabe da bagagem?

— Deve ter observado as mesmas marcas seguindo na direção oposta. Mas as que saem são bem mais profundas, a ponto de podermos dizer com certeza que o veículo levava um peso considerável.

— O senhor é um pouco complicado demais para mim — disse o inspetor, dando de ombros. — Não será fácil forçar aquela porta. Mas tentaremos se ninguém nos atender.

Bateu com força a aldrava, puxou a campainha, mas de forma inútil. Holmes, que havia desaparecido, voltou daí a instantes.

— Abri uma janela — anunciou.

— Ainda bem que está do lado da lei e não contra ela, sr. Holmes — observou o inspetor, quando percebeu a habilidade com que meu amigo havia forçado a fechadura. — Creio que, nestas circunstâncias, podemos entrar sem esperar convite.

Um após outro penetramos no salão que era, evidentemente, aquele em que havia estado o sr. Melas. O inspetor acendeu a lanterna e vimos as duas portas, a cortina, a lâmpada e a armadura de malha japonesa que ele havia descrito. Na mesa viam-se dois copos, uma garrafa vazia de brandy e os restos de uma refeição.

— O que é isto? — perguntou Holmes de repente.

Imóveis, ouvimos um som baixo, semelhante a um gemido, vindo de algum lugar acima de nossa cabeça. Holmes correu para a porta e foi até o vestíbulo. O ruído vinha do segundo andar. Ele subiu a escada correndo, seguido de perto pelo inspetor e por mim, enquanto Mycroft nos acompanhava tão depressa quanto o corpo volumoso lhe permitia.

No segundo andar ficamos diante de três portas. Era da porta do meio que saíam os sons sinistros, que às vezes passavam de um murmúrio rouco a um lamento agudo. Estava trancada, mas com a chave do lado de fora. Holmes abriu-a e entrou correndo. Mas saiu no mesmo instante, com a mão na garganta.

— É carvão! — gritou. — Vamos esperar um pouco. Ele se dissipará.

Espiando para dentro, vimos que a única luz existente no quarto provinha de uma chama azul, baça, que ardia num pequeno tripé colocado no centro. A chama lançava um círculo lívido e estranho sobre o assoalho e, nas sombras mais adiante, vislumbramos duas silhuetas agachadas contra a parede. Pela porta aberta saía um horrível cheiro venenoso, que nos fez arquejar e tossir. Holmes correu para o alto da escada, a fim de aspirar ar fresco e, entrando novamente no quarto, escancarou a janela e atirou o tripé ao jardim.

— Entraremos dentro de um minuto — arquejou, saindo outra vez às pressas. — Onde encontraremos uma vela? Duvido que seja possível riscar um fósforo naquele ar. Mantenha a lanterna perto da porta e nós os tiraremos de lá, Mycroft. Agora!

Entramos correndo, agarramos os homens envenenados e os arrastamos para o patamar. Estavam ambos de lábios azulados e inconscientes, rostos inchados e congestionados, olhos saltando das órbitas. As fisionomias estavam tão alteradas que, se não fosse pela barba preta e a silhueta atarracada, não teríamos reconhecido o intérprete grego, que se despedira de nós horas antes no Clube Diógenes. Tinha mãos e pés amarrados e sobre um olho havia marcas de um golpe violento. O outro homem, amarrado de modo idêntico, era alto e estava no último estágio da magreza. Tinha no rosto várias marcas de esparadrapo formando um desenho grotesco. Parou de gemer quando o deitamos no chão, e uma olhada de relance para ele mostrou-me que, pelo menos no seu caso, havíamos chegado tarde demais. O sr. Melas, porém, estava vivo, e em menos de uma hora, com a ajuda de amônia e brandy, tive a satisfação de vê-lo abrir os olhos e saber que minha mão o havia trazido de volta do vale sombrio onde todos os caminhos se encontram.

A história que ele contou foi simples e confirmou as minhas deduções. O visitante, ao entrar em casa, havia tirado da manga um punhal, aterrorizando-o de tal modo com a ideia de morte instantânea e inevitável que fora fácil sequestrá-lo pela segunda vez. De fato, era quase hipnótico o efeito que o bandido cheio de risos exercera sobre o infeliz linguista, pois só falava nele de mãos trêmulas e face pálida. Fora levado com rapidez a Beckenham, atuando como intérprete na segunda entrevista, mais dramática ainda que a primeira. Os dois ingleses ameaçaram o prisioneiro de morte imediata se ele não concordasse com as exigências. Por fim, vendo-o indiferente a todas as ameaças, jogaram-no de volta à prisão. Depois de acusarem Melas de traição, por causa dos anúncios publicados em todos os jornais, tinham-no atordoado com um golpe de bengala. Ele não se lembrava de mais nada até nos ver inclinados sobre ele.

Este foi o caso estranho do intérprete grego, cuja explicação continua envolta em certo mistério. Conseguimos descobrir, comunicando-nos com o senhor que respondeu ao anúncio, que a infeliz senhora pertencia a uma rica família grega e que estava na Inglaterra em visita a amigos. Nessa ocasião conhecera um rapaz chamado Harold Latimer, que exercera tamanha influência sobre ela a ponto de convencê-la a fugir com ele. Os amigos, escandalizados com o fato, tinham se limitado a informar o irmão em Atenas e lavado as mãos. O irmão, chegando à Inglaterra, cometera a imprudência de se colocar à mercê de Latimer e do sócio, chamado Wilson Kemp, um homem de péssimos antecedentes. Os dois, ao descobrirem que, por ignorar o idioma, ele estava indefeso em suas mãos, mantiveram-no prisioneiro, tentando, por meio de violência e de fome, obrigá-lo a ceder-lhes os bens dele próprio e da irmã. Mantinham-no na casa sem o conhecimento da moça, e o esparadrapo no rosto tinha o objetivo de dificultar a identificação, caso ela chegasse a vê-lo. Mas a percepção feminina reconhecera-o de imediato por trás do disfarce quando, por ocasião da visita do intérprete, encontrara-o pela primeira vez. Mas a pobre moça também era prisioneira, pois não havia qualquer pessoa na casa, exceto o empregado que servia de cocheiro e a mulher, ambos instrumentos dos conspiradores. Ao verem que o segredo fora revelado e que o prisioneiro não seria coagido, os dois bandidos, levando a moça, abandonaram em poucas horas a casa alugada, depois de se vingarem, segundo julgavam, do homem que os havia desafiado e daquele que os traíra.

Meses depois, recebemos de Budapeste um estranho recorte de jornal. Dizia que dois ingleses que viajavam com uma mulher haviam morrido de maneira trágica, ambos apunhalados. A polícia húngara achava que haviam brigado e infligido um ao outro ferimentos mortais. Holmes, contudo, tinha uma opinião diferente e afirma até hoje que se conseguíssemos encontrar a moça grega, saberíamos como haviam sido vingados os males feitos a ela e ao irmão.

O tratado naval

O mês de julho subsequente ao meu casamento tornou-se memorável graças a três casos interessantes em que tive o privilégio de acompanhar Sherlock Holmes e estudar seus métodos. Eles estão registrados em minhas anotações com os seguintes títulos: "A aventura da segunda mancha", "A aventura do tratado naval" e "A aventura do capitão cansado". O primeiro envolve interesses tão importantes e incrimina tantas famílias destacadas do reino que durante muitos anos será impossível trazê-lo a público. Mas nenhum caso em que Holmes se envolveu mostrou com tanta nitidez o valor dos métodos analíticos ou impressionou tão profundamente as pessoas que trabalharam com ele. Ainda conservo um relatório fiel da entrevista em que ele demonstrou os fatos verdadeiros do caso a monsieur Dubugue, da polícia de Paris, e a Fritz von Waldbaun, o conhecido perito de Dantzig, que haviam desperdiçado as energias em questões secundárias. Mas só depois da chegada do novo século a história poderá ser revelada sem risco. Enquanto isso, passo ao segundo da minha lista, que também prometia, a certa altura, ser de importância nacional, e foi marcado por vários incidentes que lhe dão um caráter especial.

Em meus tempos de escola, eu fora muito amigo de um garoto chamado Percy Phelps, que tinha mais ou menos a minha idade, embora estivesse duas turmas à minha frente. Percy era um garoto muito inteligente. Arrebatou todos os prêmios que a escola distribuía, acabando por conquistar uma bolsa de estudos que o levou a continuar sua carreira triunfante em Cambridge. Tinha excelentes relações e, mesmo quando não passávamos de garotinhos, sabíamos que o irmão da mãe dele era lorde Holdhurst, o grande político conservador. Esse importante parentesco de pouco lhe serviu na escola; pelo contrário, achávamos emocionante persegui-lo no recreio, agredindo-o nos tornozelos com um bastão de críquete. Mas as coisas mudaram quando ele ingressou no mundo exterior. Ouvi falar de forma vaga dos talentos e, graças à influência que o protegia, conquistou um bom cargo no Foreign Office. Daí em diante esqueci-me por completo dele, até que esta carta recordou-me sua existência:

Briarbrae, Woking
Meu caro Watson,

Estou certo de que se lembra de "Tadpole" Phelps, que cursava o quinto ano quando você estava no terceiro. É possível até que tenha ouvido dizer que graças à influência do meu tio consegui um bom lugar no Foreign Office, em cargo de confiança e prestígio, até que uma desgraça terrível destruiu completamente a minha carreira.

Inútil expor os detalhes do medonho acontecimento. Se concordar com o meu pedido, é provável que eu os revele a você. Acabo de me recuperar de nove semanas de febre alta, mas sinto-me ainda fraco ao extremo. Acha que poderia trazer o seu amigo, sr. Holmes, para conversar comigo? Gostaria de ouvir a opinião dele sobre o caso, embora as autoridades me assegurem que não há nada a fazer. Procure trazê-lo o mais depressa possível. Cada minuto parece uma hora enquanto vivo neste horrível suspense. Diga ao sr. Holmes que se não pedi antes a sua orientação não foi por desdenhar dos talentos dele e sim porque estive fora de mim depois do golpe. Agora estou de volta em meu juízo perfeito, embora não ouse pensar muito no caso, temendo uma recaída. Continuo tão fraco que esta carta precisou ser ditada. Procure trazê-lo.

Seu velho colega,

Percy Phelps

Ao ler a carta, algo me comoveu. Qualquer coisa de lamentoso nos reiterados apelos para que eu levasse Holmes. Fiquei tão comovido que, embora o caso fosse difícil, eu tentaria, pois sabia que Holmes amava muito a sua arte e estava sempre tão disposto a ajudar um cliente quanto este a receber ajuda. Minha mulher concordou que eu deveria me comunicar no mesmo instante com ele, de modo que uma hora após o café da manhã eu estava de volta ao velho apartamento da Baker Street.

Holmes, de roupão, estava sentado à mesinha e totalmente concentrado em uma pesquisa química. Uma grande retorta fervia furiosa sobre a chama azulada de um bico de Bunsen e as gotas destiladas condensavam-se num grande recipiente de dois litros. Meu amigo mal ergueu a vista quando entrei, e eu, vendo que a experiência era importante, sentei-me numa poltrona e aguardei. Ele mexeu em vários recipientes, colhendo gotas de cada uma das pipetas de vidro, e por fim trouxe para a mesa um tubo de ensaio que continha uma solução. Com a mão direita segurava um pedaço de papel de tornassol.

— Você chegou num momento crítico, Watson — falou. — Se este papel continuar azul, tudo bem. Caso fique vermelho, isso significa que um homem morrerá.

Mergulhou-o no tubo de ensaio e no mesmo instante o papel adquiriu uma coloração vermelha suja, opaca.

— Hum! O que eu esperava! Estarei às suas ordens daqui a um instante, Watson. Você encontrará fumo no chinelo persa.

Virou-se para a escrivaninha e rabiscou vários telegramas, que foram entregues ao mensageiro. Em seguida jogou-se na poltrona em frente e ergueu os joelhos, enlaçando com os dedos os tornozelos magros.

— Um homicídio muito comum — disse ele. — Imagino que você tenha algo mais interessante. Você é a ave de mau agouro do crime, Watson. Do que se trata?

Entreguei-lhe a carta, que ele leu com a maior atenção.

— Revela pouco, não acha? — observou ao devolvê-la.

— Quase nada.

— Mas a caligrafia é interessante.

— A caligrafia não é dele.

— Exatamente. É de mulher.

— De homem, sem dúvida! — protestei.

— Não, de mulher. E mulher de temperamento incomum. No início de uma investigação é importante saber que o cliente está em estreito contato com alguém de natureza excepcional, seja para o bem ou para o mal. Já estou interessado no caso. Se estiver pronto, iremos agora mesmo para Woking visitar esse diplomata que está em apuros e a mulher para quem ele dita as suas cartas.

Tivemos a sorte de pegar logo um trem em Waterloo e em pouco menos de uma hora estávamos entre os abetos e as urzes de Woking. Briarbrae era uma casa grande e isolada, construída em terreno extenso, a poucos minutos da estação. Depois de entregar nossos cartões, fomos levados até um salão mobiliado com elegância, onde apareceu pouco depois um senhor um tanto gordo, que nos recebeu com muita cordialidade. Devia estar mais perto dos quarenta anos que dos trinta, mas era tão corado e tinha olhos tão alegres, que dava a impressão de ser um garoto gorducho e levado.

— Ainda bem que vieram — disse, apertando-nos as mãos efusivamente. — Percy perguntou pelos dois a manhã inteira. O meu pobre amigo agarra-se a qualquer esperança. Os pais dele pediram-me que os recebesse, pois a simples menção do caso é muito penosa para eles.

— Ainda não conhecemos os detalhes — observou Holmes. — Noto que não pertence à família.

O homem pareceu surpreso, e depois, baixando a vista, começou a rir.

— Notou o "J.H." no meu medalhão. Por um momento pensei que se tratasse de algo muito inteligente. Joseph Harrison é o meu nome, e como Percy vai se casar com minha irmã Annie, serei parente por afinidade. Encontrarão minha irmã no quarto dele, porque é ela quem vem cuidando dele nos últimos dois meses. Será melhor subirmos logo, porque sei que ele está muito impaciente.

O quarto ao qual nos conduziram ficava no mesmo andar do salão. Estava mobiliado, em parte como sala de estar, em parte como quarto de dormir, com flores artisticamente arrumadas em todos os recantos. Um rapaz muito pálido e abatido estava deitado num sofá perto da janela aberta, por onde entravam os perfumes do jardim e o ar cálido do dia de verão. Junto dele estava uma mulher, que se levantou quando entramos.

— Quer que eu saia, Percy? — perguntou ela. Segurando-lhe a mão, ele a reteve.

— Como vai, Watson? — indagou ele, cordial. — Não o reconheceria com esse bigode e creio que você também seria incapaz de jurar que sou eu. Este é o seu célebre amigo, sr. Sherlock Holmes, eu presumo.

Apresentei-o em poucas palavras e nos sentamos. O rapaz gordo havia desaparecido, mas a irmã continuou segurando a mão do inválido. Era vistosa e atraente, um tanto baixa e roliça para uma perfeita simetria, mas com bela tez cor de oliva, grandes olhos pretos e farta cabeleira da mesma cor. O colorido acentuado dela tornava ainda mais pálido, desgastado e abatido o rosto do rapaz.

— Não pretendo desperdiçar seu tempo — disse ele, erguendo-se um pouco no sofá. — Vou direto ao assunto, sem preâmbulos. Eu era um homem feliz e bem-sucedido, sr. Holmes, e às vésperas do meu casamento uma desgraça repentina e terrível destruiu todas as minhas perspectivas.

"Como Watson deve ter lhe contado, eu estava no Foreign Office por influência de meu tio, lorde Holdhurst, e cheguei rápido a um cargo de confiança. Quando meu tio se tornou ministro do Exterior no atual governo, confiou-me várias missões sigilosas, eu as cumpri com êxito, e isso fez com que ele depositasse uma confiança absoluta na minha capacidade e tato.

"Há quase dez semanas — para ser mais exato, no dia 23 de maio — ele me chamou ao gabinete particular e, depois de me cumprimentar pelo bom trabalho que havia realizado, informou que me confiaria uma missão sigilosa.

"Ele pegou um rolo de papel cinzento que estava na escrivaninha e disse: 'Este é o original daquele tratado secreto entre a Inglaterra e a Itália sobre o qual, lamento dizer, alguns boatos já chegaram à imprensa. É fundamental que nada mais seja divulgado. As embaixadas da França e da Rússia pagariam uma quantia imensa para tomar conhecimento do conteúdo destes papéis. Eles não sairiam do meu gabinete se não fosse absolutamente necessário mandar copiá-los. Você tem escrivaninha na sua sala?'.

"'Tenho, sim, senhor.'

"'Então, leve o tratado e tranque-o lá. Deixarei instruções para que você permaneça aqui depois que os outros saírem, a fim de poder copiá-lo à vontade, sem medo de ser observado. Quando terminar, volte a trancar o original e a cópia na sua escrivaninha e venha me entregar em pessoa os documentos amanhã de manhã.'

"Levei os documentos e..."

— Um momento — interrompeu Holmes. — Estavam sozinhos durante essa conversa?

— Totalmente.

— Numa sala ampla?

— Com nove metros de lado.

— Estavam no centro?

— Sim, mais ou menos.

— E falavam em voz baixa?

— Meu tio fala sempre em voz muito baixa. Eu quase não falei.

— Obrigado — disse Holmes, fechando os olhos. — Continue, por favor.

— Fiz exatamente o que ele mandou e esperei até que todos saíssem. Um dos funcionários que trabalham na minha sala, Charles Gorot, tinha uma tarefa atrasada para pôr em dia, de modo que eu o deixei ali enquanto saía para jantar. Quando voltei, ele já havia saído. Eu estava ansioso para terminar o trabalho, pois sabia que Joseph, o sr. Harrison, que acabam de conhecer, estava na cidade e iria para Woking pelo trem das onze. Se fosse possível, eu gostaria de pegá-lo também.

"Quando examinei o tratado, vi logo que era tão importante que meu tio não exagerara quando falou sobre ele. Sem entrar em detalhes, posso dizer que definia a posição da Grã-Bretanha em relação à Tríplice Aliança e antecipava a política que este país adotaria no caso de a armada francesa conseguir o domínio total da italiana no Mediterrâneo. As questões que ele abordava eram puramente navais. O documento trazia as assinaturas de altos dignitários. Li com rapidez as páginas e comecei a copiá-las.

"Era um longo documento escrito em francês, contendo 26 artigos independentes. Copiava o mais depressa possível, mas às nove da noite estava apenas no artigo 9 e pareceu-me inútil tentar pegar o trem.

"Comecei também a ficar sonolento e vagaroso, tanto em consequência do jantar como de um longo dia de trabalho. Uma xícara de café me despertaria. Um contínuo permanece a noite inteira num cubículo ao pé da escada. Ele tem o hábito de preparar café num fogareiro a álcool para os funcionários que trabalham fora do expediente. Toquei a campainha para chamá-lo.

"Para minha surpresa, foi uma mulher quem atendeu, pessoa idosa, alta, de feições grosseiras, usando um avental. Explicou que era a mulher do contínuo e que fazia a faxina. Pedi a ela que me trouxesse café.

"Copiei mais dois artigos e então, mais sonolento do que antes, levantei-me e caminhei de um lado para outro da sala, a fim de esticar as pernas. O café ainda não havia chegado e fiquei imaginando qual seria o motivo da demora. Abri a porta e desci o corredor para descobrir. Há um corredor mal iluminado que sai da sala onde eu estava trabalhando e constitui a única via de acesso para ela, e que termina numa escada em curva, com o cubículo do contínuo no térreo. No meio da escada há um pequeno patamar, de onde sai outro corredor formando um ângulo reto. O segundo conduz, por uma escadinha, a uma porta lateral usada pelos criados e também por alguns funcionários, por ser o caminho mais curto para quem vem da Charles Street.

"Aqui está um esboço do local."

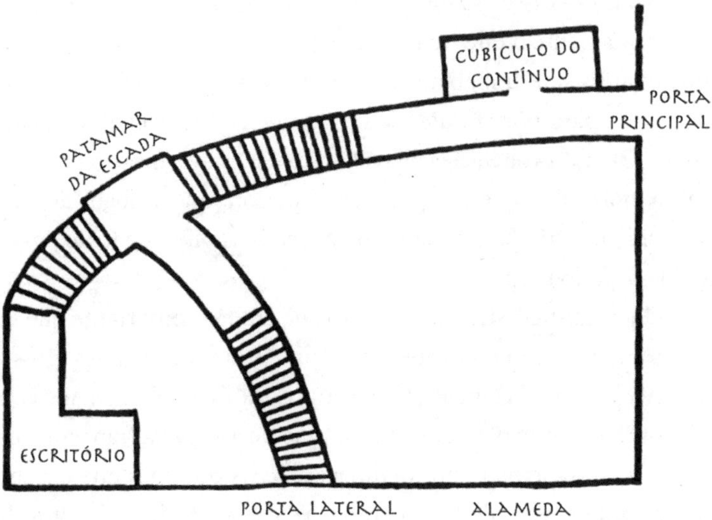

— Obrigado. Creio que compreendo bem — disse Sherlock Holmes.

— É da maior importância que observem este ponto. Desci a escada até o vestíbulo, onde encontrei o contínuo profundamente adormecido no cubículo, o bule de café fervendo no fogareiro a álcool, a água espirrando pelo chão. Estendi a mão para sacudir o homem, que continuava ferrado no sono, quando uma campainha soou bem alto sobre a cabeça dele, que acordou sobressaltado.

"'Sr. Phelps!', exclamou, olhando-me, aturdido.

"'Desci para saber se meu café está pronto.'

"'Pus a chaleira para ferver e adormeci, senhor.'

"Olhou para mim e, em seguida, para a campainha que continuava vibrando, cada vez mais espantado.

"'Se o senhor estava aqui, quem tocou a campainha?', perguntou.

"'Campainha? Que campainha é esta?'

"'A da sala onde o senhor estava trabalhando.'

"Tive a impressão de que uma mão gelada apertava meu coração. Alguém estava na sala onde meu precioso tratado ficara na mesa. Corri como um doido pela escada e atravessei o corredor. Não havia ninguém no corredor, sr. Holmes. Não havia ninguém na sala. Tudo estava exatamente como eu havia deixado, exceto os documentos entregues aos meus cuidados. A cópia continuava na mesa e o original havia desaparecido."

Holmes retesou-se na cadeira e esfregou as mãos. Percebi que o problema era do tipo que ele gostava.

— O que fez então? — murmurou.

— Percebi no mesmo instante que o ladrão devia ter subido a escada depois de entrar pela porta lateral. É claro que eu o teria encontrado se ele viesse pelo lado oposto.

— Tem certeza de que não estava escondido o tempo todo na sala, ou no corredor que acaba de descrever como mal iluminado?

— É totalmente impossível. Nem um rato se ocultaria na sala ou no corredor. Não há esconderijo possível.

— Obrigado. Continue, por favor.

— O contínuo, vendo pela minha palidez que algo terrível acontecera, havia me seguido pela escada. Atravessamos o corredor e descemos os degraus íngremes que levam à Charles Street. A porta estava fechada, mas não trancada. Nós a abrimos e fomos até a rua. Lembro-me com nitidez de que naquele instante soaram três pancadas no relógio de uma igreja próxima. Eram 21h45.

— Isso é da maior importância — observou Holmes, fazendo uma anotação no punho da camisa.

— A noite estava muito escura e caía uma chuva fina e quente. Não havia ninguém na Charles Street, mas no final, em Whitehall, o tráfego era intenso, como sempre. Corremos pela calçada, cabeça descoberta como estávamos, e na esquina encontramos um policial.

"'Houve um roubo', falei, arquejante. 'Um documento de valor imenso foi roubado do Foreign Office. Passou alguém por aqui?'

"'Cheguei aqui há quinze minutos, senhor. Só uma pessoa passou nesse tempo: uma mulher alta e idosa, com um xale Paisley.'

"'Ah, era minha mulher', disse o contínuo. 'Não passou mais ninguém?'

"'Ninguém.'

"'Então o ladrão deve ter saído pelo outro lado', disse o sujeito, puxando-me pela manga.

"Mas eu não estava convencido, e as tentativas que ele fez para me afastar aumentaram a minha desconfiança.

"'Para que lado foi a mulher?', perguntei.

"'Não sei, senhor. Eu a vi passar, mas não tinha motivo especial para reparar nela. Parecia estar com pressa.'

"'Há quanto tempo foi isso?'

"'Há alguns minutos.'

"'Nos últimos cinco minutos?'

"'Bem, não poderia ser mais que isso.'

"'O senhor está perdendo tempo e cada minuto é importante', disse o contínuo. 'Minha mulher nada tem a ver com isso. Vamos para o outro lado da rua. Bem, se não vier, eu vou.'

"E saiu correndo na direção oposta. Eu o alcancei num instante e segurei-o pela manga.

"'Onde é que você mora?'

"'Em Ivy Lane, 16, Brixton. Mas não se deixe levar a uma pista falsa, sr. Phelps. Venha para o outro lado da rua e vamos ver se descobrimos alguma coisa.'

"Eu nada tinha a perder seguindo o conselho dele e, acompanhados do policial, caminhamos com rapidez até a rua movimentada, com transeuntes passando em todas as direções, ansiosos para chegarem a um local abrigado naquela noite de chuva. Não havia nenhum policial que pudesse nos dizer quem tinha passado por ali.

"Voltamos ao escritório e revistamos as escadas e os corredores sem o menor resultado. O corredor que dava na sala era forrado com linóleo claro, que fica marcado com facilidade. Nós o examinamos com cuidado, mas não encontramos nenhum sinal de pegadas."

— Tinha chovido a tarde toda?

— Desde as sete da noite, mais ou menos.

— Então, por que a mulher que entrou na sala por volta das nove horas não deixou marcas de sapatos enlameados?

— Ainda bem que fez essa observação. Isso me ocorreu na ocasião. As faxineiras têm o hábito de tirar as botas no cubículo do contínuo e calçar chinelos.

— É claro. Portanto, não havia marcas, embora a noite fosse chuvosa. A sequência de acontecimentos é extremamente interessante. O que fez então?

— Examinamos também a sala. Não há possibilidade de uma porta secreta e as janelas ficam a uns nove metros do chão. Ambas estavam fechadas por dentro. O tapete elimina a possibilidade de um alçapão e o teto é do tipo comum, caiado de branco. Aposto a minha vida que quem roubou os papéis só poderia ter passado pela porta.

— E a lareira?

— Não há lareira e sim uma estufa. A corda da campainha está presa ao fio à direita da minha mesa. Quem a tocou deve ter ido direto à escrivaninha. Mas por que um criminoso tocaria a campainha? É um mistério insolúvel.

— O incidente, com certeza, é incomum. O que fez em seguida? Examinou a sala, presumo, para ver se o intruso havia deixado vestígios: uma ponta de charuto, uma luva caída, um grampo ou algo semelhante?

— Não encontramos nada.

— Algum cheiro?

— Não pensamos nisso.

— O cheiro de fumo seria importante nesse tipo de investigação.

— Eu não fumo, de modo que teria sentido qualquer cheiro de tabaco. Não havia nenhuma pista. O único fato concreto foi que a mulher do contínuo, sra. Tangey é o nome dela, saiu às pressas do local. Ele não conseguiu dar qualquer explicação, a não ser que ela costuma ir para casa àquela hora. O policial e eu achamos que o melhor seria pegá-la antes que pudesse passar adiante os documentos, se estivessem com ela.

"O alarme chegou à Scotland Yard e o sr. Forbes, o detetive, veio no mesmo instante e assumiu o caso com bastante energia. Pegamos um fiacre e em meia hora estávamos no endereço que o contínuo dera. Uma jovem abriu a porta. Soubemos que era a filha mais velha da sra. Tangey. A mãe ainda não havia chegado e ficamos esperando.

"Cerca de dez minutos depois, alguém bateu à porta e cometemos um erro grave, pelo qual assumo a responsabilidade. Em vez de abrirmos a porta, deixamos que a moça o fizesse. Ouvimos quando ela disse: 'Mamãe, tem dois homens aqui à sua espera'. Logo depois ouvimos passos apressados no corredor. Forbes abriu a porta da sala e corremos para a peça dos fundos, ou cozinha, mas a mulher havia chegado antes. Fitou-nos com olhos desafiadores e então, reconhecendo-me de repente, manifestou absoluto espanto.

"'É o sr. Phelps, do escritório!', exclamou.

"'Quem pensava que éramos quando fugiu de nós?', perguntou o detetive.

"'Pensei que eram os cobradores. Tivemos problemas com um comerciante.'

"'A desculpa não serve', replicou Forbes. 'Temos motivos para acreditar que retirou um documento importante do Foreign Office e correu até aqui para escondê-lo. Terá que nos acompanhar à Scotland Yard para ser revistada.'

"Ela protestou e resistiu em vão. Chamaram uma carruagem e nós três voltamos nela, não sem antes examinar a cozinha e, principalmente, o fogão, para ver se ela teria escondido os papéis no instante em que ficou sozinha. Mas não havia sinais de cinzas ou papel picado. Quando chegamos à Scotland Yard, ela foi entregue a uma policial para ser revistada. Esperei agoniado até que ela voltasse com o relatório. Não havia sinal de documentos.

"Pela primeira vez fui dominado pelo horror da situação em toda a plenitude. Até então eu estivera agindo, e a atividade entorpecera meu raciocínio. Tinha tanta certeza de que ia recuperar logo o documento que não ousara pensar nas consequências, caso isso não ocorresse. Mas nada me restava a fazer e havia tempo de sobra para compreender a minha situação. Era horrível! Watson dirá que na escola eu era um menino nervoso e sensível. É o meu temperamento. Pensei no meu tio e nos seus colegas de Gabinete, na vergonha que eu traria para eles, para mim mesmo e para todos os que estavam ligados a mim. O que importava que eu fosse a vítima de um acidente extraordinário? Não havia desculpas para acidentes quando estavam em jogo interesses diplomáticos. Estava arruinado, vergonhosa e desesperadamente arruinado. Não sei o que fiz. Acho que fiz uma cena. Tenho uma vaga lembrança de um grupo de policiais me rodeando e tentando me acalmar. Um deles levou-me até Waterloo e me embarcou no trem para Woking. Creio que teria me acompanhado até em casa se não fosse o dr. Ferrier, que mora perto de mim e tomou o mesmo trem. O médico, com muita gentileza, encarregou-se de me trazer, o que foi bom, porque tive uma crise na estação e ao chegar a casa estava praticamente louco.

"Pode imaginar o susto da família quando foi despertada pela campainha do médico e me encontrou nessas condições. A pobre Annie e minha mãe ficaram desoladas. O dr. Ferrier ouvira o suficiente do detetive, na estação, para explicar o que havia acontecido, e a história não melhorou a situação. Era evidente que eu estava gravemente enfermo, de modo que Joseph tirou as coisas deste quarto alegre, que passou a ser o meu quarto de doente. E estou aqui há nove semanas, sr. Holmes, inconsciente ou delirando com febre alta. Não fossem a srta. Harrison e os cuidados médicos, eu não estaria aqui conversando com o senhor. Ela cuidava de mim durante o dia e uma enfermeira ficava comigo à noite, pois em meus acessos de loucura eu era capaz de qualquer coisa. Aos poucos fui recobrando a razão, mas apenas nos últimos três dias recuperei a memória por inteiro. Às vezes gostaria que isso não tivesse acontecido. A primeira coisa que fiz foi telegrafar ao sr. Forbes, o encarregado do caso. Ele veio até aqui e assegurou-me que, embora tivessem feito todo o possível, não se descobriu pista alguma. O contínuo e a mulher foram investigados, mas isso não ajudou a esclarecer o caso. As suspeitas da polícia recaíram sobre o jovem Gorot, que, como devem lembrar, tinha ficado no escritório até mais tarde naquela noite. O fato de estar trabalhando em horário extraordinário e o sobrenome francês são os únicos pontos que poderiam despertar suspeitas; mas, para ser exato, só comecei a trabalhar depois que ele saiu, e sua família é de origem huguenote, embora tão inglesa nas simpatias e tradições quanto eu ou vocês. Nada se encontrou que o incriminasse em nenhum aspecto, e o caso foi encerrado. Recorro à sua ajuda, sr. Holmes, como a minha última esperança. Se não fizer nada por mim, minha honra e minha posição estarão perdidas para sempre."

O doente deixou-se cair nos travesseiros, exausto pela longa narrativa, enquanto a moça dava-lhe um copo contendo algum remédio estimulante. Holmes ficou sentado em silêncio, com a cabeça inclinada para trás e os olhos fechados, em atitude que pareceria de indiferença a um estranho, mas que eu sabia ser sinal da mais intensa concentração.

— Seu relato foi tão explícito que tenho poucas perguntas a fazer — disse enfim. — Mas há uma extremamente importante. Contou a alguém que tinha essa tarefa especial para executar?

— A ninguém.

— Nem mesmo à srta. Harrison, por exemplo?

— Não. Não voltei a Woking entre o momento em que recebi a ordem e aquele em que comecei a executá-la.

— E ninguém de sua família passou pelo escritório por acaso, para vê-lo?

— Ninguém.

— Alguém sabia como chegar à sua sala?

— Sim, todos a conheciam.

— É claro que, se não disse nada a ninguém a respeito do tratado, estas perguntas são irrelevantes.

— Não disse nada.

— Sabe alguma coisa a respeito do contínuo?

— Nada, a não ser que é um velho soldado.

— De que regimento?

— Ouvi dizer que foi do Coldstream Guards.

— Obrigado. Conseguirei detalhes com Forbes, sem dúvida. As autoridades são excelentes para acumular fatos, embora nem sempre saibam utilizá-los. Que coisa linda é uma rosa!

Passando pelo sofá, aproximou-se da janela aberta e ergueu a haste de uma rosa de adorno e pôs-se a examinar a atraente mistura de vermelho e verde. Era uma nova faceta do seu temperamento, pois eu nunca o vira demonstrar qualquer interesse pela natureza.

— A dedução nunca é tão necessária como na religião — disse ele, recostando-se nas venezianas. — Pode ser transformada em ciência exata pela pessoa que raciocina. A mais elevada afirmação da bondade da Providência reside, para mim, nas flores. Tudo o mais, nossos talentos, desejos, alimentos, são necessários, em primeira instância, à nossa vida. Mas esta rosa é algo extra. Seu perfume e sua cor são um adorno da vida, não uma condição da existência. Só a bondade doa algo extra. Repito, portanto, que temos muito a esperar das flores.

Percy Phelps e a moça olharam para Holmes com surpresa e decepção. Ele estava devaneando com a rosa entre os dedos, um devaneio que durou alguns minutos e foi interrompido pela moça.

— Vê alguma possibilidade de resolver o mistério, sr. Holmes? — perguntou, com certa aspereza.

— O mistério! — exclamou, voltando à realidade concreta. — Seria absurdo negar que o caso é nebuloso e complicado, mas prometo estudar a questão e comunicar qualquer detalhe que venha a me impressionar.

— Vê alguma pista?

— Você me forneceu sete, mas é claro que preciso examiná-las antes de me pronunciar acerca do seu valor.

— Suspeita de alguém?

— Suspeito de mim mesmo.

— O quê?

— De chegar a conclusões precipitadas.

— Então volte para Londres e teste as suas conclusões.

— Conselho excelente, srta. Harrison — disse Holmes, erguendo-se. — Creio, Watson, que é o melhor que temos a fazer. Não se entregue a falsas esperanças, sr. Phelps. O caso é muito complicado.

— Não vou conseguir descansar até tornar a vê-lo! — exclamou o diplomata.

— Voltarei amanhã pelo mesmo trem, embora o mais provável é que o meu relatório seja negativo.

— Deus o abençoe pela promessa de voltar — exclamou o nosso cliente. — Sinto-me reanimado só de saber que algo está sendo feito. Por falar nisso, recebi uma carta de lorde Holdhurst.

— Ah! E o que ele disse?

— Uma carta fria, mas não áspera. Creio que minha doença grave me salvou disso. Repetiu que o assunto era de máxima importância e acrescentou que não seria tomada qualquer medida em relação ao meu futuro, referindo-se, naturalmente, à minha demissão, até que eu estivesse recuperado e tivesse oportunidade de compensar o meu deslize.

— Razoável e cheio de consideração — observou Holmes. — Vamos, Watson. Temos um longo dia de trabalho pela frente na cidade.

O sr. Joseph Harrison levou-nos até a estação e pouco depois tomávamos um trem de Portsmouth. Holmes mergulhou em profunda meditação e mal abriu a boca até ultrapassarmos a estação de Clapham Junction.

— É muito agradável chegar a Londres por uma dessas linhas elevadas, que permitem ver as casas do alto.

Pensei que estivesse brincando, pois o panorama era deprimente; mas ele explicou:

— Veja aqueles grupos de construções isoladas e altas, erguendo-se acima dos telhados como ilhas de tijolo num mar cor de chumbo.

— Os internatos.

— Faróis, meu rapaz! Faróis iluminando o futuro! Cápsulas contendo centenas de pequenas sementes, das quais brotará a Inglaterra melhor e mais sábia do futuro. Suponho que Phelps não beba.

— Creio que não.

— Também acho. Mas precisamos levar em conta todas as possibilidades. O pobre-diabo meteu-se em grandes apuros e não sei se conseguiremos tirá-lo disso. O que achou da srta. Harrison?

— Uma moça de temperamento enérgico.

— Sim, mas é boa pessoa, se não me engano. Ela e o irmão são filhos únicos de um fabricante de ferro de Northumberland. Phelps apaixonou-se por ela quando viajou no inverno passado e a moça veio para ser apresentada à família dele, escoltada pelo irmão. E então ocorreu o escândalo e ela ficou para cuidar do noivo, enquanto o irmão, Joseph, vendo-se em situação confortável, permaneceu também. Andei fazendo algumas investigações independentes. Mas hoje será um dia de pesquisas.

— Meus clientes... — comecei.

— Se achar que seus casos são mais interessantes que os meus... — disse Holmes, com certa aspereza.

— Eu pretendia dizer que meus clientes podem me dispensar por um ou dois dias. É a época menos movimentada do ano.

— Ótimo — disse ele, recuperando o bom humor... — Então examinaremos juntos o assunto. Creio que devemos começar por uma visita a Forbes. Ele provavelmente pode nos contar todos os detalhes de que precisamos para descobrir de que lado o caso deve ser abordado.

— Você disse que tinha uma pista.

— Temos várias, mas só podemos testar a validade com novas investigações. O crime mais difícil de solucionar é aquele sem finalidade. Este não é. Quem lucra com ele? O embaixador francês, o russo, ou quem conseguisse vender aos dois o documento. E lorde Holdhurst.

— Lorde Holdhurst!

— É concebível que um estadista se encontre em situação de não lamentar que o documento tenha sido acidentalmente destruído.

— Não um estadista com a ficha honrosa de lorde Holdhurst.

— É uma possibilidade e não podemos ignorá-la. Visitaremos hoje o ilustre lorde para verificar se ele é capaz de nos dizer alguma coisa. Enquanto isso, já providenciei investigações.

— Já?

— Sim. Passei telegramas da estação de Woking para todos os vespertinos de Londres. Este anúncio será publicado nos jornais.

Entregou-me uma folha arrancada de uma caderneta, onde tinha rabiscado a lápis:

> *Recompensa de dez libras. — O número do cabriolé que deixou um passageiro no Foreign Office ou nas imediações, na Charles Street, por volta das 21h45 de 23 de maio. Respostas para Baker Street, 221-B.*

— Tem certeza de que o ladrão chegou num cabriolé?

— Se não chegou, é indiferente. Mas se o sr. Phelps está certo ao dizer que não existe esconderijo na sala ou nos corredores, então a pessoa veio de fora. Se veio de fora numa noite chuvosa e não deixou marcas no linóleo examinado minutos depois de sua passagem, é muito provável que tenha chegado num veículo. Sim, creio que podemos deduzir com segurança que se trata de um cabriolé.

— É plausível.

— Esta é uma das pistas a que me referi, e pode nos levar a uma descoberta. E há a história da sineta, que é a característica mais marcante do caso. Por que a sineta tocaria? O ladrão teria feito isso num gesto de desafio? Ou seria alguém que estava com o ladrão e queria impedir o crime? Ou teria sido um acidente? Ou...?

Ele mergulhou de novo numa concentração intensa e silenciosa. Mas como estava habituado a todas as suas mudanças de humor, achei que lhe ocorrera uma nova possibilidade.

Eram 15h20 quando chegamos ao terminal e, após um almoço apressado no buffet, partimos para a Scotland Yard. Holmes já havia telegrafado para Forbes e ele estava à nossa espera. Era um homem baixinho, esperto, de expressão viva e nem um pouco amável. Mostrou-se glacial, principalmente quando soube do objetivo da visita.

— Ouvi falar dos seus métodos, sr. Holmes — disse, seco. — Está sempre pronto a usar todas as informações que a polícia coloca à sua disposição, e depois encerra o caso por conta própria lançando descrédito sobre nós.

— Ao contrário. Dos últimos 53 casos que investiguei, meu nome só apareceu em quatro, e a polícia recebeu todo o crédito pelos outros 49. Não o culpo por ignorar o detalhe. É jovem e inexperiente. Mas se quiser progredir em sua nova função, trabalhará comigo e não contra mim.

— Gostaria de ouvir uma ou duas sugestões — disse o detetive, mudando de atitude. — Até agora não obtive crédito nenhum neste caso.

— Que providências tomou?

— Tangey, o contínuo, vem sendo seguido. Deixou os Guards com boa ficha, e não encontramos nada contra ele. Mas a mulher não presta. Acho que ela sabe mais a respeito dos documentos do que aparenta.

— Mandou segui-la?

— Destacamos uma das mulheres para a tarefa. A sra. Tangey bebe e uma policial conversou com ela duas vezes, quando estava embriagada, mas nada conseguiu.

— Soube que uns cobradores estiveram na casa.

— Sim, mas a dívida foi paga.

— De onde veio o dinheiro?

— De fonte limpa. Ele recebeu a pensão e o casal não tem dado mostras de estar rico.

— Que explicação ela deu para o fato de ter atendido ao chamado quando o sr. Phelps pediu café?

— Disse que o marido estava muito cansado e quis poupá-lo.

— Isso combina com o fato de ele ter sido encontrado, minutos depois, adormecido na cadeira. Então não há nada contra eles, exceto o caráter da mulher. Perguntou por que ela saiu apressada naquela noite? A pressa atraiu a atenção do policial.

— Era mais tarde do que o horário habitual e queria chegar logo em casa.

— Comentou com ela que o senhor e Phelps, que saíram pelo menos vinte minutos depois, chegaram antes dela?

— Explicou o fato pela diferença entre um ônibus e um cabriolé.

— Esclareceu por que, ao chegar a casa, correu para a cozinha?

— Era ali que guardava o dinheiro para pagar aos cobradores.

— Ela tem resposta para tudo. Perguntou se, ao sair, encontrou alguém, ou viu alguém rondando na Charles Street?

— Não viu ninguém, a não ser o policial.

— Parece que a interrogou minuciosamente. Que outras providências tomou?

— O funcionário, Gorot, foi seguido durante essas nove semanas, mas sem resultados. Não podemos provar nada contra ele.

— Mais alguma coisa?

— Não dispomos de nenhuma outra pista para seguir, nenhum indício de qualquer tipo.

— Formulou alguma teoria a respeito do toque da campainha?

— Confesso que não sei o que pensar sobre isso. Fosse quem fosse, era uma pessoa muito fria para soar o alarme daquela maneira.

— Sim, foi uma atitude estranha. Muito obrigado pelas informações. Se eu conseguir pôr o sujeito em suas mãos, terá notícias minhas. Vamos, Watson!

— Aonde vamos agora? — perguntei quando saímos do escritório.

— Vamos entrevistar lorde Holdhurst, ministro do Gabinete e futuro premier da Inglaterra.

Tivemos a sorte de descobrir que lorde Holdhurst ainda estava em seu gabinete de Downing Street. Quando Holmes enviou o seu cartão, fomos conduzidos na mesma hora à sua presença. O estadista recebeu-nos com a velha e conhecida cortesia, fazendo-nos sentar em luxuosas poltronas ao lado da lareira. De pé no tapete entre nós, silhueta alta e magra, traços aquilinos no rosto pensativo, cabelo prematuramente grisalho, parecia representar um tipo pouco comum — um nobre em toda a acepção da palavra.

— Conheço-o de nome, sr. Holmes — disse ele com um sorriso. — E é claro que não vou fingir que desconheço o motivo da sua visita. Só houve nestas salas uma ocorrência que exigiria a sua atenção. Posso saber em nome de quem está agindo?

— No do sr. Percy Phelps — respondeu Holmes.

— Ah, o meu infeliz sobrinho. Deve compreender que o nosso parentesco torna ainda mais difícil, para mim, protegê-lo. Receio que o incidente tenha um efeito muito prejudicial sobre a carreira dele.

— E se o documento for encontrado?

— O caso seria diferente, é claro.

— Gostaria de fazer-lhe uma ou duas perguntas, lorde Holdhurst.

— Será um prazer prestar-lhe qualquer informação ao meu alcance.

— Foi nesta sala que deu as instruções para que o documento fosse copiado?

— Foi.

— Então, dificilmente alguém teria ouvido.

— Isso está fora de cogitação.

— Disse a alguém que pretendia mandar fazer uma cópia do tratado?

— De modo algum.

— Tem certeza?

— Absoluta.

— Se o senhor não contou a ninguém e o sr. Phelps também não, e ninguém mais sabia do assunto, então a presença do ladrão na sala foi puramente acidental. Ele viu a oportunidade e aproveitou-a.

O estadista sorriu.

— Isso está fora da minha especialidade.

Holmes refletiu um instante.

— Há um outro ponto muito importante que gostaria de discutir com o senhor. Pelo que entendi, o senhor temia graves consequências se os detalhes do tratado fossem divulgados.

Uma sombra cobriu a fisionomia expressiva do estadista.

— Sim, consequências muito graves.

— E elas se concretizaram?

— Ainda não.

— Se o tratado tivesse chegado, digamos, ao Ministério do Exterior da França, ou da Rússia, o senhor saberia.

— Sim, saberia — disse lorde Holdhurst, grave.

— Então, como já se passaram quase dez semanas e nada se soube, não é justo supor que, por algum motivo, o tratado não chegou às mãos deles?

Lorde Holdhurst deu de ombros.

— Seria difícil supor, sr. Holmes, que o ladrão levaria o tratado para casa a fim de emoldurá-lo e pendurá-lo na parede.

— Talvez esteja esperando um preço melhor.

— Se esperar mais um pouco, não obterá coisa alguma. O tratado deixará de ser secreto dentro de alguns meses.

— Isto é muito importante — observou Holmes. — Pode-se supor também, é claro, que o ladrão tenha adoecido de forma súbita...

— Um ataque de febre cerebral, por exemplo? — perguntou o estadista, com um rápido olhar para Holmes.

— Eu não disse isso — rebateu Holmes, imperturbável. — E agora, lorde Holdhurst, já tomamos muito do seu precioso tempo e lhe desejamos um bom dia.

— Pleno êxito na sua investigação, seja quem for o criminoso — respondeu o nobre, com uma inclinação de despedida.

— É um excelente sujeito — comentou Holmes quando saímos em Whitehall. — Mas precisa lutar para manter sua posição. Não é rico e tem muitos encargos. Notou que as botas dele levaram meia-sola? Agora, Watson, não o afastarei por mais tempo de suas legítimas obrigações. Não farei mais nada hoje, a menos que receba uma resposta ao anúncio do cabriolé. Mas ficaria muito grato se me acompanhasse a Woking amanhã, pelo mesmo trem que tomamos hoje.

Encontrei-o na manhã seguinte e viajamos juntos para Woking. Ele não obtivera nenhuma resposta relativa ao anúncio ou qualquer informação que ajudasse a esclarecer o caso. Quando queria, ele adquiria a completa imobilidade de um pele-vermelha e não consegui deduzir de sua atitude se estava ou não satisfeito com o andamento do caso. Conversou, lembro-me, sobre o sistema Bertillon de medidas e manifestou a entusiasmada admiração pelo sábio francês.

Encontramos o nosso cliente ainda aos cuidados da enfermeira dedicada, mas com uma aparência bem melhor que a da véspera. Levantou-se do sofá e cumprimentou-nos sem dificuldade quando entramos.

— Alguma novidade? — perguntou com vivacidade.

— Meu relatório, como eu esperava, é negativo — disse Holmes. — Conversei com Forbes e com seu tio, e encaminhei uma ou duas investigações que podem dar algum resultado.

— Então não desanimou?

— De modo algum.

— Deus o abençoe por essas palavras! — exclamou a srta. Harrison. — Se conservarmos nosso ânimo e nossa paciência, a verdade virá à tona.

— Temos mais coisas para contar ao senhor do que o senhor para nós — disse Phelps, voltando a sentar-se no sofá.

— Eu esperava que tivesse alguma coisa.

— Sim, vivemos esta noite uma aventura que poderia ter sérias consequências graves. — Seu rosto ficou muito sério e algo semelhante ao medo brilhou nos olhos. — Começo a acreditar que sou o pivô involuntário de uma conspiração monstruosa, e que tanto a minha honra como a minha vida estão ameaçadas.

— Ah! — disse Holmes.

— Parece incrível, pois, que eu saiba, não tenho um só inimigo no mundo. Contudo, após a experiência desta noite não posso chegar a outra conclusão.

— Fale, por favor.

— A noite passada foi a primeira que dormi sem a enfermeira no quarto. Sentia-me bem melhor e achei que podia dispensá-la. Mas deixei uma lamparina acesa. Por volta das duas horas eu estava mergulhado num sono leve e de repente fui despertado por um ruído fraco. Parecia um rato roendo uma tábua. Fiquei escutando durante algum tempo, com a impressão de que era essa a causa. Mas o ruído ficou mais forte e de repente ouvi um estalido metálico na janela. Sentei-me na cama, espantado. Não havia dúvidas quanto à origem dos sons. O mais leve fora causado por um instrumento introduzido na brecha entre as venezianas e o segundo, pela fechadura sendo forçada.

"Houve então uma pausa de uns dez minutos, como se a pessoa estivesse esperando para verificar se o ruído havia me acordado. Escutei então um leve estalido, e a janela abriu-se devagar. Não podendo suportar a tensão, pois meus nervos já não são os mesmos, saltei da cama e abri a janela. Havia um homem agachado no peitoril. Não o vi bem porque desapareceu na mesma hora. Estava envolto numa espécie de capa, que ocultava a parte inferior do rosto. De uma coisa estou certo: ele empunhava uma arma. Parecia um punhal. Vi com nitidez o brilho da lâmina quando ele se virou para fugir."

— Muito interessante — comentou Holmes. — O que fez então?

— Eu teria saltado a janela para persegui-lo se estivesse mais forte. Toquei a campainha e despertei a casa toda. Isso levou algum tempo, porque a sineta toca na cozinha e os criados dormem lá em cima. Gritei, e isso atraiu Joseph, que acordou os outros. Joseph e o criado encontraram pegadas no canteiro em frente à janela, mas o tempo anda tão seco nos últimos tempos que acharam inútil procurar pegadas no gramado. Contudo, um ponto da cerca que contorna o jardim mostra sinais, dizem eles, de que alguém saltou sobre ela, quebrando-a na parte superior. Não chamei a polícia local porque achei melhor ouvir antes a sua opinião.

A narrativa do nosso cliente teve um efeito extraordinário sobre Sherlock Holmes. Levantando-se, ele começou a andar de um lado para outro, numa ansiedade incontrolável.

— As desgraças nunca vêm sozinhas — disse Phelps sorrindo, embora fosse evidente que o episódio o deixara um tanto abalado.

— Sua dose de desgraças não foi pequena — observou Holmes. — Acha que poderia dar uma volta em torno da casa comigo?

— Sim, gostaria de tomar um pouco de sol. Joseph virá também.

— E eu também — disse a srta. Harrison.

— Acho melhor não ir — disse Holmes, meneando a cabeça. — Vou pedir-lhe que fique sentada exatamente onde está.

A moça voltou a sentar-se com ar aborrecido. Mas o irmão veio conosco, e saímos os quatro, contornando o gramado até chegarmos à janela do jovem diplomata. Como ele tinha dito, havia pegadas no canteiro, mas estavam muito confusas e pouco nítidas. Holmes inclinou-se sobre elas por um instante e depois levantou-se, encolhendo os ombros.

— Não creio que se possa obter grande coisa aqui. Vamos contornar a casa e verificar por que o ladrão escolheu este quarto em específico. A meu ver, as janelas grandes do salão e da sala de jantar seriam mais atraentes para ele.

— São mais visíveis da estrada — sugeriu o sr. Joseph Harrison.

— É claro. Há esta porta que ele poderia ter experimentado. Para que serve?

— É a entrada de serviço. Fica trancada à noite, naturalmente.

— Já houve alguma ocorrência semelhante aqui?

— Nunca — respondeu nosso cliente.

— Vocês guardam prataria em casa, ou qualquer coisa que possa atrair ladrões?

— Nada de valor.

Holmes andou em volta da casa com as mãos nos bolsos e um ar de desinteresse que não era habitual.

Virando-se para Joseph Harrison, disse:

— A propósito, soube que encontrou o lugar onde o sujeito pulou a cerca. Vamos dar uma espiada.

O rapaz conduziu-nos ao local onde a parte superior da cerca estava rachada. Dali pendia um pedacinho de madeira. Holmes arrancou-o e o examinou com olho crítico.

— Acha que isto foi feito esta noite? Parece mais antigo, não é?

— Bem, é possível.

— Não há sinais de que alguém tenha saltado do outro lado. Não, creio que aqui não encontraremos nada. Vamos voltar ao quarto e conversar sobre o assunto.

Percy Phelps caminhava muito devagar, apoiado no braço do futuro cunhado. Holmes atravessou com rapidez o gramado e chegamos à janela aberta do quarto bem antes dos outros.

— Srta. Harrison — disse Holmes, falando com gravidade. — Deve permanecer onde está o dia inteiro. Que nada a afaste daí. É de importância vital.

— Sim, se quiser, sr. Holmes — disse a moça, surpresa.

— Quando subir para se deitar, tranque a porta deste quarto e guarde a chave. Prometa que fará isso.

— E Percy?

— Ele irá para Londres conosco.

— E eu fico aqui?

— É em benefício dele. Poderá ajudá-lo! Depressa, prometa!

Ela fez que sim no instante em que os dois se aproximavam.

— Por que está sentada aí à toa, Annie? — perguntou o irmão. Venha para o sol!

— Não, obrigada, Joseph. Estou com um pouco de dor de cabeça e este quarto é maravilhosamente fresco e silencioso.

— O que pretende fazer agora, sr. Holmes? — perguntou nosso cliente.

— Ao investigar este episódio secundário, não podemos perder de vista a questão principal. Seria de grande ajuda se viesse conosco a Londres.

— Agora?

— Assim que achar conveniente. Digamos, dentro de uma hora.

— Estou me sentindo bem melhor. Se puder de fato ajudar...

— Ajudará muito.

— Talvez queiram que eu passe a noite na cidade.

— Era o que eu ia sugerir.

— Então, se meu amigo noturno repetir a visita, descobrirá que o pássaro desapareceu. Estamos em suas mãos, sr. Holmes. Diga de modo específico o que quer que façamos. Talvez prefira que Joseph nos acompanhe, para cuidar de mim.

— Não. Meu amigo Watson é médico e fará isso. Almoçaremos aqui, se permitir, e depois iremos os três para a cidade.

Tudo se passou como ele sugeriu e a srta. Harrison recusou-se a sair do quarto, seguindo a sugestão de Holmes. Eu não conseguia imaginar qual era o objetivo das manobras de meu amigo, a menos que fosse manter a moça longe de Phelps. Este, satisfeito com a recuperação e a perspectiva de agir, almoçou conosco na sala. Mas Holmes guardava para nós uma surpresa ainda mais espantosa. Depois de nos acompanhar até a estação, anunciou calmamente que não pretendia sair de Woking.

— Há dois ou três pontos que quero esclarecer antes de voltar a Londres — disse. — Sua ausência me ajudará em certos aspectos, sr. Phelps. Quando chegar a Londres, Watson, siga no mesmo instante para a Baker Street com o nosso amigo e fique ao seu lado até eu voltar. Ainda bem que são velhos colegas de escola. Devem ter muito o que conversar. O sr. Phelps pode dormir no quarto de hóspedes esta noite e eu estarei de volta para tomar o café da manhã com os dois. Há um trem que me deixará em Waterloo às oito horas.

— E a nossa investigação em Londres? — perguntou Phelps, desapontado.

— Podemos fazer isso amanhã. Creio que no momento sou mais útil aqui.

— Diga ao pessoal em Briarbrae que espero voltar amanhã à noite — gritou Phelps quando o trem começou a se afastar da plataforma.

— Não pretendo voltar a Briarbrae — respondeu Holmes, acenando com alegria, enquanto a estação ficava para trás.

Phelps e eu conversamos durante a viagem, mas nenhum dos dois conseguiu encontrar um motivo satisfatório para aquele novo acontecimento.

— Creio que ele quer descobrir alguma pista a respeito da tentativa de assalto de ontem à noite, se é que foi assalto. Quanto a mim, não acredito que se tratasse de um ladrão comum.

— O que pensa a respeito, então?

— Não sei se a culpa é dos meus nervos abalados, mas acredito que haja uma intriga política à minha volta e que, por algum motivo que escapa à minha compreensão, os conspiradores querem me matar. Parece exagerado e absurdo, mas considere os fatos! Por que um ladrão tentaria forçar a janela de um quarto onde não havia esperança de conseguir um bom saque e por que viria empunhando uma faca?

— Tem certeza de que não era um instrumento de arrombador?

— Não, era uma faca. Vi com nitidez o brilho da lâmina.

— Mas por que alguém o perseguiria com tanta hostilidade?

— Ah, esta é a questão!

— Se Holmes for da mesma opinião, isso explicará sua maneira de agir, não acha? Supondo que sua teoria esteja correta, se ele agarrar o homem que o ameaçou ontem à noite, terá feito grande progresso no sentido de descobrir quem roubou o tratado naval. É absurdo supor que você tenha dois inimigos, um que o rouba enquanto o outro ameaça sua vida.

— Mas o sr. Holmes disse que não ia a Briarbrae.

— Eu o conheço há algum tempo e nunca soube que fizesse algo sem um bom motivo.

E com isso nossa conversa passou para outros temas.

Mas o dia foi cansativo para mim. Phelps ainda estava debilitado em consequência da doença prolongada e os problemas o haviam deixado irritadiço e nervoso. Procurei inutilmente interessá-lo no Afeganistão, na Índia, em questões sociais, em qualquer coisa que afastasse os pensamentos dele do problema. Voltava sempre ao tratado perdido, ruminando, imaginando, especulando sobre o que Holmes estaria fazendo, que medidas lorde Holdhurst tomaria e que notícias receberíamos pela manhã. Ao anoitecer, o nervosismo dele tornou-se doloroso.

— Tem confiança implícita em Holmes? — perguntou.

— Eu o vi fazer coisas extraordinárias.

— Mas já chegou a esclarecer um caso tão misterioso como este?

— Sem dúvida. Eu o vi resolver casos mais intrincados que este.

— Mas estavam em jogo interesses tão grandes?

— Isso eu não sei. Mas sei com certeza que atuou por solicitação de três das casas reinantes europeias em questões de importância vital.

— Você o conhece bem, Watson. É um sujeito tão enigmático que nunca sei exatamente o que pensar dele. Acha que ele está otimista? Que espera bons resultados?

— Ele não disse nada.

— Mau sinal.

— Pelo contrário. Notei que quando está desnorteado sempre o demonstra. Quando está seguindo uma pista, mas ainda não tem certeza de que seja a correta, é que ele fica mais taciturno. Agora, meu caro, não podemos ajudá-lo ficando nervosos. De modo que peço que vá se deitar para estar descansado amanhã, sejam quais forem os acontecimentos que nos aguardem.

Consegui enfim convencê-lo a seguir meu conselho, embora soubesse que, como ele estava muito agitado, talvez não dormisse. E a inquietação era contagiosa, porque eu também fiquei rolando na cama boa parte da noite, remoendo o estranho problema, elaborando uma centena de teorias, cada qual mais impossível que a outra. Por que Holmes ficara em Woking? Por que havia pedido à srta. Harrison que permanecesse no quarto o dia inteiro? Por que tivera o cuidado de não informar aos moradores de Briarbrae que pretendia ficar nas proximidades? Fiquei quebrando a cabeça até adormecer, na tentativa de encontrar uma explicação que abrangesse todos os fatos.

Eram sete horas quando acordei e me dirigi imediatamente para o quarto de Phelps. Encontrei-o abatido e exausto após uma noite insone. A primeira coisa que fez foi perguntar se Holmes já havia chegado.

— Chegará na hora que prometeu, nem um minuto a menos ou a mais.

Minhas palavras estavam corretas. Pouco depois das oito horas, um cabriolé parou à porta e dele saltou nosso amigo. Da janela vimos que ele tinha a mão esquerda envolta em ataduras e estava muito sério e pálido. Entrou em casa, mas levou algum tempo para subir a escada.

— Parece um homem derrotado — exclamou Phelps.

Fui obrigado a confessar que ele tinha razão.

— Afinal, é provável que a pista do caso esteja aqui...

Phelps gemeu.

— Não sei por quê, mas esperava muita coisa na volta dele. Não estava com a mão enrolada assim ontem. O que terá acontecido?

— Está ferido, Holmes? — perguntei, quando meu amigo entrou na sala.

— É só um arranhão, e por culpa minha — respondeu, cumprimentando-nos com um aceno de cabeça. — Este seu caso, sr. Phelps, é um dos mais misteriosos que já investiguei.

— Temia que o considerasse difícil demais.

— Foi uma experiência extraordinária.

— Essa atadura indica complicações — observei. — Quer nos contar o que aconteceu?

— Depois do café, meu caro Watson. Lembre-se de que respirei 45 quilômetros do ar de Surrey esta manhã. Suponho que não tenha chegado nenhuma resposta ao meu anúncio referente ao cabriolé. Bem, não se pode acertar sempre.

A mesa estava posta e, quando eu estava prestes a tocar a campainha, a sra. Hudson entrou com chá e café. Minutos depois trouxe as travessas cobertas, e nós três nos sentamos à mesa. Holmes esfaimado, eu, curioso, e Phelps no mais sombrio estado depressivo.

— A sra. Hudson mostrou-se à altura da ocasião — observou Holmes, descobrindo um prato de galinha ao curry. — Sua *cuisine* é um tanto limitada, mas, como escocesa, tem uma boa ideia do que seja um café da manhã. O que é que você tem aí, Watson?

— Presunto e ovos — respondi.

— Ótimo. O que deseja, sr. Phelps? Galinha ao curry, ovos, ou o senhor mesmo se servirá?

— Obrigado. Não consigo comer nada.

— Ora, vamos! Experimente esse prato que está na sua frente.

— Não, obrigado. Prefiro não comer mesmo.

— Nesse caso — disse Holmes, com uma piscadela maliciosa —, não fará objeção a me ajudar a servir.

Phelps ergueu a tampa e na mesma hora deu um grito e ficou imóvel, tão pálido quanto a travessa que olhava. Sobre ela estava um pequeno cilindro de papel azul-acinzentado. Pegando-o, devorou-o com os olhos e em seguida começou a dançar descontrolado pela sala, apertando-o contra o peito e gritando de alegria. Logo depois deixou-se cair numa poltrona, tão enfraquecido e exausto das próprias emoções que precisamos obrigá-lo a tomar brandy para evitar que desmaiasse.

— Calma! Calma! — disse Holmes em tom tranquilizador, batendo-lhe no ombro. — Foi um erro apresentá-lo assim, de forma tão brusca. Mas Watson dirá que nunca resisto a um toque dramático.

Tomando-lhe a mão, Phelps beijou-a.

— Que Deus o abençoe! Salvou a minha honra.

— Bem, a minha também estava em jogo. Garanto que é tão odioso para mim fracassar num caso como seria para o senhor falhar numa missão.

Phelps guardou o precioso documento no bolso interno do casaco.

— Não tenho coragem de adiar por mais tempo o seu café da manhã, mas estou louco para saber como o conseguiu e onde o encontrou.

Sherlock Holmes tomou uma xícara de café e concentrou-se no presunto com ovos. Depois, levantando-se, acendeu o cachimbo e instalou-se na poltrona.

— Vou contar primeiro o que fiz e então como o consegui. Depois de deixá-los na estação fiz um agradável passeio pela admirável paisagem de Surrey até uma aldeia encantadora chamada Ripley, onde tomei chá na estalagem, tendo a precaução de encher meu cantil de bolso e acrescentar alguns sanduíches. Fiquei ali até a noite, quando voltei a Woking. Cheguei à estrada que passa por Briarbrae pouco depois de escurecer.

"Esperei até que o caminho ficasse deserto — não é muito movimentado em hora nenhuma do dia, parece-me. Depois, pulei o muro e entrei no jardim."

— O portão não estava aberto? — perguntou Phelps.

— Estava, mas tenho tendências peculiares nesses assuntos. Escolhi o lugar onde ficam os três abetos e, protegido por eles, aproximei-me sem ser visto por ninguém da casa. Agachei-me entre os arbustos e rastejei de um para outro, prova disso é o estado lamentável dos joelhos das minhas calças, até chegar a uma moita de rododendros bem em frente à janela do seu quarto. Ali, agachado, aguardei os acontecimentos.

"A veneziana não estava abaixada, e vi a srta. Harrison lendo junto à mesa. Eram 22h15 quando ela fechou o livro, abaixou as venezianas e saiu. Ouvi quando ela fechou a porta e tive certeza de que havia girado a chave na fechadura."

— A chave? — exclamou Phelps.

— Sim. Dei instruções à srta. Harrison para trancar a porta pelo lado de fora e levar a chave quando fosse dormir. Ela cumpriu com rigor todas as minhas ordens e sem a sua cooperação esse papel não estaria agora no seu bolso. Ela saiu, as luzes se apagaram e eu permaneci agachado na moita de rododendros.

"Era uma bela noite, mas a vigília foi cansativa. Naturalmente, envolvia o tipo de emoção que um desportista sente quando está junto a um rio esperando a caça de grande porte. Mas a espera foi longa — quase tão longa, Watson, quanto a que vivemos naquele quarto sinistro, estudando o problema da 'Banda pintada'. O relógio da igreja de Woking marcava os quartos de hora e mais de uma vez pensei que ele havia parado. Enfim, por volta das duas horas, ouvi de repente o leve ruído de um ferrolho sendo empurrado e o estalido de uma chave. Logo depois a porta de serviço abriu-se, e o sr. Joseph Harrison surgiu à luz da lua."

— Joseph! — exclamou Phelps.

— Estava com a cabeça descoberta, mas havia jogado nos ombros uma capa preta para poder ocultar com rapidez o rosto, caso houvesse algum alarme. Caminhou silenciosamente à sombra da parede, e quando chegou à janela, enfiou uma faca de lâmina comprida na brecha entre as venezianas, empurrou o ferrolho e abriu-a.

"De onde estava eu podia ver com perfeição o interior do quarto e acompanhar todos os seus movimentos. Ele acendeu as duas velas que ficam sobre a lareira e em seguida levantou a ponta do tapete perto da porta. Então inclinou-se e ergueu um pedaço de madeira quadrado, do tipo que costuma ser deixado para permitir o acesso de bombeiros às juntas dos encanamentos de gás. Aquele cobria, para ser exato, a junta em forma de T que leva o gás à cozinha. Ele retirou do esconderijo o cilindro de papel, recolocou a tábua, arrumou o tapete, apagou as velas e caiu direto nos meus braços, já que eu esperava por ele em frente à janela.

"O sr. Joseph foi mais agressivo do que eu o imaginava. Avançou para mim de faca em punho, e tive de jogá-lo ao chão duas vezes, recebendo um corte nos dedos, para conseguir dominá-lo. Olhou-me com fúria assassina com o único olho capaz de ver quando terminamos, mas ele cedeu e entregou-me os documentos. De posse deles, eu o libertei, mas telegrafei a Forbes esta manhã, dando todos os detalhes. Se ele for bastante rápido para pegar o pássaro, tudo bem! Mas se, como desconfio, encontrar o ninho vazio, melhor para o governo. Imagino que lorde Holdhurst, de um lado, e o sr. Phelps, de outro, preferem que o caso não chegue à Justiça."

— Meu Deus! — arquejou nosso cliente. — Quer dizer que nessas dez longas semanas de agonia os documentos roubados estavam no próprio quarto onde eu fiquei?

— Exato.

— E Joseph! Joseph, bandido e ladrão!

— Hum! Creio que o caráter de Joseph é mais complexo e perigoso do que pode parecer à primeira vista. Soube esta manhã que ele sofreu grandes perdas jogando na Bolsa e está disposto a qualquer coisa para melhorar a sorte. Sendo um homem de profundo egoísmo, quando surgiu a oportunidade, não levou em conta a felicidade da irmã, ou a sua reputação.

Percy Phelps afundou na poltrona.

— Estou completamente zonzo. O que disse me deixou aturdido.

No seu modo didático, Holmes observou:

— No seu caso, a principal dificuldade estava no excesso de evidências. Os elementos vitais estavam encobertos pelos irrelevantes. Entre todos os fatos que nos foram apresentados era preciso escolher os que julgávamos essenciais e depois colocá-los em ordem, a fim de reconstituir esta extraordinária cadeia de acontecimentos. Comecei a suspeitar de Joseph quando você disse que pretendia viajar para casa com ele naquela noite. Era muito provável, portanto, que ele passasse pelo Foreign Office, bem conhecido dele, a caminho da estação. Quando eu soube que alguém havia tentado entrar no quarto onde ninguém, exceto Joseph, poderia ter escondido alguma coisa... Você nos contou que Joseph havia sido desalojado quando chegou com o médico... Minhas suspeitas transformaram-se em certeza, principalmente porque a tentativa foi feita na primeira noite em que a enfermeira estava ausente, mostrando que o intruso estava a par do que acontecia na casa.

— Como fui cego!

— Os fatos, conforme os concebi, são os seguintes: Joseph Harrison entrou no prédio do Foreign Office pela porta da Charles Street e, conhecendo o caminho, seguiu direto para a sua sala logo que você saiu. Não vendo ninguém, tocou a sineta e no mesmo instante reparou no papel que estava na mesa. Um olhar de relance mostrou que a sorte havia colocado ao alcance um documento oficial de imenso valor. Guardou-o no mesmo instante no bolso e saiu. Passaram-se alguns minutos, conforme deve lembrar, antes que o contínuo sonolento chamasse a sua atenção para a sineta. Foi o suficiente para o ladrão escapar.

"Ele foi para Woking pelo primeiro trem e, depois de examinar o documento, certificou-se de que era de fato de imenso valor e escondeu-o num lugar que julgou muito seguro, com a intenção de retirá-lo um ou dois dias depois e levá-lo à embaixada da França, ou onde quer que obtivesse um bom preço. Mas então houve a sua chegada repentina. Ele, sem um aviso prévio, foi afastado do quarto e dali em diante sempre havia pelo menos duas pessoas presentes, impedindo-o de recuperar o tesouro. A situação deve ter sido de enlouquecer. Por fim achou que chegara a oportunidade. Tentou entrar no quarto para pegar o documento, mas foi impedido pela sua vigília. Talvez recorde que não tomou o remédio habitual para dormir."

— Eu me lembro.

— Imagino que ele tomou alguma medida para que o remédio fosse eficaz e esperava encontrá-lo inconsciente. Compreendi que repetiria a tentativa sempre que pudesse fazê-lo com segurança. O fato de ter saído do quarto deu-lhe a oportunidade desejada. Mantive ali a srta. Harrison o dia inteiro para que ele não passasse a nossa frente. E então, dando-lhe a impressão de que o terreno estava livre, fiquei de guarda, como descrevi. Já sabia que os documentos estariam no quarto, mas não queria levantar todas as tábuas do assoalho para encontrá-los. Deixei que ele os tirasse do esconderijo, poupando-me um trabalho imenso. Há algum ponto que queira esclarecer?

— Por que ele entrou pela janela na primeira vez, quando podia ter entrado pela porta? — perguntei.

— Para chegar à porta teria que passar por sete quartos. Além disso, andaria pelo gramado com facilidade. Mais alguma coisa?

— Acha que ele tinha intenção de me assassinar? — perguntou Phelps. — A faca era um simples instrumento.

— É possível — disse Holmes, dando de ombros. — Só posso dizer com certeza que o sr. Joseph Harrison é um cavalheiro em cuja misericórdia eu não confiaria muito.

O problema final

É com o coração pesado que pego a pena para escrever as últimas páginas em que registrarei os talentos especiais que distinguiam meu amigo, o sr. Sherlock Holmes. De modo incoerente e, percebo-o, inteiramente inadequado, procurei narrar as minhas estranhas experiências em sua companhia, desde o acaso que nos reuniu por ocasião de *Um estudo em vermelho* até a época de sua interferência na questão do *Tratado naval*, que teve o resultado inegável de impedir uma grave crise internacional. Era minha intenção parar ali, sem mencionar o acontecimento que gerou tamanho vazio em minha vida que nem mesmo a passagem de dois anos conseguiu amenizar. Mas fui obrigado, pelas cartas recentes em que o coronel James Moriarty defende a memória do irmão, a colocar diante do público os fatos da forma exata como aconteceram. Só eu conheço a verdade absoluta a respeito do assunto, e estou certo de ter chegado o momento em que ocultá-la não traz benefício a ninguém. Que eu saiba só houve três relatos na imprensa: o do *Journal de Genève*, de 6 de maio de 1891, o comunicado da Reuters nos jornais ingleses de 7 de maio e, por fim, as cartas recentes a que me referi. Destes, o primeiro e o segundo foram extremamente condensados, enquanto o último é, como mostrarei agora, uma distorção completa dos fatos. Cabe a mim contar pela primeira vez o que de fato aconteceu entre o professor Moriarty e Sherlock Holmes.

Devo lembrar que, depois do meu casamento e do início na clínica particular, as relações estreitas que eu tinha com Holmes modificaram-se até certo ponto. Ele ainda me procurava de tempos em tempos, quando desejava um companheiro nas investigações, mas essas ocasiões tornaram-se cada vez mais raras, até que no ano de 1890 registrei apenas três casos. No inverno daquele ano e no início da primavera de 1891, li nos jornais que ele fora contratado pelo governo francês para investigar um assunto de suprema importância e recebi dois bilhetes dele, um de Narbonne e outro de Nîmes, dos quais depreendi que sua estada na França seria longa. Foi com certa surpresa, portanto, que eu o vi entrar no meu consultório na noite de 24 de abril. Pareceu-me mais pálido e magro que de costume.

— Sim, tenho trabalhado demais — comentou, mais em resposta ao meu olhar que às minhas palavras. — Tenho sido um tanto pressionado nos últimos tempos. Importa-se que eu feche as venezianas?

A única luz da sala provinha da lâmpada na mesa, junto à qual eu estava lendo. Holmes, andando devagar junto à parede, fechou as venezianas com um gesto brusco e trancou-a com a barra.

— Está com medo de alguma coisa? — perguntei.

— Estou, sim.

— De quê?

— Pistolas de ar.

— Meu caro Holmes! O que quer dizer com isso?

— Você me conhece o suficiente, Watson, para saber que não sou em absoluto um homem nervoso. Ao mesmo tempo, é estupidez e não coragem ignorar um perigo que está próximo. Quer me dar um fósforo?

Deu uma profunda tragada no cigarro, como se ficasse grato ao efeito tranquilizador.

— Devo me desculpar pela visita tardia e suplicar que seja suficientemente desprovido de preconceitos para permitir que eu saia daqui a pouco de sua casa saltando o muro dos fundos.

— Mas o que significa tudo isso?

Estendeu a mão e vi à luz da lâmpada que os nós de dois dedos estavam arranhados e sangrando.

— Como vê, não se trata de ninharia — falou, sorrindo. — Pelo contrário, é bastante sólido para quebrar a mão de um homem. A sra. Watson está em casa?

— Está fora, visitando a família.

— Verdade? Então está sozinho?

— Inteiramente.

— Então fica mais fácil propor que passe uma semana comigo no continente.

— Onde?

— Em qualquer lugar. Não faz diferença.

Havia alguma coisa muito estranha naquela história. Holmes não costumava tirar férias sem objetivo, e algo no rosto pálido e abatido me dizia que os nervos dele estavam em extrema tensão. Leu a pergunta nos meus olhos e, juntando as pontas dos dedos e apoiando os cotovelos nos joelhos, explicou a situação.

— É provável que nunca tenha ouvido falar no professor Moriarty.

— Nunca.

— Sim, este é o engenho e a maravilha de toda a história! O homem permeia Londres e ninguém ouviu falar nele. É isso que o coloca no ápice dos registros criminais. Afirmo com toda a seriedade, Watson, que se eu pudesse derrotar esse homem, livrar a sociedade dele, acharia que a minha carreira havia chegado ao auge e estaria disposto a adotar um estilo de vida mais sereno. Cá entre nós, os casos recentes em que fui útil à família real da Escandinávia e à República da França deixaram-me em condições de viver uma vida tranquila, que é mais do meu agrado, concentrando-me em pesquisas químicas. Mas não poderia descansar, Watson, não ficaria sentado tranquilo na minha poltrona se soubesse que um homem como o professor Moriarty anda impunemente pelas ruas de Londres.

— O que ele fez?

— Sua carreira é extraordinária. É um homem bem-nascido e de excelente cultura, dotado pela natureza de um talento matemático excepcional. Com 21 anos escreveu um tratado sobre o Teorema Binário, que fez sucesso na Europa inteira. Com base nisso conquistou a cátedra de matemática numa de nossas universidades menores e, ao que tudo indicava, tinha pela frente uma carreira brilhante. Mas suas tendências hereditárias são do tipo diabólico. Há uma disposição criminosa no sangue que, em vez de se modificar, ficou mais acentuada, tornando-se infinitamente mais perigosa devido à sua extraordinária capacidade mental. Boatos sinistros espalharam-se pela cidade universitária, e ele acabou sendo obrigado a renunciar à cátedra e vir para Londres, onde se estabeleceu como instrutor do Exército. Isso é o que se sabe em geral. Mas o que vou contar agora é o que eu descobri.

"Como você sabe, Watson, ninguém conhece tão bem como eu os altos círculos criminais de Londres. Há anos venho percebendo uma força por trás do criminoso, um grande talento organizador que procura obstruir a ação da Justiça e proteger o malfeitor. Diversas vezes, em casos dos mais variados tipos — falsificação, roubo, homicídio — senti a presença dessa força e percebi sua ação em muitos dos crimes não solucionados em que não fui pessoalmente consultado. Há anos tento rasgar o véu que encobre isso, e enfim consegui encontrar o fio da meada e segui-lo. E ele me conduziu, após mil voltas tortuosas, ao ex-professor Moriarty, a celebridade matemática.

"Ele é o Napoleão do crime, Watson. É o organizador de metade do que há de maligno e de quase tudo que passa despercebido nesta grande cidade. É um gênio, um filósofo, um pensador abstrato. Sua inteligência é excepcional. Fica imóvel como uma aranha no centro da teia, mas a teia tem milhares de ramificações, das quais ele conhece cada tremor. Ele mesmo pouco faz. Apenas planeja. Mas seus agentes são numerosos e organizados com esplendor. Se há um crime a cometer, um documento a roubar, uma casa a ser invadida, um homem a ser liquidado — a informação é transmitida ao professor, e o negócio, organizado e executado. O agente pode ser surpreendido. Nesse caso surge dinheiro para a fiança ou a defesa. Mas o poder central que utiliza o agente nunca é apanhado. Nem sequer se suspeita quem seja. Foi essa a organização que encontrei por dedução, Watson, dedicando toda a minha energia a desmascará-la e dissolvê-la.

"Mas o professor está rodeado de salvaguardas arquitetadas de modo tão hábil que, por mais que eu tentasse, parecia impossível obter provas que o condenassem num tribunal. Conhece meus talentos, meu caro Watson, e no entanto, depois de três meses, fui obrigado a admitir que havia encontrado finalmente um adversário do meu nível intelectual. Meu horror diante dos crimes dele transformou-se na admiração de sua habilidade. Mas enfim ele cometeu um erro — um pequeno erro — que foi demais para ele, porque eu estava bem próximo, no seu encalço. Surgiu a oportunidade e, a partir desse ponto, teci minha rede em volta dele, e agora está tudo pronto para fechá-la. Dentro de três dias, ou seja, na próxima segunda-feira, o caso estará no ponto, e o professor, com todos os principais integrantes da gangue dele, cairá nas mãos da polícia. Haverá então o maior julgamento criminal do século, o esclarecimento de mais de quarenta mistérios, e forca para todos. Mas se agirmos antes da hora, eles podem escapulir de nossas mãos no último instante.

"Se eu pudesse ter feito isso sem que o professor Moriarty soubesse, tudo correria bem. Mas ele era esperto demais para isso. Percebeu todas as minhas ações para lançar a rede à sua volta. Tentou escapulir várias vezes, mas eu o impedi. Se uma narrativa detalhada dessa luta silenciosa fosse escrita, estaria entre os duelos mais brilhantes da história policial. Nunca cheguei antes a esse ponto e nunca fui tão pressionado pelo adversário. Ele deu golpes fundos, mas consegui solapá-lo. Esta manhã tomei as últimas providências e faltam apenas três dias para terminar o caso. Estava sentado em meu quarto, refletindo sobre o assunto, quando a porta se abriu e o professor Moriarty surgiu na minha frente.

"Meus nervos são firmes, Watson, mas confesso que estremeci ao ver o próprio homem que estivera tão presente nos meus pensamentos ali, na soleira da minha porta. Sua aparência era bastante familiar. Muito alto e magro, a testa forma uma curva branca e os olhos são profundamente engastados no rosto escanhoado. Pálido e de expressão ascética, conserva nos traços alguma coisa do professor. Os ombros são curvados em consequência de muito estudo e a cabeça inclina-se para a frente, sempre oscilando de um lado para outro, como um réptil. Ficou me observando com grande curiosidade nos olhos de pálpebras franzidas.

"'Você tem menos desenvolvimento frontal do que eu esperava', ele disse então. 'É um hábito perigoso levar armas de fogo carregadas no bolso do roupão.'

"O fato é que, mal ele entrou, percebi o imenso perigo que eu corria. Para ele, a única fuga possível seria silenciar-me. Num instante eu havia passado o revólver da gaveta para o bolso, apontando para ele sob o roupão. Ao ouvir a observação, tirei a arma e coloquei-a na mesa. Ele continuou a sorrir e a piscar, mas algo em seus olhos deixou-me satisfeito por ter a arma à mão.

"'É evidente que não me conhece', disse ele.

"'Pelo contrário, é evidente que o conheço', repliquei. 'Sente-se, por favor. Posso ceder-lhe cinco minutos, se tiver algo a dizer.'

"'Tudo o que tenho a dizer já passou pela sua mente.'

"'Então é provável que minha resposta tenha passado pela sua', repliquei.

"'E insiste?'

"'Sem dúvida alguma.'

"Enfiou a mão no bolso, e eu peguei a pistola que estava na mesa, mas ele se limitou a tirar uma caderneta na qual havia rabiscado algumas datas.

"'Atravessou o meu caminho no dia 4 de janeiro', ele disse. 'No dia 23 aborreceu-me; em meados de fevereiro fui seriamente perturbado; no final de março, meus planos foram completamente prejudicados; e agora, no final de abril, por causa de sua perseguição permanente, corro o risco de perder a liberdade. A situação está se tornando insuportável.'

"'Tem alguma sugestão a fazer?', perguntei.

"'Precisa desistir, sr. Holmes', disse, balançando a cabeça. 'Precisa mesmo.'

"'Depois da segunda-feira', falei.

"'Ora, ora! Estou certo de que um homem com a sua inteligência sabe que só há uma saída nesse caso. Precisa recuar. Agiu de forma tal que só nos resta um recurso. Foi um verdadeiro prazer intelectual ver a maneira como lidou com este caso, e digo com sinceridade que lamentaria ser obrigado a tomar uma medida extrema. Está sorrindo, mas asseguro-lhe que ela seria tomada.'

"'O perigo faz parte do meu trabalho', observei.

"'Não se trata de perigo. É destruição inevitável. Está no caminho não só dc um indivíduo, mas também de uma organização poderosa, cuja extensão total, apesar de toda a sua inteligência, ainda não conseguiu perceber. Terá de se afastar, sr. Holmes, ou será pisoteado.'

"'O prazer desta conversa está fazendo com que eu me descuide de um trabalho importante que me espera em outro lugar', disse, levantando-me.

"Ele também se levantou e me fitou em silêncio, meneando tristemente a cabeça.

"'Bem, é uma pena, mas fiz o que pude', disse por fim. 'Conheço todos os lances do seu jogo. Não pode agir antes da segunda-feira. Foi um duelo entre nós dois, sr. Holmes. Espera levar-me aos tribunais. Afirmo que nunca sentarei no banco dos réus. Espera me derrotar. Afirmo que isso jamais acontecerá. Se é bastante inteligente para me destruir, pode estar certo de que farei o mesmo em relação ao senhor.'

"'Elogiou-me de várias maneiras, sr. Moriarty', repliquei. 'Permita que eu retribua dizendo que se estivesse certo da primeira eventualidade, aceitaria com alegria a última, no interesse público.'

"'Prometo uma, não a outra', replicou, ameaçador e, voltando-me as costas encurvadas, saiu piscando da sala.

"Esta foi a minha estranha entrevista com o professor Moriarty. Confesso que me deixou uma impressão desagradável. A maneira de falar, precisa e suave, transmite uma sinceridade que um simples fanfarrão não conseguiria. Você dirá, é claro: 'Por que não recorre à polícia?'. O motivo é que eu estou convencido de que o golpe será dado por seus agentes. Tenho todas as provas nesse sentido."

— Já foi agredido?

— Meu caro Watson, o professor Moriarty não é homem que deixe a grama crescer sob os pés. Saí ao meio-dia para cuidar de um negócio em Oxford Street. Quando passei pela esquina da Bentinck Street com a Welbeck Street, um veículo puxado por dois cavalos que corriam com fúria passou por mim como um raio. Saltei para a calçada, escapando por uma fração de segundo. O veículo veio de Marylebone Lane e desapareceu num instante. Depois disso fui andando pela calçada, Watson, mas quando passava pela Vere Street, um tijolo caiu do telhado de uma casa, despedaçando-se aos meus pés. Chamei a polícia e mandei examinar o local. Havia telhas e tijolos empilhados no telhado, destinados a algum conserto, e queriam que eu acreditasse que o vento atirara o tijolo na rua. Eu sabia que não era isso, claro, mas não podia prová-lo. Tomei um cabriolé e consegui chegar ao apartamento de meu irmão, em Pall Mall, onde passei o dia. Depois vim para a sua casa e no caminho fui atacado por um vagabundo armado de um bastão. Consegui dominá-lo e a polícia o prendeu, mas afirmo com a mais absoluta certeza que não descobrirão jamais qualquer ligação entre o cavalheiro em cujos dentes incisivos eu feri os nós dos dedos e o professor de matemática aposentado, que deve estar resolvendo problemas a uns quinze quilômetros daqui. Não se surpreenderá agora, Watson, com o fato de eu ter fechado as venezianas logo que entrei na sala e ter pedido permissão para sair desta casa por um lugar menos visível do que a porta da frente.

Eu sempre admirara a coragem do meu amigo, mas nunca tanto quanto naquele instante em que ele contava com serenidade uma sequência de incidentes que resultavam num dia de horror.

— Quer passar a noite aqui? — perguntei.

— Não, meu amigo. Você me acharia um hóspede perigoso. Tenho meus planos e tudo correrá bem. O caso foi tão longe que eles podem agir sem a minha ajuda para prendê-lo, embora a minha presença seja necessária para condená-lo. É óbvio, portanto, que o melhor a fazer é me ausentar nos dias que restam para a polícia agir. Seria um grande prazer se você fosse comigo ao continente.

— Minha clientela está tranquila e tenho um vizinho prestativo. Gostaria de ir com você.

— Amanhã de manhã?

— Se for necessário.

— Sim, é muito necessário. Então, estas são as minhas instruções, e suplico, meu caro Watson, que as siga ao pé da letra, pois está jogando comigo um jogo duplo contra o mais inteligente dos criminosos e o mais poderoso sindicato do crime da Europa. Agora, escute! Você despachará a bagagem que pretende levar por um mensageiro de confiança, esta noite, sem endereço, para a estação de Victoria. De manhã mande chamar um cabriolé. Que seu criado não pegue nem o primeiro nem o segundo que apareçam. Entre no carro e siga para o Strand, no extremo da Lowther Arcade, dando o endereço ao cocheiro escrito num papel, com o pedido de que ele não o jogue fora. Fique com o dinheiro da corrida na mão e no instante em que o veículo parar, atravesse correndo a Arcade, de modo a chegar ao outro extremo às 9h15. Encontrará uma pequena berlinda à espera junto ao meio-fio, conduzida por um sujeito com uma capa preta e a gola forrada de vermelho. Entre no veículo e chegará a Victoria a tempo de pegar o expresso Continental.

— Onde o encontrarei?

— Na estação. O segundo carro da primeira classe está reservado para nós.

— O carro é o nosso ponto de encontro, então?

— É.

Foi inútil pedir a Holmes que passasse a noite na minha casa. Era evidente que temia trazer problemas para quem o hospedasse, e por isso saiu logo. Com algumas palavras apressadas a respeito dos nossos planos para o dia seguinte, levantou-se. Acompanhei-o até o jardim. Ele pulou o muro que dava para a Mortimer Street e, assobiando no mesmo momento para chamar um cabriolé, ouvi que se afastava.

De manhã segui ao pé da letra as instruções de Holmes. O cabriolé foi escolhido com tantas precauções que não poderia ter sido colocado ali para nós. Logo após o café fui para a Lowther Arcade, que atravessei a toda a velocidade. Uma carruagem estava à espera, dirigida por um cocheiro robusto envolto numa capa preta. No instante em que entrei, ele chicoteou o cavalo e saiu em disparada para a estação de Victoria. Quando desci, ele manobrou a carruagem e partiu sem olhar na minha direção.

Até então tudo havia corrido com perfeição. A bagagem estava à minha espera e não tive dificuldade em descobrir o vagão indicado por Holmes, tanto mais que era o único do trem com a placa de "Reservado". Meu único motivo de ansiedade era o fato de Holmes não ter aparecido. O relógio da estação mostrava que faltavam apenas sete minutos para a hora da partida. Procurei inutilmente entre os grupos de viajantes e as pessoas que deles se despediam o vulto esguio do meu amigo. Não vi sinal dele. Passei alguns minutos ajudando um venerável padre italiano, que tentava em mau inglês fazer o carregador compreender que a bagagem devia ser remetida para Paris. Depois, olhando em torno mais uma vez, voltei ao vagão, onde descobri que o carregador, apesar do aviso, havia me dado o padre italiano como companheiro de viagem. Expliquei que sua presença era uma intromissão, mas inutilmente, pois meu italiano era ainda mais limitado que o inglês dele, de modo que encolhi os ombros, resignado, e continuei a olhar pela janela, à espera do meu amigo. Tive um arrepio de medo quando pensei que sua ausência poderia significar um golpe ocorrido durante a noite. As portas já estavam fechadas e o apito soou quando...

— Meu caro Watson, você nem sequer se dignou desejar-me bom-dia — disse uma voz.

Virei-me, num espanto incontrolável. O idoso clérigo voltou o rosto para mim. No mesmo instante as rugas desapareceram, o nariz se afastou do queixo, o lábio inferior recolheu-se, a boca deixou de murmurar, os olhos baços recuperaram o brilho, a silhueta encurvada endireitou-se. Logo em seguida, toda a estrutura desabou mais uma vez, e Holmes desapareceu tão depressa quanto havia aparecido.

— Meu Deus! — exclamei. — Você me assustou.

— Todas as precauções são necessárias — murmurou. — Tenho motivos para acreditar que estão na minha pista. Ah, lá vem o próprio Moriarty.

O trem já tinha começado a se mover. Olhando para trás, vi um homem alto abrindo caminho, furioso, entre a multidão, agitando a mão como se quisesse fazer parar o trem. Tarde demais, pois ganhávamos velocidade rapidamente e logo depois saíamos da estação.

— Apesar de todas as precauções, escapamos por pouco, você vê — disse Holmes, rindo.

Levantou-se e, despindo a batina preta e o chapéu que faziam parte do disfarce, guardou-os numa valise.

— Leu o jornal da manhã, Watson?

— Não.

— Então não soube do que aconteceu na Baker Street?

— Baker Street?

— Atearam fogo ao nosso apartamento ontem à noite. Não houve grande prejuízo.

— Meu Deus, Holmes! Isso é intolerável!

— Devem ter perdido a minha pista por completo depois que prenderam o meu agressor, do contrário não imaginariam que eu voltaria para casa. Mas tomaram a precaução de vigiar você, e foi isso que trouxe Moriarty à estação de Victoria. Teria cometido algum deslize na vinda?

— Fiz exatamente o que você sugeriu.

— Encontrou a carruagem?

— Encontrei. Estava esperando.

— Reconheceu o cocheiro?

— Não.

— Era o meu irmão, Mycroft. Em casos desse tipo é uma vantagem circular sem a ajuda de um mercenário. Mas precisamos planejar agora o que faremos com Moriarty.

— Este trem é expresso e, como faz conexão com o vapor, creio que nos livramos completamente dele.

— Meu caro Watson, é evidente que não percebeu o que eu queria dizer quando afirmei que esse homem é meu equivalente intelectual. Acha que se fosse eu o perseguidor me deixaria dissuadir por um obstáculo tão insignificante? Por que o menospreza a tal ponto?

— O que ele fará?

— O que eu faria.

— O que você faria, então?

— Tomaria um trem especial.

— Mas deve ser tarde.

— De modo algum. Este trem para em Canterbury e é preciso esperar pelo menos um quarto de hora pelo vapor. Ele nos alcançará ali.

— Até parece que somos nós os criminosos. Vamos mandar prendê-lo assim que chegarmos.

— Seria arruinar o trabalho de três meses. Pegaríamos o peixão, mas os peixinhos escapariam por todas as malhas da rede. Na segunda-feira pegaremos todos. Não, prendê-lo é inadmissível.

— Então, o que faremos?

— Saltaremos em Canterbury.

— E depois?

— Depois seguiremos até Newhaven e de lá para Dieppe. Moriarty fará uma vez mais o que eu faria. Seguirá para Paris, descobrirá a nossa bagagem e aguardará dois dias no depósito. Enquanto isso, compraremos duas malas de pano, incentivaremos os fabricantes dos países pelos quais viajarmos, e seguiremos com tranquilidade para a Suíça, via Luxemburgo e Basileia.

Sou um viajante muito experimentado para me importar com a perda de bagagem, mas confesso que me aborreci com a ideia de ser obrigado a fazer desvios e a me esconder de um homem cuja ficha possuía incontáveis infâmias. Mas era evidente que Holmes entendia a situação com mais clareza que eu. Portanto saltamos em Canterbury, descobrindo que precisaríamos esperar uma hora pelo trem para Newhaven.

Eu ainda olhava com melancolia o trem que desaparecia rápido com a minha bagagem quando Holmes puxou-me pela manga e apontou para a linha.

— Já está chegando, vê?

Ao longe, entre as florestas de Kent, erguia-se uma fina coluna de fumaça. Um minuto depois avistamos um vagão e a locomotiva voando pela curva ampla que terminava na estação. Mal tivemos tempo para nos esconder atrás de uma pilha de bagagens quando o trem passou ruidoso, lançando um jorro de ar quente no nosso rosto.

— Lá vai ele — disse Holmes, enquanto observávamos o vagão oscilando sobre os dormentes. — Há limites para a inteligência do nosso amigo, como vê. Seria um golpe de mestre se ele tivesse deduzido o que eu deduzi e agido de acordo.

— E o que ele teria feito se nos alcançasse?

— Não há a menor dúvida de que me mataria. Contudo, o jogo é para duas pessoas. A questão agora é saber se devemos fazer um almoço antecipado aqui ou correr o risco de morrer de fome antes de chegarmos ao buffet de Newhaven.

Viajamos para Bruxelas naquela noite e passamos dois dias na cidade, seguindo no terceiro dia para Estrasburgo. Na manhã de segunda-feira Holmes telegrafou para a polícia de Londres e à noite encontramos a resposta à nossa espera no hotel. Ele rasgou o envelope e, como uma praga, atirou o telegrama na lareira.

— Eu devia ter adivinhado! — gemeu. — Ele escapou!

— Moriarty?

— Prenderam toda a gangue, menos ele. Escapuliu. É claro que quando saí do país, não sobrou ninguém capaz de enfrentá-lo. Mas pensei que havia colocado toda a jogada nas mãos deles. Acho que é melhor você voltar para a Inglaterra, Watson.

— Por quê?

— Porque de agora em diante serei uma companhia perigosa. Aquele homem não tem mais o que fazer. E está perdido se voltar a Londres. Se conheço bem o temperamento dele, vai concentrar todas as energias em se vingar de mim. Foi o que disse em nossa rápida conversa e acho que falava sério. Volte para a sua clientela, é o que recomendo.

Não era uma sugestão atraente para um velho lutador e também um velho amigo. Sentados na sala de jantar em Estrasburgo, discutimos a questão durante meia hora, mas na mesma noite continuamos a viagem, seguindo para Genebra.

Durante uma semana muito agradável passeamos pelo vale do Ródano. Depois, mudando de direção em Leuk, seguimos para o Passo Gemmi, ainda coberto de neve, e dali, atravessando Interlaken, chegamos a Meiringen. Foi uma viagem encantadora. Embaixo, o verde frágil da primavera e, no alto, o branco virgem do inverno; mas eu sabia que nem por um instante Holmes esquecia a sombra que o ameaçava. Nas acolhedoras aldeias alpinas ou nos solitários passos das montanhas, eu percebia, pelo rápido exame de todas as fisionomias que cruzavam o nosso caminho, que ele estava convencido de uma coisa: por mais que viajássemos, não conseguiríamos nos livrar do perigo que seguia nossos passos.

Certa vez — lembro-me —, quando cruzávamos o Gemmi e caminhávamos às margens do melancólico Daubensee, uma pedra grande se deslocou da encosta à nossa direita, rolou e caiu no lago atrás de nós. No mesmo instante Holmes subiu correndo a encosta e, de pé num ponto elevado, olhou em todas as direções. Em vão, nosso guia assegurou-lhe que a queda de uma pedra era um fato corriqueiro na primavera, naquele ponto. Ele não disse nada, mas sorriu para mim com o ar de quem vê a realização daquilo que esperava.

Mas, mesmo conservando-se alerta, nunca se mostrou deprimido. Pelo contrário, não me lembro de tê-lo visto tão exuberante. Aludia repetidas vezes ao fato de que, se pudesse ter certeza de que a sociedade se livraria do professor Moriarty, ele encerraria com alegria a sua carreira.

— Chegaria a dizer, Watson, que não vivi de todo em vão — observou. — Se meus registros fossem encerrados esta noite, eu olharia o fato com serenidade. O ar de Londres é mais suave por causa de minha presença. Em mais de mil casos, creio que não usei meus talentos nem uma só vez do lado errado. Nos últimos tempos tenho sido tentado a estudar os problemas da natureza, e não os mais superficiais, produtos de nossa sociedade artificial.

Suas memórias estarão encerradas, Watson, no dia em que eu coroar a minha carreira com a captura ou a eliminação do mais perigoso e inteligente criminoso da Europa.

Serei breve, mas exato, no pouco que me resta contar. Não é um assunto em que me demore de boa vontade, mas sei que tenho o dever de não omitir nenhum detalhe.

Foi no dia 3 de maio que chegamos à aldeia de Meiringen, onde nos hospedamos no Englisher Hof, então administrado por Peter Steiler, pai. Nosso anfitrião era um homem inteligente e falava um inglês excelente, pois trabalhara durante três anos como garçom no Grosvenor Hotel de Londres. Seguindo o seu conselho, saímos juntos na tarde do dia 4, com a intenção de transpor as colinas e passar a noite na aldeia de Rosenlaui. Recebemos recomendações insistentes para não ultrapassarmos de modo algum as quedas de Reichenbach, que ficam no meio da subida da montanha, sem fazer um pequeno desvio para admirá-las.

Na verdade, é um lugar assustador. A torrente, aumentada pela neve derretida, mergulha num tremendo abismo, de onde a espuma jorra como fumaça de uma casa em chamas. A garganta onde o rio se projeta é uma brecha profunda, cercada de rochedos brilhantes, pretos como carvão, que vai se estreitando até formar um poço fervilhante de profundidade incalculável. O poço transborda e lança a torrente para diante por cima da borda irregular. O longo jato de água verde que desce ruidosamente sem cessar e a espessa cortina de espuma saltando eternamente para o alto deixam as pessoas tontas com o constante rodopio e clamor. De pé junto à borda, observamos as cintilações da água caindo lá embaixo, sobre as pedras pretas, e ouvimos o grito meio humano que subia do abismo junto com a espuma.

A trilha contorna uma parte da queda para permitir a visão completa, mas termina bruscamente, e o viajante é obrigado a voltar por onde veio. Tínhamos começado o caminho de volta quando avistamos um rapazinho suíço que se aproximava correndo com uma carta na mão. O papel trazia o timbre do hotel que acabávamos de deixar e era dirigida a mim pelo hoteleiro. Minutos depois de sairmos, chegara uma senhora inglesa nos últimos estágios da tuberculose; passara o inverno em Davos Platz e viajava para se encontrar com amigos em Lucerna quando sofrera uma súbita hemorragia. Achavam que só viveria algumas horas, mas seria um grande consolo para ela ver um médico inglês, e se eu pudesse voltar etc. etc... O bom Steiler afirmou num *postscriptum* que ele próprio consideraria um grande favor pessoal, já que a senhora se recusava terminantemente a consultar um médico suíço e ele sentia que tinha grande responsabilidade no caso.

O apelo era do tipo que eu não podia ignorar. Impossível recusar o pedido de uma compatriota que morria em terra estrangeira. Contudo, tive escrúpulos em abandonar Holmes. Combinamos, por fim, que ele ficaria com o jovem mensageiro suíço como guia e companheiro até que eu voltasse de Meiringen. Meu amigo ficaria algum tempo na catarata e depois seguiria devagar pela montanha na direção de Rosenlaui, onde eu me encontraria com ele à noite. Quando me virei, vi Holmes, encostado numa pedra e com os braços cruzados, olhando a torrente. Esta deveria ser a última vez que o veria neste mundo.

Quando eu estava perto do fim da descida, olhei para trás. Era impossível, daquele ponto, ver a queda, mas avistei a trilha em curva que contorna a montanha e chega até ela. Um homem caminhava com rapidez pela trilha, lembro-me bem. Vi a silhueta escura nitidamente desenhada contra o fundo verde. Reparei nele e na energia com que caminhava, mas sumiu da minha mente quando apressei o passo para voltar ao hotel.

Talvez tenha levado pouco mais de uma hora para chegar a Meiringen. O velho Steiler estava na entrada do hotel.

— Espero que ela não tenha piorado — disse, aproximando-me depressa.

Uma expressão de surpresa surgiu no rosto dele, e ao primeiro tremor de suas sobrancelhas, meu coração pesou como chumbo.

— Não escreveu isto? — perguntei, tirando a carta do bolso. Não há nenhuma inglesa doente no hotel?

— Claro que não! — exclamou. — Mas o papel tem o cabeçalho do hotel! Ah, deve ter sido escrita por aquele inglês alto que chegou depois que vocês saíram. Ele disse...

Mas não esperei as explicações do hoteleiro. Apavorado, eu já corria pela rua da aldeia em direção à trilha que acabara de descer. Levara uma hora para voltar. Apesar de todos os meus esforços, duas se passaram até que eu chegasse de novo à catarata de Reichenbach. Vi o bastão de Holmes ainda apoiado à rocha onde o tinha deixado, mas não havia sinal dele. Gritei de modo inútil. A única resposta foi o eco de minha voz reverberando pelas montanhas.

Foi a visão do bastão que me deixou gelado e tonto. Ele não tinha seguido para Rosenlaui. Permanecera naquela trilha de um metro, com a parede a pique de um lado e o abismo de outro, até que o inimigo o alcançasse. O jovem suíço também desaparecera. Estava a soldo de Moriarty, provavelmente, e deixara os dois juntos. O que teria acontecido, então? Quem iria contar o que aconteceu?

Fiquei ali um ou dois minutos procurando controlar-me, pois estava dominado pelo horror. Lembrei-me então dos métodos do próprio Holmes e tentei usá-los para reconstituir a tragédia. Era bem fácil, infelizmente! Durante a nossa conversa não tínhamos ido até o final da trilha, e o bastão marcava o ponto onde havíamos parado. O solo, de cor preta, fica sempre macio por causa do jorro incessante de espuma e até um pássaro deixaria ali a marca. Dois pares de pegadas estavam impressos com nitidez na trilha, afastando-se de onde eu me encontrava. Nenhum voltava. A alguns metros do final, o solo estava enlameado e pisoteado, os arbustos e plantas que ladeavam o abismo, quebrados e cobertos de lama. Deitei-me de bruços e espiei para baixo, com a espuma jorrando à minha volta. Havia escurecido, e eu via apenas, aqui e ali, a cintilação da umidade nas paredes pretas, e ao longe, nas profundezas da garganta, o brilho da água em torvelinho. Gritei, mas apenas o grito meio humano da queda voltou aos meus ouvidos.

Mas queria o destino que, afinal, eu recebesse uma última palavra do meu amigo e camarada. Eu disse que o bastão estava encostado no rochedo que se projetava para a trilha. No alto desse rochedo, o brilho de alguma coisa chamou minha atenção e, erguendo a mão, encontrei a cigarreira de prata que ele costumava levar no bolso. Quando a peguei, um papel que estava embaixo voou e caiu no chão. Ao desdobrá-lo, vi que eram três páginas rasgadas do caderninho de notas e endereçadas a mim. Era característico de Holmes que o endereço fosse nítido, a caligrafia clara e firme como se ele estivesse escrevendo em seu escritório.

Meu caro Watson,

Escrevo estas poucas linhas por cortesia do sr. Moriarty, que me aguarda para a discussão final das questões que nos separam. Ele me fez um resumo dos métodos pelos quais evitou a polícia inglesa e se manteve informado a respeito dos nossos movimentos. Isso confirma, sem dúvida, o elevado conceito que tenho dos seus talentos. É um prazer pensar que conseguirei livrar a sociedade dos efeitos da sua presença, embora tema que seja a um preço capaz de causar sofrimento aos amigos e especialmente a você, meu caro Watson. Mas já lhe expliquei que minha carreira havia chegado a um ponto crítico e nenhuma forma de conclusão me seria mais agradável do que esta. Na verdade, se me permite uma confissão completa, eu tinha certeza de que a carta de Meiringen era falsa e deixei que você partisse convencido de que algo semelhante aconteceria. Diga ao inspetor Patterson que os documentos de que ele precisa para condenar a gangue estão no escaninho M, num envelope azul, com a inscrição "Moriarty". Tomei todas as providências relativas aos meus bens antes de sair da Inglaterra e as confiei ao meu irmão Mycroft. Meus cumprimentos à sra. Watson, e creia que permaneço, meu caro amigo

Seu, sinceramente,
Sherlock Holmes

Poucas palavras serão suficientes para contar o que falta. Uma investigação realizada por especialistas deixou poucas dúvidas de que uma luta pessoal entre os dois terminou, como não poderia deixar de ser em tal situação, na queda de ambos, atracados um ao outro, no abismo. Qualquer tentativa de recuperar os corpos seria totalmente inútil e ali, nas profundezas daquele medonho caldeirão de água rodopiante e espuma, ficarão sepultados para sempre o mais perigoso criminoso e o maior defensor da justiça de toda uma geração. O rapaz suíço nunca mais foi encontrado e não há dúvida de que se tratava de um dos numerosos agentes empregados por Moriarty. Quanto à gangue, o público ainda deve recordar que as provas acumuladas por Holmes desbarataram completamente a organização. A mão do morto pesou sobre cada um deles. Do terrível chefe, poucos detalhes vieram à tona durante o processo, e se fui agora obrigado a fazer uma exposição de sua carreira, foi devido aos defensores insensatos que tentaram limpar a sua memória atacando aquele que considerarei para sempre o melhor e o mais sábio dos homens.

O cão dos Baskerville

Dedicatória

Meu caro Robinson, foi seu relato de uma lenda do oeste da Inglaterra que primeiro me sugeriu a ideia desta pequena história. Por isso e pela ajuda que me deu em seu desenvolvimento, obrigado.

Sinceramente seu,
A. Conan Doyle.

1

O sr. Sherlock Holmes

O sr. Sherlock Holmes, que costumava se levantar muito tarde, a não ser nas raras ocasiões em que passava a noite toda acordado, estava sentado à mesa do café. De pé diante da lareira, eu apanhei a bengala que o nosso visitante esquecera na noite anterior. Era um belo pedaço de madeira grossa, de castão redondo, do tipo conhecido como *"Penang lawyer"**. Logo abaixo do castão havia um anel de prata com quase 2,5 centímetros de largura. "A James Mortimer, M.R.C.S.**, dos seus amigos do C.C.H.", estava gravado nele, com a data "1884". Era exatamente o tipo de bengala que o antiquado médico de família costumava usar — majestosa, resistente e que inspirava confiança.

— Bem, Watson, o que acha dela?

Holmes estava sentado de costas para mim, e eu não dera a ele nenhuma indicação do que fazia no momento.

— Como você soube o que eu estava fazendo? Acho que você tem olhos atrás da cabeça.

---

* Tipo de palmeira da Malásia. [N.T.]

** Sigla em inglês para membros do Real Colégio de Cirurgiões. [N.T.]

— Tenho, pelo menos, um bule de café bem polido folheado de prata diante de mim — disse ele. — Mas, fale, Watson, o que você deduz da bengala do nosso visitante? Já que, infelizmente, não o encontramos aqui, e como não temos nenhuma ideia do que desejava, este souvenir acidental passa a ser importante. Deixe-me ouvir sua descrição do homem por meio de um exame da bengala.

— Acho que o dr. Mortimer é um médico idoso, bem-sucedido e muito estimado, já que aqueles que o conhecem deram-lhe este testemunho de sua estima — disse eu, seguindo até onde podia os métodos do meu amigo.

— Ótimo! — disse Holmes. — Excelente!

— Acho também que é grande a probabilidade de ele ser um médico rural que faz grande parte das visitas a pé.

— Por que acha isso?

— Porque esta bengala, embora originalmente muito bonita, tem sido tão maltratada que é difícil imaginar um médico da cidade usando-a. A grossa ponteira de ferro está gasta; portanto, é evidente que ele tem caminhado muito com ela.

— Perfeitamente lógico! — disse Holmes.

— E ainda há os "amigos do C.C.H.". Imaginaria isso como sendo Alguma Coisa de Caça, o grupo de caçadores locais cujos membros possivelmente receberam dele alguma assistência cirúrgica e que, em retribuição, lhe tenham dado um pequeno presente.

— De fato, Watson, você está se superando — disse Holmes, empurrando a cadeira para trás e acendendo um cigarro. — Sinto-me obrigado a dizer que, em todas as histórias que teve a bondade de escrever a respeito das minhas pequenas proezas, você costuma subestimar a sua própria capacidade. Talvez você mesmo não seja luminoso, mas você é um condutor da luz. Algumas pessoas, mesmo não dotadas de genialidade, têm um poder notável de estimulá-la. Confesso, meu caro amigo, que lhe devo muito.

Ele nunca havia falado tanto sobre isso antes, e devo admitir que suas palavras me deram um intenso prazer, porque muitas vezes eu ficara magoado com a indiferença pela minha admiração e pelas tentativas que fizera para dar publicidade aos seus métodos. Fiquei orgulhoso também ao pensar que havia dominado tanto o seu sistema a ponto de aplicá-lo de forma a obter sua aprovação. Ele tomou a bengala de minhas mãos e examinou-a por alguns minutos. Depois, com uma expressão de interesse, largou o cigarro, levou a bengala até a janela e examinou uma vez mais com uma lente convexa.

— Interessante, embora elementar — disse ele ao voltar para o canto favorito do sofá. — Há decerto uma ou duas indicações na bengala. Elas nos dão a base para várias deduções.

— Alguma coisa me escapou? — perguntei com alguma presunção. — Espero não ter deixado de perceber nada importante.

— Receio, meu caro Watson, que a maioria das suas conclusões esteja errada. Quando eu disse que você me estimulava, eu quis dizer, para ser franco, que, ao notar os seus enganos, algumas vezes fui conduzido na direção da verdade. Não que você esteja inteiramente errado neste caso. O homem é sem dúvida um médico do campo. E anda um bocado.

— Então eu estava certo.

— Até esse ponto.

— Mas isso era tudo.

— Não, não, meu caro Watson, não tudo, de modo algum tudo. Eu sugeriria, por exemplo, que é mais provável que um presente a um médico seja dado por um hospital do que por um grupo de caçadores e que, quando as iniciais "C.C." são colocadas antes desse hospital, as palavras "Charing Cross" surgem de forma natural.

— Talvez você tenha razão.

— A probabilidade está nessa direção. E, se considerarmos isso uma hipótese de trabalho, temos uma nova base a partir da qual podemos começar a reconstituição do nosso visitante desconhecido.

— Bem, então, supondo que "C.C.H." signifique "Charing Cross Hospital", que outras deduções podemos fazer?

— Não há nenhuma óbvia? Você conhece os meus métodos. Aplique-os!

— Só posso pensar na conclusão óbvia de que o homem clinicou na cidade antes de ir para o campo.

— Acho que podemos nos aventurar um pouco além disto. Considere a coisa assim. Em que ocasião seria mais provável que este presente fosse dado? Quando os amigos se reuniriam para demonstrar-lhe a sua estima? Obviamente no momento em que o dr. Mortimer retirou-se do serviço do hospital para começar a clinicar por conta própria. Sabemos que houve um presente. Achamos que houve uma mudança de um hospital da cidade para uma clínica no campo. Neste caso, estaríamos indo longe demais na nossa dedução se disséssemos que o presente foi por ocasião da mudança?

— Isso com certeza parece provável.

— Agora, você observará que ele não podia fazer parte da *equipe* do hospital, já que só um homem bem estabelecido numa clínica londrina poderia ter uma posição dessas, e um homem assim não iria se meter no campo. O que ele era, então? Se ele estava no hospital e apesar disso não fazia parte da equipe, só podia ser o cirurgião residente ou o médico residente, pouco mais que um estudante do último ano. E ele saiu há cinco anos, a data está na bengala. Portanto, o seu médico de família, sério, de meia-idade, evaporou-se, meu caro Watson, e surge um sujeito jovem, com menos de trinta anos, amável, sem ambição, distraído, e dono de um cão de estimação, que eu descreveria, de modo aproximado, como sendo maior do que um terrier e menor do que um mastim.

Ri com incredulidade quando Sherlock Holmes recostou-se no sofá e soltou anéis trêmulos de fumaça em direção ao teto.

— Quanto à última parte, não tenho nenhum meio de conferir, mas pelo menos não é difícil descobrir alguns detalhes sobre a idade e a carreira profissional do homem — disse ele. — Da minha pequena prateleira de livros de Medicina tirei o catálogo dos médicos e procurei o nome. Havia vários Mortimers, mas só um podia ser o nosso visitante. Li em voz alta o seu registro.

> *Mortimer, James, M.R.C.S., 1882, Grimpem Dartmoor, Devon. Cirurgião residente, de 1882 até 1884, do Hospital Charing Cross. Vencedor do Prêmio Jackson de Patologia Comparada, com o ensaio intitulado "A doença é uma reversão?". Membro correspondente da Sociedade Sueca de Patologia, autor de "Algumas anomalias do atavismo"* (Lancet, *1882*) *e "Progredimos?"* (Journal of Psychology, *março de 1883*). *Médico oficial das paróquias de Grimpen, Thorsley e High Barrow.*

— Nenhuma menção àqueles caçadores locais, Watson, mas um médico rural, como você observou com muita perspicácia — disse Holmes com um sorriso maroto. — Acho que estou razoavelmente justificado em minhas deduções. Quanto aos adjetivos, eu disse, se me lembro bem, amável, sem ambição e distraído. Segundo minha experiência, só um homem amável neste mundo recebe provas de estima, só um homem sem ambição abandona uma carreira em Londres por uma no campo, e só um homem distraído deixa a bengala e não o cartão de visitas após esperar uma hora na sala.

— E o cachorro?

— Tem o hábito de carregar esta bengala atrás do dono. Já que é uma bengala pesada, o cachorro a abocanha com força pelo meio, e as marcas dos dentes são visíveis. A mandíbula do cachorro, como mostra o espaço entre estas marcas, é larga demais, na minha opinião, para um terrier e não suficientemente larga para um mastim. Poderia ser, sim, por Deus, é um spaniel de pelos encaracolados.

Ele havia se levantado e atravessado a sala enquanto falava. Então parou na reentrância da janela. Havia tamanha convicção na voz que ergui os olhos, surpreso.

— Meu caro amigo, como você pode ter tanta certeza disso?

— Pelo simples motivo de que estou vendo o próprio cachorro no degrau da nossa porta, e aí está o toque de campainha do dono. Não saia, Watson, peço-lhe. Ele é seu irmão de profissão, e a sua presença pode ser útil para mim. Agora é o momento dramático do destino, Watson, quando se ouve um passo na escada que está caminhando para dentro da vida da gente, e não se sabe se para o bem ou para o mal. O que o dr. James Mortimer, o homem de ciência, pede a Sherlock Holmes, o especialista em crimes? Entre!

A aparência do nosso visitante foi uma surpresa para mim, já que estava esperando um clínico rural típico. Ele era um homem muito alto e magro, com um nariz comprido como um bico, que se projetava entre dois olhos cinzentos, vivos, muito juntos e faiscando por trás de um par de óculos com aros de ouro. Estava vestido de modo profissional, mas bastante desleixado, porque a sobrecasaca estava suja e as calças, puídas. Embora fosse jovem, as costas compridas já estavam curvadas, e ele caminhava com um impulso da cabeça para a frente e um aspecto geral de atenta benevolência. Quando entrou, os olhos caíram sobre a bengala na mão de Holmes, e ele correu para ela com uma exclamação de alegria.

— Estou tão contente — disse ele. — Eu não tinha certeza se a havia deixado aqui ou no escritório da companhia de navegação. Eu não perderia essa bengala por nada neste mundo.

— Um presente, vejo — disse Holmes.

— Sim, senhor.

— Do Hospital Charing Cross?

— De um ou dois amigos de lá por ocasião do meu casamento.

— Meu Deus, meu Deus, isso é mau! — disse Holmes sacudindo a cabeça.

O dr. Mortimer piscou, um pouco espantado.

— Por que isso foi mau?

— Apenas porque o senhor desorganizou as nossas pequenas deduções. O seu casamento, diz o senhor?

— Sim. Eu me casei, de modo que deixei o hospital e com ele todas as esperanças de uma clínica de consultas. Foi necessário para montar um lar.

— Vamos, vamos, afinal de contas não estamos tão errados — disse Holmes. — E agora, dr. James Mortimer...

— Senhor, cavalheiro, senhor, um humilde M.R.C.S..

— E um homem de mente precisa, é evidente.

— Um diletante da ciência, sr. Holmes, um apanhador de conchas nas praias do grande oceano desconhecido. Presumo que seja ao sr. Sherlock Holmes que eu esteja me dirigindo e não...

— Não, este é o meu amigo dr. Watson.

— Prazer em conhecê-lo, senhor. Ouvi mencionarem o seu nome ligado ao do seu amigo. O senhor me interessa muito, sr. Holmes. Dificilmente eu teria esperado um crânio tão dolicocefálico ou um desenvolvimento supraorbital tão bem marcado. O senhor permitiria que eu passasse o dedo pela sua fissura parietal? Um molde do seu crânio, senhor, até que o original fique disponível, seria um ornamento para qualquer museu antropológico. Não é minha intenção ser grosseiro, mas confesso que cobiço o seu crânio.

Sherlock Holmes indicou uma cadeira ao nosso visitante.

— Percebo que o senhor é um entusiasta da sua linha de pensamento, como sou da minha — disse ele. — Observo pelo seu indicador que o senhor faz os seus próprios cigarros. Não hesite em acender um.

O homem tirou do bolso papel e fumo, e enrolou um no outro com uma habilidade surpreendente. Ele tinha dedos longos e trêmulos tão ágeis e inquietos quanto as antenas de um inseto.

Holmes estava em silêncio, mas os rápidos olhares penetrantes revelaram-me o interesse que ele tinha pelo nosso curioso companheiro.

— Presumo, senhor, que não foi simplesmente com o objetivo de examinar o meu crânio que o senhor me deu a honra de passar por aqui ontem à noite e de novo hoje? — disse ele por fim.

— Não, senhor, embora esteja feliz por ter tido a oportunidade de fazer isso também. Vim procurá-lo, sr. Holmes, porque reconheci que eu mesmo sou um homem pouco prático e porque me defrontei de repente com um problema muito grave e extraordinário. Reconhecendo, como reconheço, que o senhor é o segundo maior especialista da Europa...

— De fato, senhor! Posso saber quem tem a honra de ser o primeiro? — perguntou Holmes com alguma aspereza.

— Para o homem de mente estritamente científica, a obra de monsieur Bertillon deve ter sempre um forte apelo.

— Então não é melhor o senhor consultá-lo?

— Eu disse, senhor, para a mente estritamente científica. Mas, como um homem de negócios práticos, o senhor é reconhecido como único. Espero, senhor, não ter de forma inadvertida...

— Só um pouco — disse Holmes. — Acho, dr. Mortimer, que o senhor agiria de modo sensato se, sem mais delongas, tivesse a bondade de me contar com objetividade qual a natureza exata do problema para o qual pede a minha ajuda.

2

A maldição dos Baskerville

— Tenho no meu bolso um manuscrito — disse o dr. James Mortimer.

— Percebi quando o senhor entrou na sala — disse Holmes.

— É um manuscrito antigo.

— Do início do século XVIII, a menos que seja uma falsificação.

— Como pode dizer isso, senhor?

— O senhor deixou à mostra uns cinco centímetros dele, que eu pude observar durante todo o tempo em que esteve falando. Seria um mau especialista aquele que não conseguisse saber a data de um documento com a precisão aproximada de uma década. Talvez o senhor tenha lido a minha pequena monografia sobre o assunto. Acho que esse é de 1730.

— A data exata é 1742. — O dr. Mortimer tirou-o do bolso de cima. — Este documento de família foi entregue aos meus cuidados por sir Charles Baskerville, cuja morte súbita e trágica há cerca de três meses causou muita agitação em Devonshire. Posso dizer que eu era o amigo, bem como médico assistente. Ele era um homem enérgico, astuto, prático e tão sem imaginação quanto eu. Mas levava este documento muito a sério, e sua mente estava preparada exatamente para esse tipo de fim que acabou tendo.

Holmes estendeu a mão para o manuscrito e o abriu sobre os joelhos.

— Você pode observar, Watson, o uso alternado do *s* longo e curto. Essa é uma das várias indicações que me permitiram determinar a data.

Olhei por cima do seu ombro para o papel amarelo e a escrita desbotada. Em cima estava escrito "Mansão Baskerville", e embaixo, em números grandes rabiscados, "1742".

— Parece que é uma espécie de relato.

— Sim, o relato de uma lenda que corre na família Baskerville.

— Mas acho que o senhor quer me consultar a respeito de alguma coisa mais recente e prática.

— Muito recente. É um assunto muito prático e muito urgente, que precisa ser decidido em 24 horas. Mas o manuscrito é curto e está ligado de forma íntima ao caso. Com sua permissão, vou lê-lo para o senhor.

Holmes recostou-se na cadeira, juntou as pontas dos dedos e fechou os olhos com ar de resignação. O dr. Mortimer aproximou o manuscrito da luz e leu, numa voz alta e desafinada, esta narrativa antiga e curiosa:

Sobre a origem do Cão dos Baskerville houve muitos relatos, mas como eu descendo em linha direta de Hugo Baskerville, e como ouvi a história de meu pai, que também a ouviu dele, eu a registrei acreditando que ela ocorreu do modo como está relatada aqui. E gostaria que vocês acreditassem, meus filhos, que a mesma Justiça que pune o pecado também pode perdoá-lo com benevolência e que nenhuma condenação é tão pesada que não possa ser anulada pela prece e pelo arrependimento. Então aprendam com esta história a não temer os frutos do passado, de modo que as paixões condenáveis, que fizeram nossa família sofrer de maneira tão atroz, não sejam mais uma vez o motivo de nossa desgraça.

Saibam então que na época da Grande Rebelião (cuja história escrita pelo lorde Clavendon merece a atenção de vocês, e eu recomendo sinceramente) esse solar de Baskerville foi dado a Hugo com este sobrenome, e não se pode negar que ele era um homem violento, profano e ímpio. Isso, na verdade, os vizinhos podem ter perdoado, já que santos nunca floresceram nessas regiões, mas havia nele uma tendência cruel e insolente que tornou seu nome conhecido em todo o oeste. Acontece que esse Hugo se apaixonou (se, de fato, uma paixão tão sinistra pode ser chamada por um nome tão luminoso) pela filha de um pequeno proprietário rural que tinha terras perto da propriedade de Baskerville. Mas a jovem, que era discreta e de boa reputação, sempre o evitava, porque temia a má fama do seu nome.

Num Dia de São Miguel (29 de setembro), esse Hugo, com cinco ou seis amigos desocupados e perversos, invadiu a fazenda e levou a jovem, sabendo que o pai e os irmãos dela não estavam em casa. Eles a levaram para a mansão e a instalaram num quarto no segundo andar, enquanto Hugo e os amigos se acomodaram no andar de baixo para uma longa bebedeira, como costumavam fazer todas as noites. Mas a pobre moça, no andar de cima, estava a ponto de enlouquecer com a cantoria, os gritos e as terríveis blasfêmias que vinham do térreo, porque diziam que as palavras usadas por Hugo Baskerville quando estava bêbado eram do tipo que podia atrair a maldição para o homem que as proferia.

Por fim, impelida pelo medo, ela fez uma coisa que poderia ter intimidado o homem mais corajoso e mais ágil, porque, com a ajuda da hera crescida que cobria (e ainda cobre) a parede sul, ela desceu pelo beiral e foi para a casa atravessando o pântano, uma distância de três léguas entre a mansão e a fazenda do pai.

Pouco tempo depois, Hugo deixou os amigos para levar comida e bebida (com outras coisas piores, possivelmente) para sua prisioneira e descobriu que a gaiola estava vazia e que o pássaro fugira. Então, parece que ele ficou como alguém possuído pelo demônio, porque desceu correndo as escadas, entrou na sala de jantar, pulou por cima da grande mesa, fazendo voar canecas e trinchantes, e gritou diante de todo o grupo que naquela mesma noite iria entregar o corpo e a alma às Forças do Mal se conseguisse agarrar a rapariga. E, enquanto os estroinas ficavam horrorizados diante da fúria do homem, um mais perverso, ou talvez mais bêbado que o resto, gritou que eles deveriam pôr os cachorros atrás dela. Ao ouvir isso, Hugo saiu correndo da casa, gritando para os moços da estrebaria que selassem sua égua e soltassem os cães. Dando a eles um lenço de cabeça da moça, Hugo os atiçou, e partiram pelo pântano sob o luar.

Durante algum tempo os companheiros de farras ficaram boquiabertos, sem entender direito o que acontecera tão depressa. Mas logo as mentes confusas despertaram e compreenderam o que estava prestes a ser feito naquele terreno pantanoso. Houve um rebuliço generalizado, alguns apanhando as pistolas, outros procurando os cavalos, e alguns, mais garrafas de vinho. Mas, enfim, recuperando um pouco da razão, todos eles, treze no total, montaram os cavalos e começaram a perseguição.

A lua brilhava no céu, e eles galoparam lado a lado pelo caminho que a moça devia ter seguido se estivesse indo para a própria casa.

Depois de percorrerem dois ou três quilômetros, eles viram um pastor e, aos gritos, perguntaram se ele tinha visto a perseguição. E o homem, segundo a história, ficou tão aterrorizado que mal conseguia falar, mas acabou dizendo que vira a pobre moça, com os cães na pista dela. "Mas eu vi mais do que isso", ele disse, "porque Hugo Baskerville passou por mim na égua preta, e atrás dele vinha correndo um cão do inferno, tão assustador que Deus não permita jamais que uma fera dessas me persiga."

Os fidalgos rurais bêbados amaldiçoaram o pastor e seguiram em frente. Mas logo suas peles gelaram, porque um tropel aproximou-se pelo pântano e a égua preta, coberta de espuma branca, passou por eles com a rédea caída e a sela vazia. Depois os farristas cavalgaram bem juntos, porque estavam apavorados, mas ainda seguiram pelo brejo, embora cada um deles, se estivesse só, ficaria muito satisfeito em virar a cabeça do cavalo para voltar. Cavalgando lentamente, acabaram encontrando os cães. Estes, embora conhecidos pela bravura e pela raça, estavam ganindo, amontoados no alto de uma encosta ou barranco, como o chamamos, no pântano, alguns se afastando de forma furtiva e outros, com os pelos das costas eriçados e os olhos fixos, observaram o estreito vale que se estendia abaixo deles.

O grupo parou, os homens mais sóbrios, como se pode imaginar, do que quando partiram. A maioria deles não avançaria de maneira alguma, mas três, os mais afoitos, ou talvez os mais bêbados, seguiram em frente, descendo o barranco. Este se abria num largo espaço no qual havia duas daquelas grandes pedras que ainda podem ser vistas ali, que foram colocadas por alguns povos esquecidos nos dias de antanho. A lua estava brilhando sobre a clareira, e ali no meio jazia a infeliz moça, onde havia caído, morta de medo e fadiga. Mas não foi a visão do corpo dela nem a do corpo de Hugo Baskerville, que estava perto dela, que arrepiou o cabelo desses três fanfarrões temerários, mas, sim, o fato de que, em cima de Hugo e estraçalhando a sua garganta, estava uma coisa hedionda, uma fera grande e preta com a forma de um cão, porém maior do que qualquer cão que olhos mortais jamais tenham visto. E, enquanto eles olhavam, a coisa arrancou um pedaço da garganta de Hugo Baskerville e, quando ela virou os olhos chamejantes e as mandíbulas gotejantes para eles, os três soltaram gritos de medo e fugiram à rédea solta, ainda gritando, pelo pântano. Dizem que um deles morreu naquela mesma noite em consequência do que tinha visto, e os outros dois não passaram de homens alquebrados pelo resto das vidas.

Essa é a história, meus filhos, do aparecimento do cão que dizem ter perseguido a família tão de modo tão cruel desde então. Se eu a registrei é porque aquilo que se conhece de maneira clara produz menos terror do que aquilo que é apenas insinuado e imaginado. Nem se pode negar que muitas pessoas da família têm tido mortes infelizes, que foram repentinas, sangrentas e misteriosas. Contudo, que nós possamos nos abrigar na bondade infinita da Providência, que não puniria para sempre os inocentes além da terceira ou quarta geração, como ameaça a Sagrada Escritura. A essa Providência, meus filhos, eu os recomendo, e os aconselho a título de cautela, evitar atravessar o pântano naquelas horas sombrias em que as forças do mal estão exaltadas.

(De Hugo Baskerville para os filhos Rodger e John, com instruções para não dizerem nada disso à sua irmã Elizabeth.)

Quando o dr. Mortimer terminou de ler essa narrativa singular, empurrou os óculos para a testa e ficou olhando para Sherlock Holmes. Este bocejou e atirou o cigarro no fogo.

— Bem? — disse ele.

— O senhor não acha isso interessante?

— Para um colecionador de contos de fadas.

O dr. Mortimer tirou do bolso um jornal dobrado.

— Agora, sr. Holmes, daremos ao senhor alguma coisa um pouco mais recente. Este é o *Devon County Chronicle* de 14 de maio deste ano. É um curto relato dos fatos relativos à morte de sir Charles Baskerville, que ocorreu alguns dias antes dessa data.

Meu amigo se inclinou um pouco para a frente e a expressão tornou-se atenta. Nosso visitante recolocou os óculos e começou:

A recente morte súbita de sir Charles Baskerville, cujo nome foi mencionado como o provável candidato liberal do Devon Central nas próximas eleições, lançou uma sombra sobre o condado. Embora sir Charles tenha residido na Mansão Baskerville por um período relativamente curto, o caráter afável e a extrema generosidade conquistaram a afeição e o respeito de todos que tiveram contato com ele. Nesta época de nouveaux riches *é animador encontrar um caso em que o herdeiro de uma antiga família do condado que enfrentou um período ruim seja capaz de fazer a própria fortuna e trazê-la de volta consigo para restaurar a grandeza arruinada da sua estirpe. Sir Charles, como é do conhecimento geral, ganhou grandes somas de dinheiro na especulação sul-africana. Mais prudente do que aqueles que continuam até a roda da fortuna voltar-se contra eles, teve seus lucros e voltou para a Inglaterra com eles. Faz apenas dois anos desde que ele foi morar na Mansão Baskerville, e todo mundo comenta a respeito dos seus grandes planos de reconstrução e melhoramentos que foram interrompidos com a morte. Não tendo filhos, era seu desejo, manifestado abertamente, que toda a região devesse, enquanto ele fosse vivo, se beneficiar de sua boa sorte, e muitos terão motivos pessoais para lamentar o seu fim prematuro. Os donativos generosos para as obras de caridade locais e do condado foram relatados com frequência nestas colunas.*

Não se pode dizer que as circunstâncias relacionadas com a morte de sir Charles tenham sido esclarecidas por completo pelo inquérito, mas pelo menos foi feito o suficiente para afastar os rumores gerados pela superstição local. Não há qualquer motivo para suspeitar de crime ou imaginar que a morte pudesse decorrer senão de causas naturais. Sir Charles era viúvo e um homem do qual se pode dizer que, em certos aspectos, era excêntrico. Apesar da fortuna considerável, tinha gostos pessoais simples, e seus empregados na Mansão Baskerville eram um casal chamado Barrymore, o marido na função de mordomo e a mulher, de governanta. O testemunho deles, confirmado pelo de vários amigos, tende a mostrar que a saúde de sir Charles estava comprometida há algum tempo, indicando especialmente alguma afecção do coração, que se manifestava em mudanças de coloração, falta de ar e crises agudas de depressão nervosa. O dr. James Mortimer, o médico assistente e amigo do falecido, testemunhou o mesmo efeito.

Os fatos do caso são simples. Sir Charles Baskerville todas as noites, antes de se deitar, tinha o hábito de percorrer a famosa Aleia dos Teixos da Mansão Baskerville. O depoimento dos Barrymore mostra que esse era o seu costume. No dia 4 de maio, sir Charles havia anunciado a intenção de partir no dia seguinte para Londres e havia ordenado a Barrymore que preparasse a bagagem. Naquela noite ele saiu, como de hábito, para um passeio durante o qual costumava fumar um charuto. Ele jamais voltou. À meia-noite, Barrymore, encontrando a porta da sala ainda aberta, ficou assustado e, com uma lanterna, saiu à procura do patrão. O dia tinha sido úmido, e as marcas dos pés de sir Charles foram seguidas com facilidade pela aleia. Na metade desse caminho há um portão que dá para o brejo. Havia vestígios de que sir Charles ficara parado ali por algum tempo. Ele então seguiu pela aleia, e foi na extremidade oposta dela que o corpo foi descoberto. Um fato que não foi explicado é a declaração de Barrymore de que as marcas dos pés do patrão se modificaram a partir do momento em que ele passou pelo portão e que, dali em diante, parecia que ele estava andando nas pontas dos pés. Um certo Murphy, um cigano negociante de cavalos, estava não muito distante nessa hora no pântano, mas, segundo a própria confissão, parece que não estava bem devido à bebida. Ele afirma que ouviu gritos, mas é incapaz de dizer de que direção eles vinham. Nenhum sinal de violência foi encontrado no corpo de sir Charles, e embora o depoimento do médico mencionasse uma deformação facial quase inacreditável, tão grande que o dr. Mortimer a princípio recusou-se a acreditar que era o amigo e paciente que jazia diante dele, foi explicado que esse é um sintoma não raro nos casos de dispneia e morte por exaustão cardíaca. Essa explicação foi confirmada pelo exame post mortem, *que revelou uma doença orgânica já antiga, e o júri de instrução apresentou um veredicto de acordo com a prova médica. É bom que assim seja, porque obviamente é da maior importância que o herdeiro de sir Charles se instale na mansão e continue as boas obras que foram interrompidas de forma tão lamentável. Se a descoberta prosaica do magistrado não tivesse posto um fim às histórias românticas que eram cochichadas a respeito do caso, teria sido difícil encontrar um inquilino para a Mansão Baskerville. Sabe-se que o parente mais próximo é sir Henry Baskerville, se ainda estiver vivo, filho do irmão mais moço de sir Charles Baskerville. O jovem, quando se ouviu falar dele pela última vez, estava na América, e estão sendo iniciadas investigações com o objetivo de informá-lo da boa sorte dele.*

O dr. Mortimer dobrou de novo o jornal e o enfiou no bolso.

— Esses são os fatos públicos, sr. Holmes, em relação à morte de sir Charles Baskerville.

— Devo agradecer-lhe por chamar minha atenção para um caso que com certeza apresenta algumas características interessantes — disse Sherlock Holmes. — Vi alguns comentários no jornal na época, mas estava preocupado ao extremo com aquele pequeno caso dos camafeus do Vaticano e, na minha ansiedade de servir ao papa, deixei de acompanhar casos ingleses interessantes. Este artigo, diz o senhor, contém todos os fatos públicos?

— Contém.

— Então vamos ver os particulares.

Ele recostou-se, juntou as pontas dos dedos e assumiu a expressão mais impassível e judiciosa.

— Ao fazer isso, estou contando o que não confiei a ninguém — disse o dr. Mortimer, que havia começado a mostrar sinais de uma emoção forte. — Meu motivo para não revelá-los no inquérito do magistrado é que um homem de ciência evita ficar publicamente na posição que pareça endossar uma superstição popular. Eu tinha ainda um outro motivo: de que a Mansão Baskerville, como diz o jornal, com certeza permaneceria desocupada se fosse feita qualquer coisa para aumentar a reputação já bastante sinistra. Achei que esses dois motivos justificavam minha decisão de contar bem menos do que eu sabia, já que qualquer vantagem prática podia resultar disso, mas com o senhor não tenho motivo algum para não ser franco.

"O pântano tem poucos habitantes, e aqueles que são vizinhos acabam tendo muito contato. Por esse motivo eu via bastante sir Charles Baskerville. Com exceção do sr. Frankland, da Mansão Lafter, e do sr. Stapleton, o naturalista, não há qualquer outro homem instruído num raio de muitos quilômetros. Sir Charles era um homem retraído, mas a doença fez com que nos encontrássemos, e o interesse pela ciência alimentou nossa amizade. Ele havia trazido muitas informações científicas da África do Sul, e passamos juntos muitas noites agradáveis discutindo a anatomia dos bosquímanos e dos hotentotes.

"Nos últimos meses era cada vez mais evidente que o sistema nervoso de sir Charles estava no máximo da tensão. Ele havia levado excessivamente a sério essa lenda que li para os senhores, tanto que, embora caminhasse nos próprios terrenos, nada o induziria a sair para o pântano à noite. Por mais incrível que possa parecer ao senhor, ele estava com sinceridade convencido de que um destino horrível pairava sobre a família, e com certeza os registros que pôde dar a respeito dos ancestrais não eram encorajadores. A ideia de alguma presença horrível o perseguia a todo momento, e em mais de uma ocasião ele me perguntou se em minhas visitas médicas à noite eu tinha visto alguma vez uma criatura estranha ou ouvira o latido de um cão. A última pergunta ele me fez várias vezes, e sempre com uma voz que vibrava de empolgação.

"Lembro-me bem de que fui de carro até sua casa à noite, cerca de três semanas antes do acontecimento fatal. Por acaso ele estava junto à porta da sala. Eu desci da minha charrete, parei diante dele e vi que o olhar passava por cima do meu ombro e se fixava em alguma coisa atrás de mim com a mais medonha expressão de horror. Virei-me com rapidez e tive tempo apenas de vislumbrar alguma coisa que achei que era um grande bezerro preto passando pelo alto da entrada. Ele ficou tão agitado e assustado que acabei indo até o ponto onde o animal havia estado e dei uma olhada em volta, procurando por ele. Mas ele desaparecera, e o incidente pareceu causar a pior impressão na mente dele. Fiquei com ele a noite toda, e foi nessa ocasião, para explicar a emoção que havia demonstrado, que ele me confidenciou essa narrativa que li para o senhor quando cheguei. Menciono esse pequeno episódio porque ele assume certa importância diante da tragédia que se seguiu, mas eu estava convencido na ocasião de que o assunto era completamente banal e que a agitação dele não tinha qualquer justificação.

"Era a conselho meu que sir Charles estava prestes a ir para Londres. Eu sabia que seu coração estava abalado, afetado, e a ansiedade constante na qual ele vivia, embora a causa dela pudesse ser quimérica, estava, evidentemente, tendo um efeito grave sobre a saúde dele. Achei que alguns meses em meio às distrações da cidade fariam com que ele voltasse um novo homem. O sr. Stapleton, um amigo comum que estava muito preocupado com o seu estado de saúde, tinha a mesma opinião. No último instante ocorreu esta terrível catástrofe.

"Na noite da morte de sir Charles, Barrymore, o mordomo, que fez a descoberta, mandou Perkins, o criado, a cavalo, me chamar, e, como eu estava acordado até tarde, pude chegar à Mansão Baskerville uma hora após o acontecimento. Conferi e confirmei todos os fatos que foram mencionados no inquérito. Segui as pegadas pela Aleia dos Teixos, vi o ponto junto ao portão do pântano onde ele pareceu ter esperado, observei a mudança de forma das pegadas depois desse ponto, notei que não havia qualquer outra pegada além das de Barrymore no saibro macio e por fim examinei com cuidado o corpo, que não havia sido tocado até a minha chegada. Sir Charles jazia de bruços, com os braços abertos, os dedos enterrados no chão e com as feições convulsionadas por alguma emoção forte, a tal ponto que eu quase não poderia jurar pela sua identidade. Não havia ferimento físico de qualquer espécie. Mas Barrymore fez uma declaração falsa no inquérito. Ele disse que não havia marcas no chão em volta do corpo. Ele não observou qualquer uma. Mas eu observei, a alguma distância, umas recentes e nítidas."

— Pegadas?

— Pegadas.

— De homem ou de mulher?

O dr. Mortimer olhou de modo estranho para nós por um instante, e a voz se transformou quase num sussurro quando respondeu:

— Sr. Holmes, eram pegadas de um cão gigantesco!

3

O problema

Confesso que, diante dessas palavras, um tremor percorreu-me o corpo. Havia um frêmito na voz do médico que mostrava que ele próprio estava profundamente emocionado com o que havia nos contado. Holmes inclinou-se para a frente em sua ansiedade e seus olhos tinham o brilho duro e seco que exibiam quando ele estava vivamente interessado.

— O senhor viu isso?

— De modo tão nítido como o que o estou vendo.

— E o senhor não disse nada?

— O que adiantava?

— Como foi que ninguém mais viu?

— As marcas estavam a uns vinte metros do corpo e ninguém atribuiu a elas qualquer importância. Acho que não teria feito isso se não conhecesse essa lenda.

— Há muitos cães pastores de ovelhas no brejo?

— Sem dúvida, mas esse não era nenhum cão pastor de ovelhas.

— O senhor diz que ele era grande?

— Enorme.

— Mas ele não se aproximou do corpo?

— Não.

— Que tipo de noite era?

— Úmida e fria.

— Mas não estava chovendo de fato?

— Não.

— Como é a aleia?

— Há duas filas de sebes de teixos antigos com quatro metros de altura e impenetráveis. O caminho no meio tem uns três metros de largura.

— Há alguma coisa entre as sebes e o caminho?

— Sim, há uma faixa de grama com cerca de dois metros de largura de cada lado.

— Sei que a sebe de teixos é interrompida num ponto por um portão.

— Sim, o portão de cancela que dá para o pântano.

— Há alguma outra abertura?

— Nenhuma.

— De modo que para se chegar à Aleia dos Teixos é preciso percorrê-la a partir da casa ou então entrar pelo portão do pântano?

— Há uma saída pela cabana do jardim na extremidade oposta.

— Sir Charles chegou até ela?

— Não. Ele estava caído a uns cinquenta passos dela.

— Agora, diga-me, dr. Mortimer, e isto é importante, as marcas que o senhor viu eram sobre o caminho e não sobre a grama?

— Nenhuma marca podia aparecer na grama.

— Elas estavam do mesmo lado do caminho que o portão do pântano?

— Sim, estavam na extremidade do caminho, no mesmo lado que o portão.

— O senhor provocou meu interesse. Outro ponto. O portão estava fechado?

— Fechado e com cadeado.

— Qual era a altura dele?

— Cerca de 1,20 metro de altura.

— Então qualquer um podia ter passado por cima dele?

— Sim.

— E que marcas o senhor viu junto ao portão?

— Nenhuma em particular.

— Santo Deus! Ninguém examinou?

— Sim, eu mesmo examinei.

— E não encontrou nada?

— Estava tudo muito confuso. Sir Charles, evidentemente, ficou parado ali por cinco ou dez minutos.

— Como sabe disso?

— Porque a cinza havia caído duas vezes do seu charuto.

— Excelente! Este é um colega, Watson, do nosso estilo. Mas as marcas?

— Ele havia deixado as próprias marcas por todo aquele pequeno trecho de saibro. Não consegui perceber qualquer outra.

Sherlock Holmes bateu com a mão no joelho num gesto de impaciência.

— Se ao menos eu estivesse lá! — exclamou ele. — É evidente que esse é um caso de interesse extraordinário e que oferece imensas oportunidades ao especialista científico. Essa página de saibro na qual eu poderia ter lido tanta coisa foi apagada há muito tempo pela chuva e desfigurada pelos tamancos dos camponeses curiosos. Oh, dr. Mortimer, dr. Mortimer, pensar que o senhor podia ter me chamado! O senhor tem de fato de explicar muita coisa.

— Eu não podia chamá-lo, sr. Holmes, sem revelar esses fatos ao mundo, e já apresentei os meus motivos para não desejar fazer isso. Além disso... além disso...

— Por que hesita?

— Existe uma área em que o mais arguto e o mais experiente dos detetives fica impotente.

— O senhor quer dizer que a coisa é sobrenatural?

— Não digo isso de modo positivo.

— Não, mas o senhor sem dúvida acha isso.

— Desde a tragédia, sr. Holmes, chegaram aos meus ouvidos vários incidentes difíceis de conciliar com a ordem estabelecida da natureza.

— Por exemplo?

— Descobri que, antes do terrível acontecimento, várias pessoas viram uma criatura no pântano que corresponde a esse demônio de Baskerville e que não podia ser qualquer animal conhecido da ciência. Todos eles concordam que era uma criatura enorme, luminosa, horrível e espectral. Interroguei esses homens, um deles um camponês bronco, um ferreiro e um fazendeiro da área do pântano, e todos contam a mesma história dessa aparição horrível, correspondendo exatamente ao Cérbero da lenda. Garanto-lhe que o terror impera na região e que é quase impossível achar um homem que atravesse o pântano à noite.

— E o senhor, um homem de ciência treinado, acredita que ele seja sobrenatural?

— Não sei em que acreditar.

Holmes encolheu os ombros.

— Até agora limitei as minhas investigações a este mundo — disse ele. — De uma maneira modesta combati o mal, mas enfrentar o próprio Pai do Mal seria, talvez, uma tarefa ambiciosa demais. Contudo, o senhor tem de admitir que a pegada é concreta.

— O cão original era suficientemente concreto para estraçalhar a garganta de um homem, e apesar disso era também diabólico.

— Vejo que o senhor se passou por inteiro para os supernaturalistas. Mas agora, dr. Mortimer, diga-me isto. Se o senhor sustenta essas opiniões, por que veio me consultar, afinal de contas? O senhor me diz ao mesmo tempo que é inútil investigar a morte de sir Charles e que deseja que eu faça isso.

— Eu não disse que desejava que o senhor fizesse isso.

— Então, como posso ajudá-lo?

— Aconselhando-me a respeito do que devo fazer com sir Henry Baskerville, que vai chegar à Estação de Waterloo com exatidão dentro de uma hora e quinze minutos — disse o dr. Mortimer, olhando o relógio.

— Sendo ele o herdeiro?

— Sim. Com a morte de sir Charles, investigamos o paradeiro desse jovem cavalheiro e descobrimos que era fazendeiro no Canadá. Pelas informações que recebemos, ele é um sujeito excelente em todos os aspectos. Não falo agora como médico, mas como depositário dos bens e executor do testamento de sir Charles.

— Não há outro pretendente, presumo?

— Nenhum. O outro único parente que conseguimos localizar foi Rodger Baskerville, o caçula dos três irmãos dos quais o pobre sir Charles era o mais velho. O segundo irmão, que morreu moço, é o pai desse Henry. O terceiro, Rodger, era a ovelha negra da família. Ele provém da velha estirpe dominadora dos Baskerville e era a própria imagem, dizem-me, do retrato de família do velho Hugo. Criou na Inglaterra um ambiente insuportável para ele, fugiu para a América Central e morreu lá em 1876 de febre amarela. Henry é o último dos Baskerville. Em uma hora e cinco minutos vou encontrar-me com ele na Estação de Waterloo. Recebi um telegrama dizendo que ele chegou a Southampton esta manhã. Agora, sr. Holmes, o que o senhor me aconselha a fazer com ele?

— Por que ele não pode ir para a casa dos pais?

— Parece natural, não parece? Mas lembre-se de que todos os Baskerville que vão para lá acabam tendo um destino perverso. Tenho certeza de que, se sir Charles pudesse ter falado comigo antes da morte, teria me avisado para não trazer este, o último da velha raça e o herdeiro de grande fortuna, para esse lugar mortal. E, no entanto, não se pode negar que a prosperidade de toda a região pobre e desolada depende da sua presença. Todo o bom trabalho que foi feito por sir Charles ficará arruinado se não houver morador algum na Mansão. Receio estar influenciado demais pelo meu próprio interesse óbvio na questão, e é por isso que trago o caso para a sua análise e peço o seu conselho.

Holmes refletiu durante algum tempo.

— Falando de forma clara, a questão é esta — disse ele. — Em sua opinião há uma influência diabólica que faz de Dartmoor uma moradia insegura para um Baskerville?

— Pelo menos posso chegar ao ponto de dizer que há algumas provas de que talvez seja esse o caso.

— Exato. Mas, se a sua teoria sobrenatural estiver correta, ela poderia prejudicar o jovem em Londres com tanta facilidade quanto em Devonshire. Um demônio com poderes apenas locais, como uma sacristia paroquial, seria uma coisa inconcebível.

— O senhor coloca a questão de modo mais irreverente, sr. Holmes, do que provavelmente o faria se entrasse em contato pessoal com essas coisas. Então a sua opinião, pelo que entendo, é que o rapaz estará tão seguro em Devonshire quanto em Londres. Ele chega dentro de cinquenta minutos. O que o senhor recomenda?

— Eu recomendo, senhor, que tome um cabriolé, chame o seu spaniel que está arranhando a minha porta da frente e siga para Waterloo para esperar sir Henry Baskerville.

— E depois?

— E depois não diga absolutamente nada a ele até eu decidir o que fazer a respeito do caso.

— Quanto tempo vai levar para o senhor decidir?

— Vinte e quatro horas. Às dez horas, amanhã, dr. Mortimer, eu ficaria muito grato se o senhor vier me visitar aqui, e ajudaria meus planos para o futuro se o senhor trouxesse sir Henry Baskerville consigo.

— Farei isso, sr. Holmes. — Ele rabiscou o horário do encontro no punho da camisa e saiu apressado, do seu jeito estranho, perscrutador e distraído. Holmes o fez parar no alto da escada.

— Apenas mais uma pergunta, dr. Mortimer. O senhor diz que antes da morte de sir Charles Baskerville várias pessoas viram essa aparição no pântano?

— Três pessoas viram.

— Alguma a viu depois?

— Não ouvi falar de nenhuma.

— Obrigado. Bom dia.

Holmes voltou para a poltrona com aquele olhar calmo de satisfação interior que significava que ele tinha pela frente uma tarefa adequada ao seu talento.

— Vai sair, Watson?

— A menos que possa ajudá-lo.

— Não, meu caro amigo, é no momento da ação que recorro a você em busca de ajuda. Mas isso é esplêndido, de fato único sob alguns pontos de vista. Quando passar pela loja de Bradley, quer pedir a ele para mandar meio quilo do mais forte fumo picado inferior? Obrigado. Seria bom se você achasse conveniente não voltar antes do anoitecer. Ficaria então muito satisfeito de comparar impressões a respeito desse problema interessante ao extremo que nos foi apresentado esta manhã.

Eu sabia que o meu amigo tinha necessidade de isolamento e solidão nessas horas de intensa concentração mental, durante as quais ele pesava cada partícula de prova, elaborava teorias alternativas, comparava umas com as outras e decidia que pontos eram essenciais e quais os irrelevantes. Portanto passei o dia no meu clube e só voltei a Baker Street à noite. Eram quase nove horas quando entrei na sala de novo.

Minha primeira impressão quando abri a porta foi de que havia irrompido um incêndio, porque a sala estava tão cheia de fumaça que a luz do abajur na mesa estava obscurecida. Mas, quando entrei, meus temores desapareceram, porque foram os vapores acres de fumo forte e ordinário que atacaram minha garganta e me fizeram tossir. Através da fumaça tive uma vaga visão de Holmes no roupão, encolhido numa poltrona com o cachimbo preto de barro entre os lábios. Havia vários rolos de papel à volta dele.

— Pegou um resfriado, Watson? — disse ele.

— Não, é esta atmosfera envenenada.

— Suponho que *esteja* bastante espessa, agora que você a menciona.

— Espessa! Está intolerável.

— Abra a janela, então! Percebo que você esteve no seu clube o dia inteiro.

— Meu caro Holmes!

— Estou certo?

— Claro, mas como...

Ele riu da minha expressão confusa.

— Há uma frescura encantadora irradiando de você, Watson, o que torna um prazer exercitar as modestas faculdades que eu possuo à sua custa. Um cavalheiro sai de casa num dia chuvoso e lamacento. Volta imaculado à noite com o brilho ainda em seu chapéu e suas botas. Portanto, ele permaneceu imóvel o dia inteiro. Ele é um homem que não tem amigos íntimos. Onde, então, podia ter estado? Não é óbvio?

— Bem, é bastante óbvio.

— O mundo está cheio de coisas óbvias que por acaso ninguém jamais observa. Onde você acha que eu estive?

— Imóvel também.

— Pelo contrário, estive em Devonshire.

— Em espírito?

— Exato. Meu corpo permaneceu nesta poltrona e consumiu em minha ausência, lamento observar, dois bules grandes de café e uma quantidade incrível de fumo. Depois que você saiu, eu mandei pedir à Casa Stamford o mapa topográfico dessa parte do pântano, e meu espírito pairou sobre ele o dia inteiro. Fiquei orgulhoso por conseguir localizar o que eu queria.

— Um mapa em escala grande, presumo?

— Muito grande. — Ele desenrolou uma parte e segurou-a sobre o joelho. — Aqui você tem a área específica que nos interessa. Esta é a Mansão Baskerville no meio.

— Com uma floresta em volta dela?

— Exatamente. Imagino que a Aleia dos Teixos, embora não assinalada com esse nome, deve se estender ao longo desta linha, com o pântano, como você percebe, à direita dele. Este pequeno grupo de construções aqui é o povoado de Grimpen, onde o nosso amigo dr. Mortimer tem o seu quartel-general. Num raio de oito quilômetros, como você vê, há apenas algumas moradias dispersas. Aqui está a Mansão Lafter, que foi mencionada na narrativa. Há uma casa indicada aqui que pode ser a residência do naturalista, Stapleton, se bem me lembro, era o nome dele. Aqui estão duas casas de fazenda na área do pântano, High Tor e Foulmire. Depois, a 22 quilômetros de distância, a grande prisão de condenados de Princetown. Entre esses pontos dispersos e em torno deles estende-se o pântano desolado e sem vida. Este, então, é o palco no qual a tragédia foi encenada, e no qual podemos ajudar a encená-la uma vez mais.

— Deve ser um lugar agreste.

— Sim, o cenário é apropriado. Se o demônio deseja participar dos assuntos dos homens...

— Então você mesmo está se inclinando para a explicação sobrenatural.

— Os agentes do demônio podem ser de carne e osso, não podem? Há duas perguntas à nossa espera no começo. A primeira é se, afinal de contas, foi cometido algum crime; a segunda é, qual é o crime e como ele foi cometido? Naturalmente, se a hipótese do dr. Mortimer estiver correta, e estivermos lidando com forças que estão além das leis normais da natureza, isso será o fim da nossa investigação. Mas temos a obrigação de verificar todas as outras hipóteses antes de recairmos nessa. Acho que fecharemos essa janela outra vez, se você não se importar. É uma coisa estranha, mas acho que uma atmosfera concentrada ajuda a focar as ideias. Não levo isso a ponto de entrar numa caixa para pensar, mas esse é o resultado lógico das minhas convicções. Você pensou no caso?

— Sim, pensei um bocado nele durante o dia.

— O que acha dele?

— É muito confuso.

— Ele com certeza tem um caráter próprio. Há pontos característicos nele. Aquela mudança nas pegadas, por exemplo. O que acha disso?

— Mortimer disse que o homem caminhara nas pontas dos pés naquela parte da aleia.

— Ele repetiu apenas o que algum tolo havia dito no inquérito. Por que um homem iria caminhar na ponta dos pés pela aleia?

— O que ele estava fazendo então?

— Ele estava correndo, Watson, correndo em desespero, fugindo para salvar a vida, correndo até estourar o coração e cair morto de bruços.

— Correndo de quê?

— Aí está o nosso problema. Há indicações de que o homem estava louco de medo antes mesmo de começar a correr.

— Como pode dizer isso?

— Estou presumindo que a causa dos seus receios chegou até ele através do pântano. Se foi assim, e isso parece muito provável, só um homem que tivesse perdido o juízo correria *para longe* de casa em vez de correr para ela. Se o depoimento do cigano pode ser considerado verdadeiro, ele correu soltando gritos de socorro na direção onde havia menos probabilidade de obter ajuda. Depois, de novo, quem ele estava esperando naquela noite, e por que estava esperando por essa pessoa na Aleia dos Teixos e não na própria casa?

— Você acha que ele estava esperando alguém?

— O homem era idoso e doente. Podemos compreender o fato de ele passear à noite, mas o chão estava úmido e a noite inclemente. Seria natural que ele ficasse parado por cinco ou dez minutos, como o dr. Mortimer, com um senso mais prático do que eu atribuiria a ele, deduziu a partir da cinza do charuto?

— Mas ele saía toda noite.

— Acho pouco provável que ele esperasse no portão do pântano todas as noites. Pelo contrário, o indício é que ele evitava o pântano. Naquela noite ele esperou ali. Era a noite anterior à partida dele para Londres. A coisa toma forma, Watson. Torna-se coerente. Queria que me desse o violino, e adiaremos todos os outros pensamentos a respeito deste assunto até nos encontrarmos com o dr. Mortimer e sir Henry Baskerville de manhã.

4

Sir Henry Baskerville

A mesa do nosso café foi tirada cedo e Holmes esperou de roupão a entrevista prometida. Nossos clientes foram pontuais, porque o relógio havia acabado de bater dez horas quando o dr. Mortimer entrou, seguido pelo jovem baronete. Este era um homem baixo, ágil, de olhos escuros, com cerca de trinta anos de idade, de constituição muito vigorosa, sobrancelhas pretas espessas e um rosto forte, belicoso. Usava um terno de tweed de cor avermelhada e tinha a aparência maltratada pelo clima de quem passou a maior parte do tempo ao ar livre, mas havia algo no olhar firme e na calma confiança da sua postura que indicavam o cavalheiro.

— Este é sir Henry Baskerville — disse o dr. Mortimer.

— Oh, sim, e o estranho, sr. Sherlock Holmes, é que, se o meu amigo aqui não tivesse proposto vir visitá-lo esta manhã, eu teria vindo por minha própria conta — disse ele. — Sei que o senhor resolve pequenos enigmas, e tive um esta manhã que precisa de mais esforço mental do que sou capaz de dedicar a ele.

— Sente-se, por favor, sir Henry. Será que entendi o senhor dizer que teve uma experiência notável desde que chegou a Londres?

— Nada muito importante, sr. Holmes. Apenas uma brincadeira, provavelmente. Foi esta carta, se é que se pode chamá-la de carta, que recebi esta manhã.

Ele pôs um envelope na mesa, e nós todos nos inclinamos sobre ele. Era de tipo comum, de cor acinzentada. O endereço, "sir Henry Baskerville, Hotel Northumberland", estava escrito em letras de fôrma irregulares; o carimbo, "Charing Cross"; e a data do envio, a noite anterior.

— Quem sabia que o senhor iria para o Hotel Northumberland? — perguntou Holmes olhando com atenção para o nosso visitante.

— Ninguém podia saber. Nós só decidimos depois que me encontrei com o dr. Mortimer.

— Mas o dr. Mortimer sem dúvida já estava hospedado lá?

— Não, fiquei na casa de um amigo — disse o médico. — Não havia qualquer indicação possível de que pretendíamos ir para esse hotel.

— Hum! Alguém parece estar profundamente interessado em seus movimentos. — Ele tirou do envelope metade de uma folha de papel almaço dobrada em quatro. Ele a abriu e estendeu na mesa. No centro dela, uma única frase havia sido formada com palavras impressas, cortadas e coladas sobre ela. Dizia:

Se o senhor dá valor à sua vida ou à sua sanidade mental, mantenha-se afastado do pântano.

Só a palavra "pântano" estava escrita à tinta.

— Agora talvez o senhor me diga, sr. Holmes, que diabo significa isso e quem é que se interessa tanto pelos meus negócios? — disse sir Henry Baskerville.

— O que o senhor acha disso, dr. Mortimer? O senhor deve admitir que não há nada de sobrenatural quanto a isso.

— Não, senhor, mas isso pode muito bem vir de alguém que esteja convencido de que a coisa é sobrenatural.

— Que coisa? — perguntou sir Henry com vivacidade. — Parece-me que todos os senhores, cavalheiros, sabem muito mais do que eu sobre os meus próprios negócios.

— O senhor vai saber de tudo antes de sair desta sala, sir Henry. Prometo-lhe isso — disse Sherlock Holmes. — No momento, nós nos limitaremos, com a sua permissão, a este documento muito interessante, que deve ter sido montado e posto no correio ontem à noite. Você tem o *Times* de ontem, Watson?

— Está aqui no canto.

— Por favor, pode me dar a página de dentro, com os editoriais? — Ele deu uma olhada rápida por ela, correndo os olhos pelas colunas. — Artigo principal, este, sobre o livre comércio. Permitam que eu leia um trecho dele.

Vocês podem ser levados a imaginar que o seu próprio ramo especial de comércio ou a sua própria indústria serão estimulados por uma tarifa protecionista, mas é evidente que essa legislação a longo prazo deve manter a riqueza afastada do país, diminuir o valor das nossas importações e piorar as condições gerais de vida nesta ilha.

— O que acha disso, Watson? — exclamou Holmes com grande alegria, esfregando as mãos com satisfação. — Você não acha que esse é um sentimento admirável?

O dr. Mortimer olhou para Holmes com um ar de interesse profissional, e sir Henry Baskerville virou para mim um par de olhos escuros intrigados.

— Não entendo muito de tarifas e coisas desse gênero, mas parece-me que saímos um pouco do assunto no que diz respeito a este bilhete — disse ele.

— Pelo contrário, acho que estamos particularmente quentes na pista, sir Henry. Watson aqui conhece mais a respeito dos meus métodos do que o senhor, mas receio que nem mesmo ele tenha entendido por completo a importância desta frase.

— Não, confesso que não vejo relação alguma.

— E apesar disso, meu caro Watson, há uma relação tão íntima que uma é extraída da outra. "Vocês", "sua", "seu", "vida", "valor", "manter afastado", "da". Os senhores não veem agora de onde estas palavras foram tiradas?

— Com os diabos, o senhor tem razão! Ora, se isso não é esperteza! — exclamou sir Henry.

— Se ainda restou alguma dúvida, isso é resolvido pelo fato de que "mantenha-se afastado" e "da" estão cortadas em um pedaço.

— Ora, veja, é isso mesmo!

— De fato, sr. Holmes, isso supera qualquer coisa que eu pudesse ter imaginado — disse o dr. Mortimer, olhando para o meu amigo com assombro. — Posso compreender se alguém dissesse que as palavras foram tiradas de um jornal, mas que o senhor soubesse de qual, e ainda acrescentasse que elas vieram do editorial, é realmente uma das coisas mais notáveis que já vi. Como conseguiu isso?

— Presumo, doutor, que o senhor possa distinguir o crânio de um homem negro do de um esquimó?

— Com toda certeza.

— Mas como?

— Porque esse é o meu passatempo especial. As diferenças são óbvias. A crista supraorbital, o ângulo facial, a curva do maxilar, a...

— Mas este é o meu passatempo especial, e as diferenças são igualmente óbvias. Para mim, há tanta diferença entre o tipo burguês pesado de um artigo do *Times* e a impressão desleixada de um vespertino de meio pêni quanto pode haver entre o seu homem negro e o seu esquimó. A detecção de tipos é um dos ramos mais elementares de conhecimento para o especialista em crimes, embora eu confesse que certa vez, quando era muito moço, confundi o *Leeds Mercury* com o *Western Morning News*. Mas um editorial do *Times* é completamente diferente, e estas palavras não podiam ter sido tiradas de qualquer outro. Como isso foi feito ontem, a probabilidade maior era a de encontrarem as palavras no exemplar de ontem.

— Até onde posso acompanhá-lo então, sr. Holmes, alguém cortou esta mensagem com uma tesoura... — disse sir Henry Baskerville.

— Tesoura de unha — disse Holmes. — O senhor pode ver que era uma tesoura de lâminas muito curtas, já que quem cortou teve de dar duas tesouradas em "manter afastado".

— Realmente. Alguém, então, cortou a mensagem com uma tesoura de lâmina curta, colocou-a com goma...

— Cola — disse Holmes.

— Com cola sobre o papel. Mas quero saber por que a palavra "pântano" teve de ser escrita à tinta.

— Porque ele não conseguiu encontrá-la impressa. As outras palavras eram todas simples e podiam ser encontradas em qualquer exemplar, mas "pântano" era menos comum.

— Ora, é claro, isso explicaria o fato. O senhor notou mais alguma coisa nesta mensagem, sr. Holmes?

— Há uma ou duas indicações. No entanto, houve o maior cuidado para eliminar todas as pistas. O endereço, o senhor observa, está escrito em letras de fôrma irregulares. Mas o *Times* é um jornal que raramente é encontrado em mãos de pessoas que não tenham instrução superior. Podemos concluir, portanto, que a carta foi composta por um homem instruído que desejava passar por não instruído, e o esforço para disfarçar a própria caligrafia sugere que o senhor pode conhecê-la, ou vir a conhecer. Mais uma vez, o senhor pode observar que as palavras não estão coladas numa linha precisa, mas que algumas estão muito mais altas do que as outras. "Vida", por exemplo, está completamente fora do lugar adequado. Isso pode indicar descuido ou pode indicar agitação e pressa por parte do autor. De modo geral, acho que a última hipótese é mais forte, já que o assunto era sem dúvida importante, e é pouco provável que o autor desta carta fosse descuidado. Se ele estava com pressa, isso suscita a pergunta interessante do motivo da pressa, já que qualquer carta postada até o início da manhã chegaria a sir Henry antes que ele saísse do hotel. Será que o autor receava uma interrupção? E de quem?

— Estamos entrando agora no campo das conjecturas — disse o dr. Mortimer.

— Digamos melhor, no campo em que avaliamos as probabilidades e escolhemos as mais prováveis. Isso é o uso científico da imaginação, mas sempre temos alguma base concreta a partir da qual começamos as nossas especulações. Agora, o senhor pode chamar de palpite, sem dúvida, mas tenho quase certeza de que este endereço foi escrito num hotel.

— Como é que o senhor pode dizer isso?

— Se o senhor examiná-lo com cuidado, verá que tanto a caneta como a tinta causaram problemas ao autor. A caneta respingou duas vezes numa única palavra e secou três vezes num endereço curto, mostrando que havia pouca tinta no tinteiro. Ora, uma caneta ou tinteiro particular raramente chegam a esse estado, e a combinação dos dois deve ser bastante difícil. Mas o senhor conhece a tinta de hotel e a caneta de hotel, onde é raro conseguir qualquer outra coisa. Sim, posso dizer quase sem hesitação que, se conseguíssemos examinar as cestas de papéis dos hotéis em volta de Charing Cross até encontrarmos os restos do editorial recortado do *Times*, poderíamos pôr as mãos direto na pessoa que mandou esta mensagem estranha. Oh! O que é isto?

Ele estava examinando com atenção o papel almaço sobre o qual estavam coladas as palavras, segurando-o apenas a uns cinco centímetros dos olhos.

— Bem?

— Nada — disse ele, largando-o. — É uma meia folha de papel vazia, sem sequer uma marca d'água. Acho que extraímos o máximo que pudemos desta carta curiosa; e agora, sir Henry, aconteceu mais alguma coisa interessante desde que chegou a Londres?

— Bem, não, sr. Holmes. Acho que não.

— O senhor não observou alguém segui-lo ou vigiá-lo?

— Parece que entrei direto na trama de um romance barato — disse o nosso visitante. — Por que diabo alguém deveria me seguir ou me vigiar?

— Estamos chegando a isso. O senhor não tem mais nada a nos comunicar antes de entrarmos nessa questão?

— Bem, isso depende do que o senhor considere que mereça ser contado.

— Acho que qualquer coisa fora da rotina normal da vida merece ser comunicada.

Sir Henry sorriu.

— Não conheço muita coisa da vida inglesa ainda, porque passei quase todo o meu tempo nos Estados Unidos e no Canadá. Mas espero que perder uma das botas da gente não faça parte da rotina da vida aqui.

— O senhor perdeu uma de suas botas?

— Meu caro senhor, isso é apenas um extravio — exclamou o dr. Mortimer. — O senhor a encontrará quando voltar ao hotel. O que adianta incomodar o sr. Holmes com ninharias desse tipo?

— Bem, ele me perguntou sobre qualquer coisa fora da rotina.

— Exatamente, por mais tolo que o incidente possa parecer. O senhor perdeu uma bota? — disse Holmes.

— Bem, ela foi extraviada, de qualquer forma. Pus as duas do lado de fora da minha porta ontem à noite, e havia apenas uma de manhã. Não consegui saber nada do sujeito que as limpa. O pior de tudo é que eu acabei de comprar o par ontem à noite no Strand, e nunca as usei.

— Se o senhor nunca as usou, por que precisava deixá-las do lado de fora para serem limpas?

— Eram botas de couro e nunca foram envernizadas. Foi por isso que as deixei do lado de fora.

— Pelo que entendi, ao chegar a Londres ontem o senhor saiu na mesma hora e comprou um par de botas?

— Comprei uma porção de coisas. O dr. Mortimer foi comigo. O senhor compreende, se vou ser um proprietário rural lá no sul, devo me vestir de acordo, e talvez eu tenha ficado um pouco descuidado em meus hábitos lá no oeste. Entre outras coisas, comprei essas botas marrons, dei seis dólares por elas, e uma delas foi roubada antes mesmo de usá-las.

— Parece uma coisa especialmente inútil para se roubar — disse Sherlock Holmes. — Confesso que concordo com o dr. Mortimer e acho que a bota desaparecida será encontrada em pouco tempo.

— E agora, cavalheiros, parece-me que já falei bastante sobre o pouco que sei — disse o baronete com decisão. — É hora de os senhores cumprirem sua promessa e fazerem um relato completo a respeito do caso.

— O seu pedido é muito razoável — respondeu Holmes. — Dr. Mortimer, acho que o senhor deveria contar a sua história como contou para nós.

Assim estimulado, nosso amigo científico tirou os papéis do bolso e apresentou todo o caso como havia feito na manhã anterior. Sir Henry Baskerville ouviu com a maior atenção e com algumas exclamações de surpresa.

— Bem, parece que recebi uma herança com uma vingança — disse ele quando a longa narrativa terminou. — Naturalmente, ouvi falar do cão desde que era criança. É a história favorita da família, embora eu nunca pensasse em levá-la a sério antes. Mas, quanto à morte do meu tio, bem, tudo parece estar fervendo na minha cabeça, e ainda não consigo entender direito. O senhor parece não ter decidido se isso é um caso para um policial ou um padre.

— Exato.

— E agora há esse caso da carta para mim no hotel. Suponho que isso se encaixe no devido lugar.

— Isso parece mostrar que alguém sabe mais do que nós sobre o que acontece no pântano — disse o dr. Mortimer.

— E também — disse Holmes — que alguém não está com más intenções a seu respeito, já que o avisa do perigo.

— Ou talvez ele deseje, para seus próprios objetivos, me afugentar.

— Bem, claro que isso é possível também. Estou muito grato, dr. Mortimer, por apresentar-me um problema que oferece várias alternativas interessantes. Mas a questão prática que temos de decidir agora, sir Henry, é se o senhor deve ou não ir para a Mansão Baskerville.

— Por que não deveria ir?

— Parece perigoso.

— O senhor quer dizer perigo por parte desse demônio da família ou quer dizer perigo por parte de seres humanos?

— Bem, é isso que temos de descobrir.

— De qualquer modo, minha resposta é a mesma. Não há nenhum demônio no inferno, sr. Holmes, e não há homem algum na terra que possa me impedir de ir para o lar da minha própria gente, e o senhor pode considerar esta como a minha resposta definitiva. — As sobrancelhas escuras se uniram e o rosto se ruborizou enquanto falava. Era evidente que o temperamento ardente dos Baskerville não estava extinto neste último representante. — Enquanto isso, mal tive tempo de pensar em tudo que os senhores me contaram — disse ele. — É difícil para um homem ter de compreender e decidir tão depressa. Eu gostaria de passar uma hora tranquila sozinho para decidir. Bem, olhe aqui, sr. Holmes, são 11h30 agora, e vou voltar direto para o meu hotel. O que acha de o senhor e seu amigo, o dr. Watson, aparecerem para almoçar conosco às duas horas? Poderei dizer-lhe de forma mais clara, então, o que acho dessa coisa toda.

— Isso é conveniente para você, Watson?

— Perfeitamente.

— Então os senhores podem nos esperar. Devo chamar um cabriolé?

— Prefiro caminhar, porque este caso me perturbou bastante.

— Irei junto com o senhor, com prazer — disse o amigo.

— Então vamos nos encontrar novamente às duas horas. *Au revoir*, e bom dia!

Ouvimos os passos dos nossos visitantes descendo a escada e a batida da porta da frente. Num instante, Holmes havia se transformado do sonhador lânguido no homem de ação.

— Seu chapéu e botas, Watson, depressa! Não temos um minuto a perder! — Correu para o quarto de roupão e estava de volta alguns segundos depois com uma sobrecasaca. Descemos a escada correndo e saímos. O dr. Mortimer e Baskerville ainda eram visíveis a cerca de 180 metros à nossa frente na direção da Oxford Street.

— Devo ir correndo e fazê-los parar?

— Por nada deste mundo, meu caro Watson. Estou absolutamente satisfeito com a sua companhia, se você tolerar a minha. Nossos amigos são espertos, porque com certeza a manhã está muito bonita para uma caminhada.

Ele apressou o passo até que reduzimos à metade a distância que nos separava. Depois, ainda permanecendo noventa metros atrás, entramos na Oxford Street e depois na Regent Street. Os nossos amigos pararam uma vez e olharam para uma vitrina, e Holmes fez a mesma coisa. Um instante depois ele deu um grito de satisfação e, seguindo a direção dos seus olhos ansiosos, vi que um cabriolé com um homem dentro, que havia parado do outro lado da rua, estava agora avançando devagar outra vez.

— Lá está o nosso homem, Watson! Venha! Daremos uma boa olhada nele, se não pudermos fazer mais.

Nesse instante percebi uma barba preta cerrada e um par de olhos penetrantes voltarem-se para nós através da janela lateral do cabriolé. Na mesma hora a portinhola do teto foi erguida, alguma coisa foi gritada para o cocheiro e o cabriolé voou como um louco pela Regent Street. Holmes olhou em volta ansioso à procura de outro, mas não havia qualquer outro à vista. Depois saiu em perseguição numa corrida louca pelo meio da corrente do tráfego, mas a distância era muito grande e o cabriolé já havia desaparecido.

— Esta agora! — disse Holmes, aborrecido quando saiu, ofegante e pálido de vergonha, do meio da maré de veículos. — Já viu tanta má sorte e tanta incapacidade também? Watson, Watson, se você é um homem honesto, irá registrar isto também e contrapor aos meus êxitos!

— Quem era o homem?

— Não tenho a menor ideia.

— Um espião?

— Bem, era evidente, pelo que ouvimos, que Baskerville foi acompanhado muito de perto por alguém desde que está na cidade. De outro modo, como podiam saber tão depressa que ele escolhera o Hotel Northumberland? Se eles o seguiram no primeiro dia, concluí que o seguiriam também no segundo. Você deve ter observado que fui duas vezes até a janela enquanto o dr. Mortimer estava lendo a sua lenda.

— Sim, lembro-me.

— Eu estava procurando ociosos na rua, mas não vi nenhum. Estamos lidando com um homem esperto, Watson. Esta questão penetra muito fundo, e, embora eu ainda não tenha decidido se é uma influência benigna ou maligna que está em contato conosco, estou sempre consciente da sua força e determinação. Quando os nossos amigos saíram, eu os segui de imediato na esperança de identificar os acompanhantes invisíveis. Ele foi tão astuto que não se arriscou a seguir a pé, mas tomou um cabriolé a fim de poder esperar escondido ou ultrapassá-los depressa, e assim escapar à atenção deles. O método dele teve a vantagem adicional de, se eles tomassem um cabriolé, ele já estar preparado para segui-los. Mas tem uma desvantagem óbvia.

— Ficar nas mãos do cocheiro.

— Exatamente.

— Que pena não termos anotado o número!

— Meu caro Watson, por mais inepto que eu tenha sido, você com certeza não imagina que deixaria de anotar o número? Dois-sete-zero-quatro é o nosso homem. Mas isso não adianta nada para nós por enquanto.

— Não vejo como você poderia ter feito mais.

— Ao observar o cabriolé, eu devia ter me virado no mesmo instante e caminhado na direção oposta. Podia então ter pegado com calma um segundo cabriolé e seguido o primeiro a uma distância respeitável, ou melhor ainda, ter ido para o Hotel Northumberland e esperado lá. Quando o nosso desconhecido tivesse seguido Baskerville até em casa, poderíamos ter tido a oportunidade de jogar o próprio jogo com ele e ver para onde ia. Do jeito que está, por uma ansiedade indiscreta, da qual o nosso adversário tirou vantagem com extraordinária rapidez e energia, traímo-nos e perdemos o nosso homem.

Estávamos passeando devagar pela Regent Street durante esta conversa, e o dr. Mortimer com o companheiro haviam desaparecido havia muito tempo.

— Não há nenhum sentido em segui-los — disse Holmes. — O seguidor fugiu e não voltará. Devemos ver que outras cartas temos em mãos e jogá-las com decisão. Você pode jurar que reconhece o homem dentro do cabriolé?

— Posso jurar apenas quanto à barba.

— E eu também, e daí concluo que provavelmente é uma barba falsa. Um homem esperto numa missão tão delicada não precisa de uma barba, a não ser para esconder as feições. Entre aqui, Watson!

Ele entrou num dos escritórios de mensageiros do bairro, onde foi saudado de forma calorosa pelo gerente.

— Ah, Wilson, vejo que não se esqueceu do pequeno caso no qual tive a sorte de ajudá-lo?

— Não, senhor, realmente não. O senhor salvou o meu bom nome e talvez a minha vida.

— Meu caro amigo, você exagera. Lembro-me, Wilson, de que você tem entre os seus rapazes um garoto chamado Cartwright, que demonstrou certa capacidade durante a investigação.

— Sim, senhor, ele ainda está conosco.

— Pode chamá-lo? Obrigado! E eu gostaria de trocar esta nota de cinco libras.

Um garoto de catorze anos, com uma fisionomia inteligente e perspicaz, havia atendido ao chamado do gerente. Ele agora estava parado contemplando com grande reverência o famoso detetive.

— Empreste-me o catálogo de hotéis — disse Holmes. — Obrigado! Agora, Cartwright, aqui estão os nomes de 23 hotéis, todos nas vizinhanças de Charing Cross. Está vendo?

— Sim, senhor.

— Você vai visitar cada um destes.

— Sim, senhor.

— Você começará, em cada caso, dando ao porteiro do lado de fora um xelim. Aqui estão 23 xelins.

— Sim, senhor.

— Você dirá a ele que deseja ver o papel usado de ontem. Você dirá que um telegrama importante extraviou-se e que você o está procurando. Compreendeu?

— Sim, senhor.

— Mas o que você está procurando de verdade é a página central do *Times* com alguns buracos cortados nela com tesoura. Aqui está um exemplar do *Times*. É esta página. Você pode reconhecê-la com facilidade, não pode?

— Sim, senhor.

— Em cada caso, o porteiro do lado de fora mandará chamar o porteiro do saguão, a quem você dará também um xelim. Você então ficará sabendo, provavelmente em vinte casos dos 23, que o lixo do dia anterior foi queimado ou retirado. Nos outros três casos, mostrarão a você um monte de papéis e você procurará esta página do *Times* entre eles. Será muito difícil encontrá-la. Aqui estão mais dez xelins para o caso de alguma emergência. Mande um telegrama com informações para a Baker Street antes da noite. E agora, Watson, falta apenas descobrir por telegrama a identidade do cocheiro, número dois-sete-zero-quatro, e depois vamos entrar numa das galerias de quadros da Bond Street e passar o tempo até a hora de irmos para o hotel.

5

Três fios partidos

Sherlock Holmes tinha, num grau bastante notável, a capacidade de desligar a mente à vontade. Durante duas horas, o estranho caso no qual tínhamos sido envolvidos pareceu estar esquecido, e ele ficou absorvido por inteiro pelos quadros dos mestres belgas modernos. Ele só falou sobre arte, da qual tinha as ideias mais primitivas, desde que saímos da galeria até chegarmos ao Hotel Northumberland.

— Sir Henry Baskerville está lá em cima à sua espera — disse o empregado. — Ele me pediu para levá-lo até lá assim que chegasse.

— O senhor permite que eu examine o seu registro? — perguntou Holmes.

— Claro.

O livro mostrava que dois nomes haviam sido acrescentados após o de Baskerville. Um era Theophilus Johnson e família, de Newcastle; o outro, a sra. Oldmore e criada, de High Lodge, Alton.

— Com certeza este deve ser o mesmo Johnson que eu conhecia — disse Holmes ao recepcionista. — Um advogado, não é, de cabelo grisalho e que anda mancando?

— Não, senhor, este é o sr. Johnson, o dono da mina de carvão, um cavalheiro muito ativo, não mais velho do que o senhor.

— O senhor não está enganado quanto ao ramo?

— Não, senhor, ele usa este hotel há muitos anos, e é muito conhecido aqui.

— Ah, isso encerra o assunto. A sra. Oldmore, também. Parece que me lembro do nome. Desculpe minha curiosidade, mas muitas vezes ao se visitar um amigo encontra-se outro.

— Ela é uma senhora inválida, cavalheiro. O marido certa vez foi prefeito de Gloucester. Ela sempre vem para cá quando está na cidade.

— Muito obrigado; acho que não a conheço. Determinamos um fato muito importante com essas perguntas, Watson — continuou ele em voz baixa ao subirmos a escada juntos. — Sabemos agora que as pessoas que estão tão interessadas em nosso amigo não se hospedaram no mesmo hotel. Isso significa que, embora elas estejam, como vimos, muito ansiosas para vigiá-lo, não querem que ele as veja. Este é um fato muito sugestivo.

— O que ele sugere?

— Sugere... Olá, meu caro amigo, que diabo aconteceu?

Ao chegarmos ao alto da escada, esbarramos no próprio sir Henry Baskerville. O rosto estava rubro de cólera e ele segurava uma bota velha e empoeirada numa das mãos. Estava tão furioso que mal conseguia falar, e, quando falou, foi num dialeto muito mais variado e mais típico do oeste do que qualquer coisa que tínhamos ouvido dele pela manhã.

— Parece que estão me fazendo de trouxa neste hotel! — exclamou ele. — Eles vão descobrir que começaram a fazer travessuras com o homem errado, a menos que tenham cuidado. Que diabo, se aquele sujeito não conseguir achar a minha bota desaparecida, haverá problemas. Posso suportar uma brincadeira com bom humor, sr. Holmes, mas eles exageraram um pouco desta vez.

— Ainda está procurando a sua bota?

— Sim, senhor, e pretendo encontrá-la.

— Mas o senhor não disse que era uma bota marrom nova?

— E era, senhor. E agora é uma bota preta velha.

— O quê!? O senhor não quer dizer...

— É exatamente isso o que quero dizer. Eu tinha apenas três pares neste mundo, o marrom novo, o preto velho e o de couro envernizado, que estou usando. Ontem à noite levaram um pé do meu marrom e hoje roubaram um do preto. Bem, entendeu? Fale, homem, e não fique parado olhando!

Um garçom alemão agitado havia aparecido no local.

— Não, senhor; investiguei no hotel inteiro, mas não ouvi uma palavra a respeito.

— Bem, ou essa bota volta antes do anoitecer ou irei ver o gerente e dizer a ele que vou embora deste hotel.

— Ela será encontrada, senhor, prometo que, se o senhor tiver um pouco de paciência, ela será encontrada.

— Faça com que seja, porque essa é a última coisa minha que perderei neste covil de ladrões. Bem, bem, sr. Holmes, o senhor vai me desculpar por incomodá-lo por causa de uma coisa tão insignificante.

— Acho que isso merece bem o incômodo.

— Ora, o senhor parece levar isso muito a sério.

— Como o senhor explica isso?

— Eu simplesmente não tento explicar. Parece a coisa mais louca e estranha que já me aconteceu.

— A mais estranha, talvez... — disse Holmes, pensativo.

— O que o senhor mesmo conclui disso?

— Bem, ainda não afirmo que compreendi. Este seu caso é muito complexo, sir Henry. Quando considerado em conjunto com a morte do seu tio, não tenha certeza de que entre todos os quinhentos casos de importância capital de que cuidei existe um que seja tão misterioso. Mas temos vários fios em nossas mãos, e as probabilidades são de que um ou outro deles nos guie para a verdade. Podemos perder tempo seguindo o fio errado, porém mais cedo ou mais tarde devemos encontrar o certo.

Tivemos um almoço agradável, no qual pouco foi dito sobre o assunto que nos reuniu. Foi na sala particular para a qual fomos depois que Holmes perguntou a Baskerville quais eram as intenções dele.

— Ir para a Mansão Baskerville.

— E quando?

— No fim da semana.

— No fim das contas, acho que a sua decisão é sensata — disse Holmes. — Tenho indícios de que o senhor está sendo seguido em Londres, e entre os milhões desta grande cidade é difícil descobrir quem são essas pessoas ou qual pode ser o objetivo delas. Se as intenções delas forem más, elas podem fazer-lhe uma maldade, e seremos impotentes para impedi-la. O senhor não sabe, dr. Mortimer, que o senhor foi seguido esta manhã ao sair da minha casa?

O dr. Mortimer estremeceu com violência.

— Seguido! Por quem?

— Isso, infelizmente, é o que não posso dizer-lhe. O senhor tem entre os seus vizinhos ou conhecidos em Dartmoor algum homem com uma barba preta abundante?

— Não, ou, deixe-me ver, sim. Barrymore, o mordomo de sir Charles, tem uma barba preta abundante.

— Ah! Onde está Barrymore?

— Tomando conta da Mansão.

— É melhor verificarmos se ele está mesmo lá, ou se há alguma possibilidade de estar em Londres.

— Como se pode fazer isso?

— Dê-me um formulário de telegrama. "Está tudo pronto para sir Henry?" Isso resolverá. Enderece para o sr. Barrymore, Mansão Baskerville. Qual é a agência de telégrafo mais próxima? Grimpen. Muito bem. Mandaremos um segundo telegrama para o agente do correio, Grimpen: "Telegrama para o sr. Barrymore, a ser entregue em mãos. Se ausente, por favor devolva o telegrama para sir Baskerville, Hotel Northumberland". Esse segundo deve nos informar antes da noite se Barrymore está no posto dele em Devonshire ou não.

— Isso mesmo — disse Baskerville. — A propósito, dr. Mortimer, quem é esse Barrymore, afinal?

— Ele é filho do velho zelador, que morreu. Eles cuidam da mansão há quatro gerações. Pelo que sei, ele e a mulher são um casal tão respeitável quanto qualquer um do condado.

— Ao mesmo tempo está bastante claro que, desde que não haja ninguém da família na mansão, essas pessoas têm uma casa ótima e enorme, e nada para fazer — disse Baskerville.

— Isso é verdade.

— Barrymore foi beneficiado no testamento de sir Charles? — perguntou Holmes.

— Ele e a mulher receberam quinhentas libras cada.

— Ah! Eles sabiam que iam receber isso?

— Sim, sir Charles gostava muito de falar sobre os legados do testamento dele.

— Isso é muito interessante.

— Espero que o senhor não encare com desconfiança todos que receberam um legado de sir Charles, porque eu também recebi mil libras que foram deixadas para mim — disse o dr. Mortimer.

— É mesmo? E alguém mais?

— Havia várias quantias insignificantes para pessoas e um grande número de obras públicas de caridade. O resto foi todo para sir Henry.

— E de quanto era esse resto?

— Setecentas e quarenta mil libras.

Holmes ergueu as sobrancelhas com surpresa.

— Eu não sabia que havia uma soma tão gigantesca envolvida — disse ele.

— Sir Charles tinha fama de ser rico, mas nós não sabíamos a dimensão dessa riqueza até que examinamos as ações dele. O valor total dos bens chegava perto de um milhão.

— Santo Deus! Esse é um prêmio pelo qual um homem pode muito bem lançar-se num jogo desesperado. E mais uma pergunta, dr. Mortimer. Supondo que aconteça alguma coisa ao nosso jovem amigo aqui (o senhor perdoará a hipótese desagradável!), quem herdaria os bens?

— Como Rodger Baskerville, o irmão caçula de sir Charles, morreu solteiro, os bens iriam para os Desmond, que são primos distantes. James Desmond é um clérigo idoso de Westmoreland.

— Obrigado. Esses detalhes têm grande interesse. Conheceu o sr. James Desmond?

— Sim, uma vez ele veio ao sul visitar sir Charles. É um homem de aparência venerável e uma vida de santidade. Lembro-me de que ele se recusou a aceitar qualquer doação de sir Charles, embora este insistisse.

— E esse homem de gostos simples seria o herdeiro da fortuna de sir Charles?

— Ele seria o herdeiro da propriedade, porque isso está vinculado. Seria também o herdeiro do dinheiro, a menos que fosse disposto em testamento de outra forma pelo dono atual, que pode, naturalmente, fazer o que quiser com ele.

— E o senhor fez o seu testamento, sir Henry?

— Não, sr. Holmes, não fiz. Não tive tempo, porque só ontem é que soube como andavam as coisas. Mas, de qualquer maneira, acho que o dinheiro deve acompanhar o título e a propriedade. Essa era a ideia do meu pobre tio. Como o proprietário vai restaurar as glórias dos Baskerville se não tiver dinheiro suficiente para manter a propriedade? Casa, terras e dólares devem andar juntos.

— Exato. Bem, sir Henry, estou de acordo com o senhor quanto à conveniência da sua ida para Devonshire sem demora. Há apenas uma condição que devo impor. Que o senhor decerto não deve ir sozinho.

— O dr. Mortimer volta comigo.

— Mas o dr. Mortimer tem a clínica para cuidar, e a casa dele fica a quilômetros de distância da sua. Mesmo com toda a boa vontade do mundo, ele talvez não possa ajudá-lo. Não, sir Henry, o senhor deve levar alguém consigo, um homem de confiança, que esteja sempre ao seu lado.

— Será que o senhor mesmo não poderia vir, sr. Holmes?

— Se as coisas chegarem a uma crise, vou fazer força para estar presente; mas o senhor pode compreender que, com a minha extensa clientela para atender e com os constantes apelos que recebo de vários lugares, é impossível, para mim, ficar ausente de Londres por um tempo indefinido. No momento, um dos nomes mais respeitados da Inglaterra está sendo maculado por um chantagista, e só eu posso impedir um escândalo desastroso. O senhor verá como é impossível, para mim, ir a Dartmoor.

— Quem o senhor recomendaria, então?

Holmes pôs a mão no meu braço.

— Se o meu amigo quisesse se encarregar disso, não há homem melhor para ter ao lado quando o senhor estiver num aperto. Ninguém pode dizer isso com mais convicção do que eu.

A proposta me pegou de surpresa, mas, antes que eu tivesse tempo de responder, Baskerville pegou minha mão e apertou-a de forma calorosa.

— Bem, isso é realmente bondade sua, dr. Watson — disse ele. — O senhor sabe como eu sou, e sabe tanto sobre o assunto quanto eu. Se o senhor vier para a Mansão Baskerville e me fizer companhia, nunca me esquecerei disso.

A promessa de aventura sempre me fascinou, e fiquei lisonjeado com as palavras de Holmes e com a ansiedade com que o baronete saudou-me como companheiro.

— Irei com prazer — disse ele. — Não sei como poderia empregar melhor o meu tempo.

— E você me manterá informado de maneira minuciosa — disse Holmes. — Quando surgir uma crise, como surgirá, direi a você como deve agir. Será que sábado tudo estará pronto?

— Isso seria conveniente, dr. Watson?

— Perfeitamente.

— Então sábado, a menos que lhe diga o contrário, nos encontraremos no trem das 10h30 que sai de Paddington.

Havíamos nos levantado para ir embora quando Baskerville deu um grito de triunfo e, mergulhando num dos cantos da sala, apanhou uma bota marrom debaixo da secretária.

— Minha bota perdida! — exclamou.

— Que todas as nossas dificuldades possam desaparecer tão fácil! — disse Sherlock Holmes.

— Mas isso é uma coisa muito estranha — comentou o dr. Mortimer. — Eu revistei esta sala com muito cuidado antes do almoço.

— E eu também — disse Baskerville. — Cada centímetro dela.

— Com certeza não havia bota alguma aqui.

— Nesse caso, o garçom deve tê-la colocado aí enquanto estávamos almoçando.

O alemão foi chamado, mas afirmou não saber nada a respeito, e as indagações também não conseguiram esclarecer isso. Outro item havia sido acrescentado àquela série constante e ao que parecia sem sentido de pequenos mistérios que haviam ocorrido numa rápida sucessão. Deixando de lado toda a história sombria da morte de sir Charles, tínhamos uma série de incidentes inexplicáveis, todos no período de dois dias, que incluíam o recebimento da carta em letra de fôrma, o espião de barba preta no cabriolé, o desaparecimento da bota marrom nova, a perda da bota preta velha e agora a volta da bota marrom nova. Holmes ficou sentado em silêncio no cabriolé quando voltamos para a Baker Street, e eu sabia, pela testa contraída e pela fisionomia ansiosa, que a mente dele, como a minha própria, estava tentando imaginar algum esquema no qual todos esses episódios estranhos e, ao que parecia, desconexos pudessem ser encaixados. Durante toda a tarde e boa parte da noite ele ficou sentado, fumando e meditando.

Pouco antes do jantar, ele recebeu dois telegramas. O primeiro dizia:

Acabei de saber que Barrymore está na Mansão Baskerville.

O segundo:

Visitei 23 hotéis como ordenado, mas, lamento informar, incapaz de descobrir qualquer vestígio de folha cortada do Times. *Cartwright.*

— Lá se vão dois dos meus fios, Watson. Não há nada mais estimulante do que um caso em que tudo vai contra você. Temos de procurar outro rastro.

— Ainda temos o cocheiro que levou o espião.

— Exatamente. Telegrafei ao registro oficial para obter o nome e endereço dele. Não ficaria surpreso se isto fosse uma resposta à minha pergunta.

Mas o toque da campainha resultou em algo mais satisfatório do que uma resposta, porque a porta se abriu e entrou um sujeito de aspecto rude que era, sem dúvida, o próprio homem.

— Recebi um recado do escritório central de que um cavalheiro neste endereço esteve perguntando pelo dois-sete-zero-quatro — disse ele. — Guiei meu cabriolé estes sete anos e nunca tive uma palavra de queixa. Vim direto da cocheira para cá perguntar-lhe em pessoa o que tem contra mim.

— Não tenho nada contra você, meu bom homem — disse Holmes. — Pelo contrário, tenho meio soberano para você se me der uma resposta clara às minhas perguntas.

— Bem, tive um dia bom, não há dúvida — disse o cocheiro com um sorriso. — O que o senhor deseja perguntar, cavalheiro?

— Antes de tudo, o seu nome e endereço, no caso de precisar de você outra vez.

— John Clayton, Turpey Street, 3, em Burough. Meu cabriolé é da Cocheira de Shipley, perto da Estação de Waterloo.

Sherlock Holmes tomou nota.

— Agora, Clayton, fale-me sobre o passageiro que veio observar esta casa hoje de manhã, às dez horas, e depois seguiu os dois cavalheiros pela Regent Street.

O homem pareceu surpreso e um pouco embaraçado.

— Ora, não adianta eu lhe contar coisas, porque o senhor já parece saber tanto quanto eu — disse ele. — A verdade é que o cavalheiro me disse que era detetive e que eu não devia contar nada sobre ele a ninguém.

— Meu bom amigo, este é um caso muito sério, e você pode ficar numa posição muito ruim se tentar esconder alguma coisa de mim. Você diz que o seu passageiro contou que era detetive?

— Sim, disse.

— Quando foi que ele disse isso?

— Quando foi embora.

— Ele disse mais alguma coisa?

— Ele mencionou o nome.

Holmes lançou um olhar rápido de triunfo para mim.

— Oh, ele mencionou o nome, foi? Isso foi imprudente. Qual foi o nome que ele mencionou?

— O nome dele era Sherlock Holmes — disse o cocheiro.

Nunca vi meu amigo mais surpreso do que ao ouvir a resposta do cocheiro. Por um momento ele ficou sentado, pasmo, em silêncio. Depois estourou numa gostosa gargalhada.

— Um toque, Watson, um toque inegável! — disse ele. — Sinto uma lâmina tão ágil e flexível quanto a minha própria. Ele me atingiu em cheio desta vez. Então o nome dele era Sherlock Holmes, não é?

— Sim, senhor, esse era o nome do cavalheiro.

— Excelente! Diga-me onde o pegou e tudo que aconteceu.

— Ele me pegou às 9h30 na Trafalgar Square. Disse que era detetive e me ofereceu dois guinéus se eu fizesse exatamente o que ele queria o dia inteiro e não fizesse pergunta alguma. Concordei com muita satisfação. Primeiro seguimos até o Hotel Northumberland e esperamos ali até que dois cavalheiros saíram e tomaram um cabriolé da fila. Seguimos o cabriolé deles até ele parar em algum lugar aqui perto.

— Nesta mesma porta — disse Holmes.

— Bem, não posso garantir, mas ouso dizer que meu passageiro sabia tudo a respeito. Paramos mais ou menos na metade da rua e esperamos uma hora e meia. Depois os dois cavalheiros passaram por nós, caminhando, e seguimos pela Baker Street e pela...

— Eu sei — disse Holmes.

— Até descermos três quartos da Regent Street. Então meu passageiro levantou a portinha e gritou para eu seguir direto para a Estação de Waterloo o mais depressa possível. Chicoteei a égua, e chegamos lá em menos de dez minutos. Depois ele pagou dois guinéus, como combinado, e entrou na estação. Só que, no momento em que estava indo embora, virou-se e disse: "Pode ser que lhe interesse saber que esteve transportando o sr. Sherlock Holmes". Foi assim que vim a saber o nome.

— Compreendo. E você não o viu mais?

— Não depois que ele entrou na estação.

— E como você descreveria o sr. Sherlock Holmes?

O cocheiro coçou a cabeça.

— Bem, ele não é um cavalheiro muito fácil assim de descrever. Eu daria a ele quarenta anos de idade e era de altura média, cinco a sete centímetros mais baixo do que o senhor. Estava vestido como um grã-fino, tinha uma barba preta, quadrada na ponta, e o rosto pálido. Não sei o que posso dizer além disso.

— Cor dos olhos?

— Não, não posso dizer isso.

— Nada mais de que você possa se lembrar?

— Não, senhor, nada.

— Bem, então, aqui está o seu meio soberano. Há outro esperando por você se puder trazer mais informações. Boa noite!

— Boa noite, cavalheiro, e obrigado!

John Clayton foi embora sorrindo, e Holmes virou-se para mim, encolheu os ombros e exibiu um sorriso triste.

— Lá se vai o nosso terceiro fio, e acabamos onde começamos — disse ele. — Que patife esperto! Ele sabia o nosso número, sabia que sir Henry Baskerville havia me consultado, identificou quem eu era na Regent Street, imaginou que eu conseguira o número do cabriolé e poria as mãos no cocheiro, e assim mandou de volta esse recado audacioso. Olhe, Watson, desta vez conseguimos um inimigo digno de nós. Levei um xeque-mate em Londres. Posso apenas desejar-lhe melhor sorte em Devonshire. Mas não estou tranquilo quanto a isso.

— A isso o quê?

— Quanto a mandar você. Esse é um negócio desagradável, Watson, um negócio desagradável e perigoso, e quanto mais fico sabendo a respeito, menos gosto dele. Sim, meu caro amigo, você pode rir, mas dou-lhe a minha palavra de que ficarei muito satisfeito de tê-lo de volta são e salvo na Baker Street mais uma vez.

6

A Mansão Baskerville

Sir Henry Baskerville e o dr. Mortimer estavam prontos no dia marcado, e partimos para Devonshire. O sr. Sherlock Holmes foi comigo até a estação e deu-me as últimas instruções e conselhos.

— Não vou predispor sua mente sugerindo teorias ou suspeitas, Watson — disse ele. — Quero que você simplesmente me comunique os fatos da maneira mais completa possível, e pode deixar que eu elaboro as teorias.

— Que tipo de fatos? — perguntei.

— Qualquer coisa que possa parecer ter relação, mesmo indireta, com o caso, e em especial as relações entre o jovem Baskerville e os vizinhos ou qualquer novo detalhe a respeito da morte de sir Charles. Eu mesmo fiz algumas investigações nos últimos dias, mas acho que os resultados foram negativos. Só uma coisa parece ser certa: que o sr. James Desmond, que é o herdeiro seguinte, é um cavalheiro idoso com um temperamento muito amável, de modo que essa perseguição não parte dele. Acho que podemos eliminá-lo por inteiro dos nossos cálculos. Restam as pessoas que de fato estarão em volta de sir Henry Baskerville no pântano.

— Não seria bom, em primeiro lugar, livrar-se desse casal Barrymore?

— De maneira alguma. Você não poderia cometer um erro maior. Se eles forem inocentes, seria uma injustiça cruel e, se forem culpados, estaríamos desistindo de todas as possibilidades de pormos a culpa neles. Não, não, vamos mantê-los na nossa lista de suspeitos. Depois há um criado na mansão, se me lembro bem. Há dois fazendeiros na área do pântano. Há o nosso amigo, dr. Mortimer, que acredito ser totalmente honesto, e há a mulher, de quem não sabemos nada. Há esse naturalista, Stapleton, e há a irmã, que dizem ser uma moça atraente. Há o sr. Frankland, da Mansão Lafter, que é também um fator desconhecido, e há mais um ou dois vizinhos. Essas são as pessoas nas quais você deve concentrar sua atenção.

— Farei o melhor que puder.

— Você tem armas, suponho.

— Sim, achei bom trazê-las.

— Com toda certeza. Fique com o revólver perto de você noite e dia, e nunca esqueça as precauções.

Nossos amigos já haviam reservado um vagão de primeira classe e estavam esperando por nós na plataforma.

— Não, não temos novidade — disse o dr. Mortimer em resposta às perguntas do meu amigo. — Posso jurar uma coisa: não fomos seguidos durante os últimos dois dias. Nunca saímos sem manter uma vigilância estrita, e ninguém poderia ter escapado à nossa atenção.

— Os senhores ficaram sempre juntos, presumo?

— Exceto ontem à tarde. Em geral dedico um dia à pura diversão quando venho à cidade, de modo que o passei no Museu do Colégio de Cirurgiões.

— E eu fui olhar as pessoas no parque — disse Baskerville. — Mas não tivemos qualquer tipo de problema.

— Foi imprudente, da mesma forma — disse Holmes sacudindo a cabeça com uma expressão grave. — Peço-lhe, sir Henry, que não saia sozinho. Alguma grande infelicidade pode acontecer-lhe se sair. Achou a sua outra bota?

— Não, senhor, está perdida para sempre.

— Realmente, isso é muito interessante. Bem, adeus — acrescentou quando o trem começou a deslizar pela plataforma. — Tenha em mente, sir Henry, uma das frases daquela antiga lenda que o dr. Mortimer leu para nós e evite o pântano nas horas de escuridão, quando as forças do mal estão exaltadas.

Olhei para a plataforma quando já estávamos distantes e vi a figura alta e austera de Holmes imóvel, fitando-nos.

A viagem foi rápida e agradável, e passei o tempo aprofundando as relações com os meus dois companheiros e brincando com o spaniel do dr. Mortimer. Em poucas horas a terra marrom havia se tornado avermelhada, o tijolo havia mudado para o granito e vacas vermelhas pastavam em campos bem cercados de sebes, onde o capim viçoso e a vegetação mais luxuriante revelavam um clima mais rico, embora mais úmido. O jovem Baskerville olhava com ansiedade pela janela e gritava de prazer ao reconhecer as características familiares do cenário de Devon.

— Estive em boa parte do mundo desde que saí daqui, dr. Watson, mas nunca vi um lugar que se comparasse a este — disse ele.

— Nunca vi um homem de Devonshire que não jurasse por seu condado — comentei.

— Isso depende da estirpe dos homens tanto quanto do condado — disse o dr. Mortimer. — Um olhar para o nosso amigo aqui revela a cabeça redonda do celta, que tem no interior o entusiasmo celta e a força do afeto. A cabeça do pobre sir Charles era de um tipo muito raro, meio gaélico, meio hibérnico nas características. Mas o senhor era muito jovem quando viu pela última vez a Mansão Baskerville, não era?

— Eu era um adolescente quando meu pai morreu, e nunca tinha visto a mansão, porque ele morava numa casinha na costa sul. De lá eu fui direto para a casa de um amigo na América. Digo aos senhores que tudo é tão novo para mim quanto para o dr. Watson, e estou ansioso ao extremo para ver o pântano.

— Está? Então o seu desejo será atendido com facilidade, porque aí está a sua primeira visão do pântano — disse o dr. Mortimer, apontando pela janela do vagão.

Acima dos quadrados verdes dos campos e da curva baixa de um bosque, erguia-se ao longe uma colina cinzenta e melancólica, com um estranho cume denteado, indistinto e vago na distância, como alguma paisagem fantástica num sonho. Baskerville ficou olhando de forma fixa para ela por um longo tempo, e vi na fisionomia ansiosa o quanto ela representava para ele, esta primeira visão daquele lugar estranho em que os homens do sangue dele haviam exercido o poder por tanto tempo e deixado uma marca tão profunda. Lá estava ele sentado, com o terno de tweed e o sotaque americano, no canto de um prosaico vagão de estrada de ferro, e ainda assim, enquanto eu olhava para o rosto de pele negra e expressivo dele, sentia mais do que nunca que ele era um verdadeiro descendente daquela longa linhagem de homens de sangue nobre, belicosos e dominadores. Havia orgulho, coragem e força nas sobrancelhas espessas, narinas sensíveis e olhos grandes amendoados. Se naquele pântano ameaçador tivéssemos que enfrentar uma investigação difícil e perigosa, este era pelo menos um camarada por quem se podia correr um risco com a certeza de que ele também o enfrentaria com coragem.

O trem parou numa pequena estação à margem da estrada, e nós descemos. Do lado de fora, depois da cerca branca baixa, uma charrete com um par de cavalos de pernas curtas estava esperando. Nossa chegada era, sem dúvida, um grande acontecimento, porque o chefe da estação e os carregadores se aglomeraram à nossa volta para levar a bagagem. Era um lugar campestre encantador e simples, mas fiquei surpreso ao observar que junto ao portão havia dois homens com uniformes escuros de soldados, que se inclinaram sobre os fuzis curtos e olharam com atenção para nós quando passamos. O cocheiro, um sujeitinho de feições grosseiras contorcidas, saudou sir Henry Baskerville, e em alguns minutos estávamos voando pela larga estrada branca. Pastagens onduladas subiam em curva de ambos os lados, e velhas casas com frontões apareciam por entre a espessa folhagem verde, mas atrás os campos tranquilos e iluminados pelo sol apareciam sempre, escuros contra o céu crepuscular, com a curva extensa e sombria do pântano interrompida pelas colinas sinistras e denteadas.

A charrete entrou numa estrada secundária e fizemos uma curva ascendente ao longo de caminhos desgastados por séculos de rodas, margens altas dos dois lados, pesadas de musgo gotejante e samambaias. Fetos bronzeados e espinheiros mosqueados brilhavam à luz do sol poente. Ainda subindo, passamos por uma ponte estreita de granito e contornamos um córrego barulhento que descia borbulhando com rapidez, espumando e bramindo por entre os matacões cinzentos. Tanto a estrada como o córrego atravessavam um vale denso de carvalhos e abetos enfezados. A cada volta, Baskerville soltava uma exclamação de prazer, olhando ansioso em volta e fazendo perguntas intermináveis. Aos olhos dele tudo parecia lindo, mas para mim um tom de melancolia pairava sobre os campos que mostravam de forma tão clara a marca do ano que terminava. Folhas amarelas atapetavam os caminhos e caíam esvoaçando sobre nós quando passávamos. O ruído das nossas rodas desapareceu quando passamos por montes de vegetação apodrecida, tristes oferendas, como me pareceram, para a natureza lançar diante da carruagem do herdeiro dos Baskerville que voltava.

— Oh! — gritou o dr. Mortimer. — O que é isto?

Uma curva íngreme de terreno coberto de urzes, um contraforte afastado do pântano, estava diante de nós. No alto, rígido e nítido como uma estátua equestre sobre o pedestal, estava um soldado negro montado e sério, com o fuzil suspenso em posição sobre o antebraço. Ele estava vigiando a estrada pela qual viajávamos.

— O que é isto, Perkins? — perguntou o dr. Mortimer.

Nosso cocheiro virou-se um pouco no assento.

— Há um condenado fugido de Princetown, senhor. Faz três dias que ele fugiu, e os guardas vigiam todas as estradas e todas as estações, mas até agora não o viram. Os fazendeiros por aqui não gostam disso, senhor, isso é verdade.

— Bem, sei que eles ganham cinco libras se puderem dar informações.

— Sim, mas a possibilidade das cinco libras é muito pouca, se comparada com a possibilidade de ter a garganta da gente cortada. O senhor compreende, não é como qualquer condenado comum. Esse é um homem que não se detém diante de qualquer coisa.

— Quem é ele?

— É Selden, o assassino de Notting Hill.

Eu me lembrava bem do caso, porque Holmes havia se interessado por ele devido à ferocidade peculiar do crime e à brutalidade que havia caracterizado todas as ações do assassino. A comutação da pena de morte fora devido a algumas dúvidas quanto à plena sanidade dele, tão atroz foi a conduta que teve. Nossa charrete havia chegado ao alto de uma elevação e diante de nós surgiu a enorme extensão do pântano, salpicada de picos rochosos, retorcidos e escarpados. Um vento frio nos deixou tremendo. Em algum ponto ali, naquela planície desolada, estava emboscado esse homem perverso, escondido numa toca como um animal feroz, com o coração cheio de perversidade contra toda a raça que o havia expulsado do seu meio. Só faltava isso para completar a sinistra sugestividade da extensão vazia, o vento frio e o céu que escurecia. Até Baskerville ficou em silêncio e apertou mais o sobretudo em volta dele.

Havíamos deixado os campos férteis para trás. Viramos e olhamos para eles, com os raios inclinados de um sol baixo transformando os córregos em fios de ouro e brilhando sobre a terra vermelha agora revirada pelo arado e o emaranhado das florestas. A estrada diante de nós ficou mais desolada e agreste sobre as encostas castanho-avermelhadas e verde-oliva, salpicadas de matacões gigantescos. De vez em quando passávamos por uma casinha, com paredes e telhados de pedra, sem trepadeira alguma para quebrar o perfil severo. De repente olhamos para dentro de uma depressão parecida com uma xícara, salpicada de carvalhos e abetos enfezados que tinham sido torcidos e inclinados pela fúria de anos de tempestades. Duas torres altas e estreitas erguiam-se sobre as árvores. O cocheiro apontou com o chicote.

— A Mansão Baskerville — disse ele.

O patrão dele havia se levantado e estava olhando com a face corada e os olhos brilhantes. Alguns minutos mais tarde havíamos chegado aos portões da casa do porteiro, uma confusão fantástica de rendilhado em ferro batido, com pilares corroídos pelo tempo de cada lado, manchados de líquenes e encimados pelas cabeças de urso dos Baskerville. A casa do porteiro era uma ruína de granito preto e costelas ou caibros nus, mas diante dele havia um prédio novo, meio construído, o primeiro fruto do ouro sul-africano de sir Charles.

Pelo portão entramos na avenida, onde as rodas foram silenciadas de novo entre as folhas, e as velhas árvores formavam com os galhos um túnel sombrio sobre as nossas cabeças. Baskerville estremeceu quando olhou para o longo caminho escuro em cuja extremidade oposta a casa tremeluzia como um fantasma.

— Foi aqui? — perguntou em voz baixa.

— Não, não, a Aleia dos Teixos fica do outro lado.

O jovem herdeiro olhou em volta com o rosto sombrio.

— Não é de espantar que o meu tio achasse que ia ter problemas num lugar como este — disse ele. — Ele é capaz de assustar qualquer homem. Vou instalar uma fila de lampiões elétricos aqui dentro de seis meses, e vocês não o reconhecerão mais, com mil velas Swan e Edison bem aqui diante da porta do vestíbulo.

A avenida abria-se numa ampla extensão de relva, e a casa estava diante de nós. Na claridade que diminuía pude ver que o centro era um pesado bloco de construção do qual se projetava uma varanda. Toda a frente estava coberta de hera, com um trecho aparado aqui e ali onde uma janela ou um brasão aparecia através do véu escuro. Desse bloco central erguiam-se as torres gêmeas, antigas, com ameias, e perfuradas por muitas seteiras. À direita e à esquerda das torres ficavam alas mais recentes de granito preto. Uma luz baça brilhava através das pesadas janelas góticas, e da alta chaminé que se erguia do telhado íngreme subia uma única coluna de fumaça preta.

— Bem-vindo, sir Henry! Bem-vindo à Mansão Baskerville!

Um homem alto havia saído da sombra da varanda para receber a charrete. O vulto de uma mulher destacava-se contra a luz amarela do vestíbulo. Ela saiu e ajudou o homem a retirar nossas malas.

— O senhor não se importa se eu for direto para casa, sir Henry? — perguntou o dr. Mortimer. — Minha mulher está me esperando.

— O senhor não ficará para jantar conosco?

— Não, preciso ir. Provavelmente encontrarei algum trabalho à minha espera. Eu ficaria para mostrar-lhe a casa, mas Barrymore será um guia melhor do que eu. Adeus, e não hesite nunca, à noite ou de dia, em mandar me chamar se eu puder ser-lhe útil.

O barulho das rodas desapareceu no caminho enquanto sir Henry e eu entrávamos no vestíbulo, e a porta bateu de modo pesado atrás de nós. Era um ótimo aposento em que nos encontrávamos, grande, majestoso e apainelado de forma densa, com traves enormes de carvalho escurecido pelo tempo. Na grande lareira antiquada, atrás de altos cães de ferro, um fogo de lenha crepitava e estalava. Sir Henry e eu estendemos as mãos para ele, porque estávamos entorpecidos pela longa viagem. Depois ficamos olhando em volta para a janela alta e estreita de vitral antigo, os lambris de carvalho, as cabeças de veado, os brasões de armas nas paredes, todos escuros e sombrios à luz velada da lâmpada central.

— É da forma exata como eu imaginava — disse sir Henry. — Não é o próprio retrato de um velho lar de família? E pensar que esta é a mesma mansão na qual minha gente morou durante quinhentos anos. Parece solene pensar nisso.

Vi o rosto de pele negra iluminar-se de entusiasmo infantil enquanto olhava à sua volta. A luz batia sobre ele no lugar onde estava parado, mas sombras longas estendiam-se pelas paredes e pendiam como um dossel preto acima dele. Barrymore havia voltado dos nossos quartos, para onde levara nossa bagagem. Ele parou diante de nós com a atitude controlada de um criado bem treinado. Era um homem de aspecto notável, alto, bonito, com uma barba preta quadrada, pálido e de feições distintas.

— O senhor desejaria que o jantar fosse servido neste instante?

— Está pronto?

— Dentro de alguns minutos, senhor. Os senhores encontrarão água quente em seus quartos. Minha mulher e eu ficaremos felizes, sir Henry, de permanecermos com o senhor até que tome suas novas providências, mas o senhor há de compreender que nas novas circunstâncias esta casa exigirá uma criadagem considerável.

— Que novas circunstâncias?

— Só quis dizer, senhor, que sir Charles levava uma vida muito reclusa, e nós podíamos cuidar das necessidades dele. O senhor, naturalmente, vai querer ter mais companhia, de modo que vai precisar de mudanças em sua criadagem.

— Você quer dizer que sua mulher e você desejam sair?

— Só quando for conveniente para o senhor, sir Henry.

— Mas a sua família está conosco há várias gerações, não é? Eu lamentaria começar minha vida aqui rompendo uma velha ligação de família.

Percebi alguns sinais de emoção no rosto pálido do mordomo.

— Eu também sinto isso, senhor, e minha mulher também. Mas, para dizer a verdade, senhor, nós éramos muito ligados a sir Charles. A morte dele foi um choque e tornou este ambiente muito penoso para nós. Receio que nunca mais tenhamos tranquilidade de espírito na Mansão Baskerville.

— Mas o que você pretende fazer?

— Não tenho dúvida alguma, senhor, de que seremos bem-sucedidos nos estabelecendo por conta própria com algum negócio. A generosidade de sir Charles nos deu os meios para isso. E agora, senhor, talvez seja melhor eu lhes mostrar os seus quartos.

Uma galeria quadrada com balaustrada corria em volta do alto do velho vestíbulo, com acesso por uma escada dupla. Desse ponto central saíam dois longos corredores por toda a extensão do prédio, para os quais se abriam todos os quartos. O meu era na mesma ala que o de Baskerville e quase ao lado do dele. Esses quartos pareciam ser muito mais recentes do que a parte central da casa, e o papel claro e numerosas velas ajudaram a diminuir a impressão sombria que eu tivera ao chegar.

Mas a sala de jantar vizinha do saguão era um lugar de sombra e escuridão. Era um cômodo comprido com um degrau que separava o estrado onde a família se sentava da parte inferior reservada aos dependentes dela. Numa extremidade, havia uma galeria de menestréis. Traves cruzavam-se acima de nossas cabeças, com um teto escurecido pela fumaça acima delas. Com filas de archotes chamejantes para iluminá-la, e a cor e a rude hilaridade de um banquete de antigamente, ela poderia ter se suavizado; mas agora, quando dois cavalheiros de roupas pretas estavam sentados no pequeno círculo de luz lançado por uma lâmpada velada, a voz de uma pessoa ficava abafada, e o espírito, submisso. Uma sombria fila de ancestrais, com os trajes mais variados, desde o cavalheiro elisabetano até o dândi da Regência, contemplava-nos do alto e nos intimidava com a companhia silenciosa deles. Falamos pouco, e fiquei satisfeito quando a refeição terminou e pudemos ir para a moderna sala de bilhar e fumar um cigarro.

— Palavra, esse não é um lugar muito alegre — disse sir Henry. — Suponho que a gente possa se adaptar a ele, mas sinto-me um pouco deslocado no momento. Não me admiro que o meu tio ficasse um pouco apreensivo de morar inteiramente sozinho numa casa como essa. Mas, se isso lhe convém, iremos deitar cedo esta noite, e talvez as coisas possam parecer mais alegres pela manhã.

Afastei as cortinas antes de ir para a cama e olhei pela janela. Ela dava para o espaço gramado que ficava diante da porta do vestíbulo. Mais além, as árvores de dois bosques gemiam e se agitavam com o vento que aumentava. Uma meia-lua surgia entre as nuvens que corriam. À sua luz fria, vi além das árvores uma orla de rochas e a curva baixa e extensa do pântano melancólico. Fechei a cortina, achando que a minha última impressão estava de acordo com o resto.

Mas essa não foi bem a última. Sentia-me cansado e mesmo assim alerta, virando-me inquieto de um lado para outro, procurando o sono que não vinha. Ao longe, um carrilhão batia os quartos de hora, mas, fora isso, um silêncio mortal pesava sobre a velha casa. E então, de repente, ouvi um som nítido e inconfundível. Eram os soluços de uma mulher, o arquejo abafado e reprimido de uma pessoa dilacerada por uma mágoa incontrolável. Sentei-me na cama e fiquei ouvindo com atenção. O barulho não podia ter sido longe e com certeza era na casa. Durante meia hora esperei com cada nervo desperto, mas não ouvi qualquer outro som além do carrilhão e do farfalhar da hera na parede.

7

Os Stapleton da Casa de Merripit

A fresca beleza da manhã seguinte ajudou a apagar de nossas mentes a impressão sombria e cinzenta deixada pela nossa primeira experiência na Mansão Baskerville. Quando sir Henry e eu nos sentamos para tomar café, a luz do sol entrava pelas janelas altas, projetando manchas coloridas dos brasões de armas que as cobriam. Os lambris escuros brilhavam como bronze aos raios dourados, e era difícil perceber que aquele era de fato o cômodo que enchera tanto nossas almas de melancolia na noite anterior.

— Acho que é a nós mesmos e não à casa que temos de culpar! — disse o baronete. — Estávamos cansados da viagem e enregelados do passeio de charrete, de modo que ficamos com uma impressão sombria do lugar. Agora estamos descansados e bem, portanto tudo está alegre outra vez.

— Mas não era só uma questão de imaginação — respondi. — O senhor, por exemplo, ouviu alguém, uma mulher, eu acho, soluçando durante a noite?

— Isso é curioso, porque quando eu estava meio adormecido acho que ouvi alguma coisa desse tipo. Esperei bastante tempo, mas não ouvi mais nada, e concluí que era tudo um sonho.

— Ouvi distintamente, e tenho certeza de que era de verdade uma mulher soluçando.

— Devemos perguntar a respeito agora mesmo. — Ele tocou a campainha e perguntou a Barrymore se ele podia explicar o fato. Pareceu-me que as feições pálidas do mordomo ficaram um pouco mais pálidas quando ouviu a pergunta do patrão.

— Há apenas duas mulheres na casa, sir Henry — respondeu. — Uma é a copeira, que dorme na outra ala. A outra é a minha mulher, e posso afirmar que o som não pode ter vindo dela.

Mas ele mentiu quando disse isso, porque depois do café encontrei por acaso a sra. Barrymore no longo corredor, com o sol batendo em cheio no rosto. Ela era uma mulher grande, impassível, de feições grosseiras e com uma expressão severa e imóvel na boca. Mas os olhos reveladores estavam vermelhos e olharam para mim por entre pálpebras inchadas. Fora ela, então, quem chorara durante a noite, e se chorara o marido devia saber disso. Contudo, ele havia assumido o risco óbvio da descoberta afirmando que não fora ela. Por que ele havia feito isso? E por que ela chorara com tanta amargura? Em torno desse homem pálido, bonito e de barba preta já estava se acumulando uma atmosfera de mistério e de melancolia. Fora ele o primeiro a encontrar o corpo de sir Charles, e tínhamos apenas a palavra dele para todas as circunstâncias que levaram à morte do velho. Seria possível que fosse Barrymore, afinal de contas, que víramos no cabriolé na Regent Street? A barba podia ter sido a mesma. O cocheiro havia descrito um homem um pouco mais baixo, mas essa impressão podia facilmente ter sido equivocada. Como eu poderia tirar essa dúvida? Era óbvio que a primeira coisa a fazer era falar com o agente do correio de Grimpen e descobrir se o telegrama tinha sido de fato entregue nas mãos de Barrymore. Qualquer que fosse a resposta, eu deveria pelo menos ter alguma coisa para informar a Sherlock Holmes.

Sir Henry tinha muitos documentos para examinar após o café, de modo que o momento era propício para a minha excursão. Foi uma caminhada agradável de 4,5 quilômetros pela margem do pântano, levando-me por fim a um lugarejo triste, onde os dois prédios maiores, que eram a estalagem e a casa do dr. Mortimer, se destacavam do resto. O agente do correio, que era também o dono do armazém da aldeia, lembrava-se bem do telegrama.

— Claro, senhor, mandei entregar o telegrama ao sr. Barrymore, exatamente como foi ordenado — disse ele.

— Quem o entregou?

— Meu filho aqui. James, você entregou o telegrama ao sr. Barrymore na mansão na semana passada, não entregou?

— Sim, papai, entreguei.

— Nas mãos dele? — perguntei.

— Bem, ele estava lá em cima no sótão naquela hora, de modo que não pude entregá-lo nas mãos dele, mas entreguei-o nas mãos da sra. Barrymore, e ela prometeu entregar a ele no mesmo instante.

— Você viu o sr. Barrymore?

— Não, senhor. Eu disse ao senhor que ele estava no sótão.

— Se você não o viu, como sabe que ele estava no sótão?

— Bem, a mulher dele com certeza devia saber onde ele estava — disse o agente do correio irritado. — Ele não recebeu o telegrama? Se houve algum engano, compete ao próprio sr. Barrymore reclamar.

Parecia inútil prosseguir no interrogatório, mas estava claro que, apesar do truque de Holmes, não tínhamos prova alguma de que Barrymore não estivesse em Londres o tempo todo. Suponhamos que assim fosse, que o mesmo homem tivesse sido o último a ver sir Charles vivo e o primeiro a seguir o novo herdeiro quando este voltou à Inglaterra. E daí? Seria ele o instrumento de outros ou ele tinha algum desígnio sinistro próprio? Que interesse podia ter em perseguir a família Baskerville? Pensei no estranho aviso cortado do editorial do *Times*. Seria isso obra dele ou seria obra de alguém dedicado a contrariar os planos dele? O único motivo concebível era aquele que havia sido sugerido por sir Henry, que, se a família pudesse ser afugentada, um lar confortável e permanente estaria garantido para os Barrymore. Mas sem dúvida essa explicação seria totalmente inadequada para justificar o planejamento detalhado e sutil que parecia estar tecendo uma teia invisível em torno do jovem baronete. O próprio Holmes havia dito que nunca tiveram um caso mais complexo em toda a longa série de investigações sensacionais dele. Rezei enquanto caminhava de volta pela estrada triste e solitária, para que o meu amigo pudesse em breve estar livre das preocupações dele e tirasse essa pesada carga de responsabilidade dos meus ombros.

De repente meus pensamentos foram interrompidos pelo ruído de pés correndo atrás de mim e por uma voz que chamava o meu nome. Virei-me, esperando ver o dr. Mortimer, mas para minha surpresa era um estranho que estava me perseguindo. Era um homem pequeno, magro, bem barbeado, com expressão afetada, loiro e de queixo pequeno, entre trinta e quarenta anos de idade, vestido com um terno cinzento e usando um chapéu de palha. Uma caixa de metal para espécimes botânicos pendia do ombro e ele segurava uma rede verde para borboletas em uma das mãos.

— O senhor decerto vai desculpar minha presunção, dr. Watson — disse ele ao chegar ofegante ao lugar onde eu estava. — Aqui no pântano somos pessoas simples e não esperamos pelas apresentações formais. É provável que o senhor já tenha ouvido o meu nome do nosso amigo comum, Mortimer. Eu sou Stapleton, da Casa de Merripit.

— A sua rede e a sua caixa teriam me revelado a mesma coisa porque eu sabia que o sr. Stapleton era naturalista. Mas como o senhor me reconheceu? — disse ele.

— Fui visitar Mortimer, e ele me mostrou, da janela do consultório dele, quando o senhor passou. Como o nosso caminho fica na mesma direção, pensei que pudesse alcançá-lo e apresentar-me. Espero que sir Henry não tenha piorado com a viagem.

— Ele está muito bem, obrigado.

— Estávamos todos com medo de que, após a triste morte de sir Charles, o novo baronete se recusasse a morar aqui. É pedir muito a um homem rico vir para cá e enterrar-se num lugar como este, mas não preciso dizer-lhe que isso significa muito para a região. Sir Henry não tem, suponho, nenhum medo supersticioso a respeito?

— Não acho que isso seja provável.

— O senhor com certeza conhece a lenda do cão diabólico que persegue a família.

— Ouvi falar disso.

— É extraordinário como os camponeses são crédulos por aqui! Qualquer um deles está pronto a jurar que viu essa criatura no pântano. — Ele falou com um sorriso, mas tive a impressão de que ele encarava o assunto de modo mais sério. — A história empolgou a imaginação de sir Charles, e não tenho dúvida alguma de que isso provocou o fim trágico dele.

— Mas como?

— Os nervos dele estavam tão eufóricos que o aparecimento de qualquer cão podia ter tido um efeito fatal sobre o coração doente. Imagino que ele tenha visto de fato alguma coisa do gênero naquela última noite na Aleia dos Teixos. Eu receava que pudesse ocorrer algum desastre, porque eu gostava muito do velho e sabia que o coração dele estava fraco.

— Como o senhor sabia disso?

— Meu amigo Mortimer me contou.

— O senhor acha, então, que algum cão perseguiu sir Charles, e que, em consequência disso, ele morreu de medo?

— O senhor tem alguma explicação melhor?

— Eu não cheguei a uma conclusão.

— E o sr. Sherlock Holmes chegou?

As palavras me tiraram a respiração por um instante, mas um olhar para o rosto plácido e os olhos firmes do meu companheiro mostraram que não pretendia causar surpresa.

— É inútil para nós fingir que não o conhecemos, dr. Watson — disse ele. — As histórias do seu detetive chegaram até nós aqui, e o senhor não pode exaltá-lo sem que o senhor mesmo seja reconhecido. Quando Mortimer me disse o seu nome, não pôde negar a sua identidade. Se o senhor está aqui, quer dizer que o próprio sr. Sherlock Holmes está interessado no caso, e estou naturalmente curioso para saber a opinião dele.

— Receio não poder responder a essa pergunta.

— Posso perguntar-lhe se ele vai nos honrar com uma visita?

— Ele não pode sair da cidade no momento. Tem outros casos que precisam da atenção dele.

— Que pena! Ele podia esclarecer alguma coisa nesse caso que é tão misterioso para nós. Mas quanto às suas próprias pesquisas, se houver alguma maneira de lhe ser útil, espero que me diga. Se eu tiver alguma indicação quanto à natureza das suas suspeitas, ou como o senhor pretende investigar o caso, talvez eu possa, mesmo agora, dar-lhe alguma ajuda ou conselho.

— Afirmo-lhe que estou aqui apenas em visita ao meu amigo sir Henry e que não preciso de nenhum tipo de ajuda.

— Excelente! — disse Stapleton. — O senhor está absolutamente certo sendo prudente e discreto. Fui censurado com justiça pelo que acho que foi uma intromissão injustificável, e prometo-lhe que não mencionarei o assunto outra vez.

Tínhamos chegado a um ponto onde um caminho estreito coberto de relva desviava-se da estrada e entrava pelo pântano. À direita havia uma colina íngreme salpicada de matacões que em épocas passadas fora cortada para extração de granito. A face que estava voltada para nós formava uma escarpa escura, com samambaias e espinheiros brotando dos nichos. De uma elevação distante saía um penacho de fumaça cinzenta.

— Uma caminhada não muito longa por este caminho do pântano conduz à Casa de Merripit — disse ele. — Talvez o senhor possa dispor de uma hora para que eu tenha o prazer de apresentá-lo à minha irmã.

Meu primeiro pensamento foi que eu devia estar ao lado de sir Henry. Mas depois me lembrei da pilha de papéis e contas que cobriam a mesa do escritório dele. Eu não podia ajudá-lo nisso. E Holmes havia dito de modo expresso que eu devia averiguar os vizinhos do pântano. Aceitei o convite de Stapleton, e entramos juntos pelo caminho.

— É um lugar maravilhoso, o pântano — disse ele, olhando em volta para as descidas ondulantes, longas ondas verdes com cristas de granito irregular emergindo em vagalhões fantásticos. — A gente nunca se cansa do pântano. O senhor não pode imaginar os segredos maravilhosos que ele contém. É tão grande, tão desolado e tão misterioso!

— O senhor o conhece bem, então?

— Estou aqui apenas há dois anos. Os residentes me chamariam de um recém-chegado. Viemos pouco depois de sir Charles se estabelecer. Mas a minha disposição me levou a explorar todas as partes da região em volta, e acho que deve haver poucos homens que a conhecem melhor do que eu.

— Ele é tão difícil assim de se conhecer?

— Muito difícil. O senhor vê, por exemplo, esta grande planície para o norte aqui, com as estranhas colinas despontando nela. O senhor observa alguma coisa notável nisso?

— Seria um lugar ótimo para um galope.

— O senhor naturalmente pensaria assim e essa ideia custou várias vidas antes. Está vendo aqueles pontos verdes brilhantes espalhados por ela?

— Sim, parecem mais férteis do que o resto.

Stapleton riu.

— Esse é o grande charco de Grimpen — disse ele. — Um passo em falso ali significa a morte para um homem ou um animal. Ontem mesmo vi um dos pôneis do brejo indo para dentro dele. Ele não saiu mais. Vi a cabeça por muito tempo tentando sair do lodaçal, mas ele acabou sendo sugado para baixo. Mesmo nas estações secas é um perigo atravessá-lo, mas depois das chuvas deste outono é um lugar horrível. E apesar disso consigo ir até o meio dele e voltar vivo. Meu Deus, lá está outro desses miseráveis pôneis!

Alguma coisa marrom estava se mexendo e se agitando entre a vegetação. Então um pescoço comprido projetou-se para cima, contorcendo-se e lutando com desespero, e um grito horrível ecoou pelo pântano. Ele me deixou gelado de horror, mas os nervos do meu companheiro pareciam ser mais fortes do que os meus.

— Lá se foi! — disse ele. — O pântano o tragou. Dois em dois dias, e muitos outros, talvez, porque eles adquirem o hábito de ir lá em tempo seco e nunca aprendem a diferença até que o pântano os agarre. É um lugar ruim, o grande charco de Grimpen.

— E o senhor diz que consegue atravessá-lo?

— Sim, há um ou dois caminhos que um homem muito ágil pode tomar. Eu os descobri.

— Mas por que o senhor desejaria entrar num lugar tão horrível?

— Bem, o senhor está vendo as colinas além? Elas são de fato ilhas cercadas por todos os lados pelo pântano intransponível, que se espalhou em torno delas ao longo dos anos. É ali que estão as plantas raras e as borboletas, se a gente tiver esperteza para alcançá-las.

— Um dia tentarei.

Ele olhou para mim com uma expressão de surpresa.

— Pelo amor de Deus, esqueça essa ideia — disse ele. — O seu sangue cairia sobre a minha cabeça. Afirmo-lhe que não haveria a menor possibilidade de o senhor voltar vivo. É só me lembrando de certos pontos de referência complexos que sou capaz de fazer isso.

— Oh! — exclamei. — O que é isso?

Um gemido longo e baixo, indescritivelmente triste, cruzou o pântano. Ele encheu o ar, mas era impossível dizer de onde vinha. De um murmúrio surdo ele aumentou até um rugido profundo e depois diminuiu de novo, reduzindo-se a um murmúrio melancólico e latejante outra vez. Stapleton olhou para mim com uma expressão curiosa no rosto.

— Lugar estranho, o pântano! — disse ele.

— Mas o que é isso?

— Os camponeses dizem que é o Cão dos Baskerville chamando a presa. Eu já o ouvi uma ou duas vezes antes, mas nunca tão alto assim.

Olhei em volta, com um calafrio de medo no coração, para a imensa planície ondulada mosqueada de manchas verdes de juncos. Nada se mexia sobre a vasta extensão, exceto um par de corvos que crocitavam alto num pico rochoso atrás de nós.

— O senhor é um homem instruído. O senhor não acredita numa bobagem dessas — disse ele. — Na sua opinião, qual é a origem de um som tão estranho?

— Os charcos fazem ruídos estranhos às vezes. É a lama se acomodando, ou a água subindo, ou algo assim.

— Não, não, isso era a voz de um ser vivo.

— Bem, talvez fosse. O senhor já ouviu uma galinhola-real gritando?

— Não, nunca ouvi.

— É uma ave muito rara, praticamente extinta na Inglaterra agora, mas tudo é possível no pântano. Eu não ficaria surpreso de saber que o que ouvimos foi o grito da última das galinholas-reais.

— Essa foi a coisa mais fantástica e estranha que já ouvi em minha vida.

— Sim, pode-se dizer que esse é um lugar bastante misterioso. Olhe para a encosta da colina lá longe. O que acha que é aquilo?

Toda a encosta íngreme estava coberta de círculos cinzentos de pedra, pelo menos uns vinte deles.

— O que são? Redis de ovelhas?

— Não, são as casas dos nossos dignos ancestrais. O homem pré-histórico vivia em aglomeração no pântano, e, como ninguém em particular viveu ali desde então, encontramos todas as pequenas instalações dele da forma exata como ele a deixou. Estas são as cabanas sem os telhados. O senhor pode ver até a lareira e o leito deles se tiver a curiosidade de entrar.

— Mas isso é uma cidade. Quando ela foi habitada?

— O homem neolítico, sem data.

— O que eles faziam?

— Levavam o gado para pastar nestas encostas e aprenderam a extrair o estanho quando a espada de bronze começou a substituir o machado de pedra. Olhe para o grande fosso na colina oposta. Aquela é a marca deles. Sim, o senhor encontrará alguns pontos muito singulares no pântano, dr. Watson. Oh, desculpe-me um instante! Com certeza é uma *Cyclopides*.

Uma pequena borboleta ou mariposa havia atravessado voando o nosso caminho, e num instante Stapleton estava correndo com uma energia e uma velocidade extraordinárias na perseguição. Para minha consternação, a criatura voou direto para o grande pântano, e o meu companheiro não parou sequer por um instante, saltando de tufo em tufo atrás dela com a rede verde balançando no ar. As roupas cinzentas sem avanço irregular, em zigue-zague, aos arrancos, faziam com que ele próprio parecesse uma mariposa gigantesca. Eu estava parado observando a perseguição dele, com uma mistura de admiração pela atividade extraordinária e medo de ele dar um passo em falso no pântano traiçoeiro, quando ouvi o ruído de passos e, virando-me, encontrei uma mulher perto de mim no caminho. Ela tinha vindo da direção em que o penacho de fumaça indicava a posição da Casa de Merripit, mas a depressão do pântano a havia escondido até ela estar bem perto.

Eu não podia duvidar que esta fosse a senhorita Stapleton, de quem me haviam falado, já que as damas de qualquer maneira deviam ser poucas no pântano e lembrei-me de que alguém a descrevera como sendo uma beleza. A mulher que se aproximou de mim era decerto isso e de um tipo muito fora do comum. Não podia haver um contraste maior entre irmão e irmã, porque Stapleton tinha tonalidade neutra com cabelo claro e olhos cinzentos, enquanto ela possuía a pele mais negra do que qualquer outra que eu tivesse visto na Inglaterra, magra, elegante e alta. Ela tinha um rosto orgulhoso, cinzelado com finura, tão regular que poderia parecer impassível se não fosse a boca sensível e os lindos olhos escuros, ansiosos. Com o talhe perfeito dela e o vestido elegante, ela era, de fato, uma aparição estranha no desolado caminho do pântano. Os olhos estavam voltados para o irmão quando me virei, e depois ela apressou o passo na minha direção. Eu havia erguido meu chapéu e estava prestes a fazer algum comentário explicativo quando as palavras dela viraram todos os meus pensamentos numa nova direção.

— Volte! — disse ele. — Volte direto para Londres neste mesmo instante.

Só consegui ficar olhando para ela em estúpida surpresa. Os olhos brilhavam sobre mim e ela bateu no chão com o pé, de um jeito impaciente.

— Por que devo voltar? — perguntei.

— Não posso explicar. — Ela falou numa voz baixa, ansiosa, com uma curiosa dicção balbuciante. — Mas, pelo amor de Deus, faça o que lhe pedi. Volte e nunca mais ponha os pés no pântano outra vez.

— Mas eu acabei de chegar.

— Homem, homem! — exclamou ela. — O senhor não pode perceber quando um aviso é para o seu próprio bem? Volte para Londres! Parta esta noite! Saia deste lugar a qualquer custo! Silêncio, meu irmão está chegando! Nem uma palavra do que eu disse. O senhor se incomoda de apanhar aquela orquídea para mim ali adiante? Há uma grande quantidade de orquídeas aqui, embora, naturalmente, o senhor esteja bastante atrasado para ver as belezas do lugar.

Stapleton havia abandonado a perseguição, e voltava ofegante e corado pelo esforço.

— Olá, Beryl! — disse ele, e pareceu-me que o tom da saudação não era cordial por inteiro.

— Bem, Jack, você está muito ofegante.

— Sim, estive perseguindo uma *Cyclopides*. Ela é muito rara, difícil encontrá-la no fim do outono. Que pena tê-la perdido! — falou de modo despreocupado, mas os pequenos olhos claros viravam de forma incessante da moça para mim. — Vocês se apresentaram por conta própria, posso ver.

— Sim. Eu estava dizendo a sir Henry que era tarde demais para ele ver as verdadeiras belezas do pântano.

— Ora, quem você pensa que ele seja?

— Imagino que deva ser sir Henry Baskerville.

— Não, não — disse ele. — Apenas um humilde plebeu, mas sou amigo dele. Meu nome é dr. Watson.

Uma onda de aflição passou pelo rosto expressivo dela.

— Estivemos falando sem nos entender — disse ela.

— Ora, vocês não tiveram muito tempo para falar — comentou o irmão dela com os mesmos olhos perscrutadores.

— Eu falei como se o dr. Watson fosse um residente em vez de ser apenas um visitante — disse ela. — Não deve importar muito para ele se é cedo ou tarde para as orquídeas. Mas o senhor virá, não é, ver a Casa de Merripit?

Uma curta caminhada levou-nos até lá, uma casa desolada do pântano, antigamente a fazenda de algum criador nos velhos tempos de prosperidade, mas agora reformada e transformada numa moradia moderna. Um pomar cercava-a, mas as árvores, como é comum no pântano, eram enfezadas e murchas, e o lugar inteiro tinha um aspecto miserável e melancólico. Fomos recebidos por um estranho empregado velho, mirrado, com um casaco cor de ferrugem que parecia combinar com a casa. Mas dentro havia salas grandes mobiliadas com uma elegância na qual eu parecia reconhecer o gosto da dama. Quando olhei de suas janelas para o pântano interminável salpicado de granito ondulando sem interrupção até o horizonte mais distante, fiquei maravilhado com aquilo que podia ter trazido aquele homem de instrução superior e aquela mulher linda para morarem num lugar desses.

— Lugar estranho para escolher, não é? — disse ele, como se respondesse ao meu pensamento. — E, apesar disso, conseguimos nos sentir bastante felizes, não é, Beryl?

— Bastante felizes — disse ela, mas não havia qualquer tom de convicção nas palavras dela.

— Eu tive um colégio — disse Stapleton. — Era no norte do país. O trabalho para um homem do meu temperamento era mecânico e pouco interessante, mas o privilégio de viver com os jovens, de ajudar a moldar aquelas mentes moças e de imprimir nelas o próprio caráter e os ideais da gente era muito importante para mim. Mas a sorte estava contra nós. Uma grave epidemia assolou o colégio, e três dos meninos morreram. Ele nunca se refez do golpe, e grande parte do meu capital foi engolido de modo irrecuperável. E ainda assim, apesar da perda da companhia encantadora dos meninos, eu consegui superar a minha própria infelicidade e me alegrar porque, com o meu gosto pela botânica e pela zoologia, encontro um campo ilimitado de trabalho aqui, e minha irmã é tão dedicada à natureza quanto eu. Tudo isso, dr. Watson, passou na sua cabeça devido à sua expressão quando examinou o pântano da nossa janela.

— Sem dúvida passou pela minha cabeça que isso podia ser um pouco monótono, menos para o senhor, talvez, do que para a sua irmã.

— Não, não, nunca acho monótono — disse ele com rapidez.

— Temos livros, temos os nossos estudos e temos vizinhos interessantes. O dr. Mortimer é um homem muito instruído na própria especialidade. O pobre sir Charles era também um companheiro admirável. Nós o conhecíamos bem e sentimos a falta dele mais do que posso dizer. O senhor acha que seria intromissão minha se eu fosse visitar esta tarde sir Henry para conhecê-lo?

— Estou certo de que ele ficaria encantado.

— Então talvez o senhor mencionasse que pretendo fazer isso. Da nossa maneira humilde, poderemos ajudar a tornar as coisas mais fáceis para ele até se acostumar com o novo ambiente. O senhor quer subir, dr. Watson, e examinar a minha coleção de lepidópteros? Acho que é a mais completa do sudoeste da Inglaterra. Quando o senhor tiver terminado de examiná-la, o almoço estará quase pronto.

Eu estava ansioso para voltar ao meu posto. A melancolia do pântano, a morte do infeliz pônei, o estranho som que havia sido associado à lenda sinistra dos Baskerville, todas essas coisas cobriam meus pensamentos de tristeza. Depois, por cima dessas impressões mais ou menos vagas, viera o aviso definido e distinto da senhorita Stapleton, dado com tanta seriedade que eu não podia duvidar de que havia algum motivo grave e profundo por trás dele. Resisti a todas as pressões para ficar para o almoço e iniciei de imediato a minha viagem de volta, tomando o caminho coberto de relva pelo qual tínhamos vindo.

Parece, contudo, que havia algum atalho para aqueles que o conheciam, porque antes de chegar à estrada, fiquei espantado ao ver a senhorita Stapleton sentada numa pedra ao lado do caminho. O rosto estava maravilhosamente corado pelo esforço.

— Vim correndo para alcançá-lo, dr. Watson — disse ela. — Não tive tempo nem de pôr o meu chapéu. Não devo parar, porque o meu irmão pode dar pela minha falta. Eu queria dizer ao senhor que lamento o estúpido engano que cometi pensando que o senhor fosse sir Henry. Por favor, esqueça as palavras que eu disse, que não se aplicam ao senhor de modo algum.

— Mas não posso esquecê-las, senhorita Stapleton — disse ele. — Sou amigo de sir Henry, e o bem-estar dele me preocupa muito. Diga-me por que a senhorita estava tão ansiosa para que sir Henry voltasse para Londres.

— Um capricho de mulher, dr. Watson. Quando o senhor me conhecer melhor, compreenderá que nem sempre consigo explicar os motivos das coisas que digo ou faço.

— Não, não. Lembro-me da inquietação na sua voz. Lembro-me da expressão dos seus olhos. Por favor, por favor, seja franca comigo, senhorita Stapleton, porque desde que cheguei aqui estou consciente das sombras à minha volta. A vida passou a ser como o grande charco de Grimpen, com pequenos trechos verdes em toda parte nos quais a gente pode se afundar e sem qualquer guia para indicar o caminho. Explique-me, então, o que foi que a senhorita quis dizer, e prometo-lhe transmitir o seu aviso a sir Henry.

Uma expressão de dúvida passou pelo rosto dela, mas os olhos estavam firmes outra vez quando me respondeu.

— O senhor dá muita importância a isso, dr. Watson — disse ela. — Meu irmão e eu ficamos muito chocados com morte de sir Charles. Nós o conhecíamos intimamente, porque o passeio favorito dele era pelo pântano até a nossa casa. Ele ficou muito impressionado pela maldição que pairava sobre a família, e quando ocorreu esta tragédia eu senti, é claro, que devia haver algum fundamento para os receios que ele havia manifestado. Fiquei aflita, portanto, quando outro membro da família veio morar aqui, e achei que ele devia ser prevenido do perigo que correrá. Isso era tudo que eu queria transmitir.

— Mas qual é o perigo?

— O senhor conhece a história do cão?

— Eu não acredito nessas bobagens.

— Mas eu acredito. Se o senhor tiver qualquer influência sobre sir Henry, afaste-o de um lugar que sempre foi fatal para a família dele. O mundo é grande. Por que ele iria querer morar num lugar perigoso?

— Porque este é o lugar perigoso. Essa é a natureza de sir Henry. Receio que, se a senhorita não puder me dar uma informação mais precisa do que esta, será impossível fazê-lo se mudar.

— Não posso dizer nada com precisão, porque não sei nada com precisão.

— Eu lhe faria mais uma pergunta, senhorita Stapleton. Se a senhorita não quis dizer mais do que isso quando falou comigo pela primeira vez, por que a senhorita não queria que o seu irmão ouvisse o que disse? Não há nada a que ele, ou qualquer outra pessoa, possa objetar.

— Meu irmão está muito ansioso para que a mansão seja habitada, porque ele acha que isso é bom para as pessoas pobres do pântano. Ele ficaria com muita raiva se soubesse que eu disse alguma coisa que pudesse induzir sir Henry a ir embora. Mas cumpri o meu dever agora, e não direi mais nada. Preciso voltar, ou ele dará pela minha falta e desconfiará que falei com o senhor. Adeus! — Ela virou-se, e em poucos minutos havia desaparecido por entre as rochas espalhadas, enquanto eu, com minha alma cheia de vagos receios, segui meu caminho para a Mansão Baskerville.

A partir deste ponto, seguirei o curso dos acontecimentos transcrevendo minhas próprias cartas para o sr. Sherlock Holmes que estão diante de mim, na mesa. Falta uma página, mas as outras estão da forma exata como foram escritas e revelam os meus sentimentos e suspeitas naquele momento de modo mais preciso do que a minha memória pode fazer, embora seja nítida a respeito desses trágicos acontecimentos.

8

Primeiro relatório do dr. Watson

MANSÃO BASKERVILLE, *13 de outubro*

MEU CARO HOLMES:

Minhas cartas e telegramas anteriores mantiveram-no bastante bem informado a respeito de tudo que tem ocorrido neste canto do mundo esquecido por Deus. Quanto mais tempo se fica aqui, mais o espírito do pântano impregna a alma da gente com a vastidão e também com o encanto sombrio. Quando se está sobre o seio dele, deixam-se todos os vestígios da Inglaterra moderna para trás, mas, por outro lado, toma-se consciência em toda parte das casas e do trabalho do povo pré-histórico. Por todos os lados, enquanto se anda, a gente vê as casas dessas pessoas esquecidas, com os túmulos e os enormes monolitos que se supõe terem marcado os templos delas. Quando olhamos para as cabanas de pedra cinzenta contra as encostas cortadas das colinas, deixamos nossa própria época para trás, e se virmos um homem vestido de peles e peludo engatinhar para fora da porta baixa, pondo uma flecha com ponta de sílex na corda do arco, acharemos que a presença dele ali é mais natural do que a nossa própria. O estranho é que eles tenham vivido tão concentrados no lugar que deve sempre ter sido um solo muito estéril. Não sou um arqueólogo, mas posso imaginar que eles constituíam uma raça esbulhada e avessa às guerras que foi obrigada a aceitar aquilo que nenhuma outra ocuparia.

Mas tudo isso não tem relação com a missão para a qual você me mandou e é provável que seja muito pouco interessante para a sua mente prática ao extremo. Ainda me lembro da sua completa indiferença quanto a saber se o Sol girava em torno da Terra ou a Terra em torno do Sol. Portanto, vou voltar aos fatos relativos a sir Henry Baskerville.

Se você não recebeu um relatório nos últimos dias é porque até hoje não havia nada de importante a comunicar. Então ocorreu um fato bastante surpreendente, que contarei a você no devido tempo. Mas, antes de tudo, é preciso que você conheça alguns dos outros fatores da situação.

Um destes, em relação ao qual pouco falei, é o condenado fugido no pântano. Há um motivo forte agora para crer que ele foi embora, o que é um grande alívio para os chefes de família desta região. Passou-se uma quinzena desde a sua fuga, durante a qual ele não foi visto e nada se ouviu falar sobre ele. É inconcebível que ele possa ter ficado no pântano durante todo esse tempo. Naturalmente, no que diz respeito ao esconderijo dele, não há dificuldade alguma. Qualquer uma dessas cabanas de pedra lhe proporcionaria um lugar conveniente. Mas não há nada para comer, a menos que ele pegasse e matasse uma das ovelhas do pântano. Achamos, portanto, que ele foi embora, e os fazendeiros isolados dormem melhor por causa disso.

Somos quatro homens capazes nesta casa, de modo que podemos cuidar bem de nós mesmos, mas confesso que tenho tido momentos de inquietação quando penso nos Stapleton. Eles moram a quilômetros de qualquer ajuda. Há uma criada e um empregado velho, a irmã e o irmão, este um homem muito forte. Eles ficariam impotentes nas mãos de um sujeito desesperado como esse criminoso de Notting Hill se ele por acaso conseguisse entrar. Tanto sir Henry quanto eu estamos preocupados com a situação deles, e sugeriu-se que Perkins, o criado, fosse dormir lá, mas Stapleton não quer ouvir falar nisso.

O fato é que o nosso amigo, o baronete, começa a demonstrar um interesse considerável pela nossa bela vizinha. Não é de admirar, porque o tempo pesa muito neste lugar solitário para um homem ativo como ele, e ela é uma mulher muito fascinante e bonita. Há algo tropical e exótico em relação a ela que faz um contraste singular com o irmão frio e pouco emotivo. Mas ele também dá a impressão de chamas ocultas. Ele tem sem dúvida uma influência muito marcante sobre ela, porque eu a vi olhar de forma contínua para ele enquanto falava, como se estivesse procurando aprovação para o que dizia. Espero que ele seja bom para ela. Há um brilho seco nos olhos dele, e uma expressão firme nos lábios finos que demonstra uma natureza positiva e possivelmente cruel. Você o achará um estudo interessante.

Ele veio visitar Baskerville naquele primeiro dia e na manhã seguinte nos levou para que víssemos o ponto onde se supõe que a lenda do cruel Hugo tenha tido origem. Foi uma excursão de alguns quilômetros pelo pântano até um lugar tão desolado que poderia ter sugerido a história. Encontramos um vale curto entre picos rochosos ondulados que levam a um espaço aberto, coberto de relva. No meio do vale erguem-se duas pedras grandes, gastas e aguçadas na extremidade superior, a ponto de parecerem as presas enormes e corroídas de algum animal monstruoso. Ele correspondia em tudo ao cenário da antiga tragédia. Sir Henry ficou muito interessado e perguntou a Stapleton mais de uma vez se ele acreditava de verdade na possibilidade da interferência do sobrenatural nos assuntos dos homens. Ele falou em tom de brincadeira, mas era evidente que levava a sério. Stapleton foi cauteloso nas respostas, mas foi fácil perceber que ele dizia menos do que podia e que não expressava por completo a opinião em consideração aos sentimentos do baronete. Ele nos contou casos semelhantes em que famílias haviam sofrido alguma influência maligna e nos deixou com a impressão de que compartilhava da opinião popular sobre a questão.

No caminho de volta, paramos para almoçar na Casa de Merripit, e foi lá que sir Henry conheceu a senhorita Stapleton. Desde o primeiro momento em que a viu pareceu ficar bastante atraído por ela, e tive quase certeza de que o sentimento era recíproco. Ele referiu-se a ela várias vezes ao voltarmos para casa, e desde então é difícil que se passe um dia em que não vejamos o irmão e a irmã. Eles jantaram aqui esta noite, e há algum combinado para nós irmos jantar com eles na próxima semana. Poderíamos imaginar que essa união agradaria a Stapleton, mas, apesar disso, mais de uma vez surpreendi uma expressão de extrema desaprovação no rosto dele quando sir Henry estava dando alguma atenção à irmã. Ele é muito ligado a ela, sem dúvida, e levaria uma vida solitária sem ela, mas poderia parecer o máximo do egoísmo se ele se interpusesse no caminho de um casamento tão brilhante para ela. Contudo, estou certo de que ele não deseja que a intimidade deles se transforme em amor, e várias vezes observei que ele tem se esforçado para impedi-los de ficar *tête-à-tête*. A propósito, suas instruções para que eu nunca deixe sir Henry sair sozinho ficarão muito mais complicadas de cumprir se um romance for acrescentado às nossas outras dificuldades. Minha popularidade seria logo prejudicada se eu fosse cumprir suas ordens ao pé da letra.

Outro dia, quinta-feira para ser mais exato, o dr. Mortimer almoçou conosco. Ele esteve escavando um túmulo em Long Down e conseguiu um crânio pré-histórico que o enche de grande alegria. Nunca houve um entusiasta tão sincero como ele! Os Stapleton chegaram depois, e o bom médico levou todos nós para a Aleia dos Teixos, a pedido de sir Henry, para nos mostrar com exatidão como tudo aconteceu naquela noite fatal. É um passeio longo, melancólico, a Aleia dos Teixos, entre duas paredes altas de sebes aparadas, com uma faixa estreita de grama de cada lado. Na extremidade oposta há um pavilhão em ruínas. Na metade do caminho fica o portão do pântano, onde o velho cavalheiro deixou a cinza do charuto. É um portão branco com um trinco. Além dele fica o extenso pântano. Lembrei-me da sua teoria a respeito do caso e tentei imaginar tudo que havia ocorrido. Quando o velho parou ali, viu alguma coisa se aproximando pelo pântano, alguma coisa que o aterrorizou tanto que ele perdeu o juízo e correu até não poder mais, até morrer de puro horror e exaustão. Lá estava o longo túnel sombrio pelo qual ele fugiu. E de quê? Um cão pastor de ovelhas? Ou um cão espectral, preto, silencioso e monstruoso? Houve uma influência humana na questão? Será que o pálido e vigilante Barrymore sabe mais do que quis contar? Tudo é misterioso e vago, mas há sempre a sombra sinistra do crime por trás disso.

Conheci um outro vizinho desde que escrevi da última vez. É o sr. Frankland, da Mansão Lafter, que mora a uns seis quilômetros para o sul. É um homem idoso, de rosto corado, cabelo branco e colérico. A paixão dele é pela lei inglesa, e ele gastou uma grande fortuna em ações judiciais. Ele luta pelo simples prazer de lutar e está sempre pronto a assumir qualquer um dos lados de uma questão, de modo que não admira que tenha achado isso um divertimento caro. Às vezes ele fecha uma servidão de passagem e desafia a paróquia a fazê-lo abrir. Outras vezes arranca com as próprias mãos o portão de algum homem e afirma que existiu ali um caminho desde tempos imemoriais, desafiando o proprietário a processá-lo por invasão. Ele conhece bastante os direitos senhoriais e comunais, e aplica o conhecimento algumas vezes a favor dos aldeãos de Fernworthy e outras contra eles, de forma que é periodicamente carregado em triunfo pela rua da aldeia ou queimado em efígie, segundo a última sentença dele. Dizem que ele tem cerca de sete processos em curso no momento, o que, é provável, engolirá o resto da fortuna dele, arrancando-lhe assim o ferrão e deixando-o inofensivo no futuro. Fora a questão da lei, ele parece uma pessoa bondosa, afável, e só o menciono porque você insistiu para que eu mandasse alguma descrição das pessoas que nos cercam. Ele se ocupa no momento de uma maneira curiosa, porque, sendo astrônomo amador, tem um excelente telescópio com o qual se deita no telhado da própria casa e vasculha o pântano o dia inteiro na esperança de ver o condenado fugido. Se ele limitasse as energias a isso, tudo estaria bem, mas há rumores de que ele pretende processar o dr. Mortimer por ter aberto uma sepultura sem a autorização do parente mais próximo, porque ele desenterrou o crânio neolítico do túmulo em Long Down. Ele ajuda a impedir que nossas vidas se tornem monótonas e dá um pequeno alívio cômico onde este é muito necessário.

E agora, depois de contar a respeito do condenado fugitivo, dos Stapleton, do dr. Mortimer e de Frankland, da Mansão Lafter, vou terminar com o que é mais importante e contar-lhe mais sobre os Barrymore e principalmente sobre o acontecimento surpreendente de ontem à noite.

Antes de mais nada, sobre o telegrama de teste, que você mandou de Londres a fim de confirmar se Barrymore estava de fato aqui. Eu já expliquei que o testemunho do agente do correio mostra que a experiência foi inútil e que não temos qualquer prova num sentido ou no outro. Eu contei a sir Henry como andavam as coisas, e ele, com o jeito objetivo, fez Barrymore subir de imediato e perguntou se ele recebera o telegrama em pessoa. Barrymore disse que sim.

— O menino entregou-o em suas próprias mãos? — perguntou sir Henry.

Barrymore pareceu surpreso e meditou durante algum tempo.

— Não, eu estava no quarto de guardados na ocasião, e minha mulher levou-o para mim lá em cima — disse ele.

— Você o respondeu pessoalmente?

— Não. Eu disse à minha mulher o que deveria responder e ela desceu para escrever.

À noite ele voltou ao assunto por iniciativa própria.

— Não compreendi por inteiro o objetivo das suas perguntas esta manhã, sir Henry — disse ele. — Espero que elas não signifiquem que eu tenha feito alguma coisa para perder a sua confiança.

Sir Henry teve de garantir a ele que não era isso e tranquilizá-lo dando-lhe uma boa parte do velho guarda-roupa dele, por ter chegado de Londres toda a bagagem.

A sra. Barrymore interessa-me. Ela é uma pessoa corpulenta e maciça, bastante limitada, muito respeitável e com tendência ao puritanismo. Você dificilmente poderia imaginar uma pessoa menos emotiva. Mas eu contei a você que, na primeira noite aqui, eu a ouvi soluçando com amargor e, desde então, mais de uma vez percebi vestígios de lágrimas em seu rosto. Alguma mágoa profunda está sempre consumindo o coração dela. Às vezes eu me pergunto se ela tem uma lembrança de culpa que a persegue, e outras desconfio que Barrymore é um tirano doméstico. Sempre achei que havia alguma coisa singular e suspeita no caráter desse homem, mas a aventura da última noite intensificou todas as minhas desconfianças.

Mesmo assim, isso pode parecer, em si mesma, uma questão secundária. Você sabe que eu não tenho um sono muito profundo, e desde que estou de guarda nesta casa meus cochilos têm sido mais leves do que nunca. Na noite passada, por volta das duas horas, fui despertado por passos furtivos diante do meu quarto. Levantei-me, abri a porta e olhei para fora. Uma sombra comprida estava se arrastando pelo corredor. Ela era projetada por um homem que caminhava de mansinho pelo corredor com uma vela na mão. Ele estava de calça e camisa, sem nada nos pés. Pude ver apenas a silhueta, mas a altura me revelou que era Barrymore. Ele caminhava muito devagar e de modo circunspecto, e havia alguma coisa indescritivelmente culpada e furtiva em toda a aparência dele.

Eu disse a você que o corredor é interrompido pelo balcão que contorna o vestíbulo, mas que continua do lado oposto. Esperei até que ele tivesse desaparecido e depois o segui. Quando cheguei ao balcão, ele havia atingido a extremidade do outro corredor, e pude ver pelo brilho da luz através de uma porta aberta que ele entrara num dos quartos. Mas todos esses quartos estão sem mobília e desocupados, de modo que a expedição dele tornou-se mais misteriosa do que nunca. A luz brilhava, firme, como se ele estivesse parado, imóvel. Segui de modo furtivo pelo corredor da forma mais silenciosa possível e olhei pelo canto da porta.

Barrymore estava agachado junto à janela com a vela erguida contra o vidro. O perfil estava meio virado para mim, e a fisionomia parecia rígida de expectativa enquanto olhava para a escuridão do pântano. Ele ficou parado observando com atenção durante alguns minutos. Depois soltou um gemido profundo e com um gesto impaciente apagou a luz. Voltei no mesmo instante para o meu quarto e pouco depois ouvi os passos furtivos mais uma vez, agora voltando. Muito tempo depois, quando eu havia caído num sono leve, ouvi uma chave girar em alguma parte numa fechadura, mas não consigo dizer de onde vinha o som. O que tudo isso significa não posso imaginar, mas há algum negócio secreto acontecendo nesta casa de sombras, ao fundo do qual chegaremos mais cedo ou mais tarde. Não o perturbo com as minhas teorias, porque você me pediu para fornecer-lhe apenas os fatos. Tive uma longa conversa com sir Henry esta manhã, e fizemos um plano de campanha baseado nas minhas observações de ontem à noite. Não falarei sobre ele agora, mas ele deve tornar o meu próximo relatório uma leitura interessante.

9

Segundo relatório do dr. Watson

MANSÃO BASKERVILLE, *15 de outubro*

MEU CARO HOLMES:

Se fui obrigado a deixá-lo sem muitas notícias durante os primeiros dias da minha missão, você deve reconhecer que estou recuperando o tempo perdido, e que os acontecimentos estão agora se acumulando em grande quantidade e com rapidez sobre nós. Em meu último relatório, terminei minha nota principal com Barrymore na janela, e agora já tenho um estoque que, a menos que eu esteja muito enganado, irá surpreendê-lo bastante. As coisas tomaram um rumo que eu não poderia ter previsto. Em alguns aspectos elas ficaram muito mais claras nas últimas 48 horas, e em outros se tornaram mais complicadas. Mas vou contar-lhe tudo, e você julgará por si mesmo.

Antes do café, na manhã seguinte à minha aventura, atravessei o corredor e examinei o quarto em que Barrymore tinha estado na noite anterior. A janela para oeste, pela qual ele ficara olhando com tamanha atenção, tem, eu notei, uma peculiaridade que as outras janelas da casa não têm, ela domina a vista mais próxima do pântano. Há uma abertura entre duas árvores que permite a alguém, desse ponto de observação, olhar direto para ela, enquanto que de todas as outras janelas só se pode ter uma visão distante. Portanto,

Barrymore, já que só essa janela era adequada ao objetivo dele, devia estar procurando alguma coisa ou alguém no pântano.

A noite estava muito escura, de modo que não consigo imaginar como ele podia ter esperado ver alguém. Ocorreu-me que era possível estar acontecendo alguma intriga amorosa. Isso teria explicado os movimentos furtivos e também a inquietação da mulher dele. O homem é um sujeito bonito, com atributos para roubar o coração de uma moça do campo, de modo que essa teoria parecia ter algo a sustentá-la. Aquela porta se abrindo, que eu ouvi após ter voltado para o meu quarto, podia significar que ele havia saído para ter algum encontro clandestino. De modo que fiquei raciocinando de manhã, e conto-lhe o rumo das minhas suspeitas, por mais que o resultado possa ter mostrado que elas eram infundadas.

Mas, qualquer que seja a verdadeira explicação para os movimentos de Barrymore, achei que a responsabilidade de guardá-la para mim até poder desvendá-la era mais do que eu podia suportar. Tive uma entrevista com o baronete no escritório após o café e contei-lhe tudo que eu vira. Ele ficou menos surpreso do que eu havia esperado.

— Eu sabia que Barrymore andava por aí à noite e tive vontade de falar com ele a respeito — disse ele. — Ouvi os passos duas ou três vezes no corredor, indo e vindo, mais ou menos na hora em que você mencionou.

— Talvez toda noite ele vá até aquela janela — sugeri.

— Talvez. Se assim for, poderemos segui-lo e ver o que procura. Fico imaginando o que o seu amigo Holmes faria se estivesse aqui.

— Creio que ele faria exatamente o que o senhor está sugerindo agora — falei. — Ele seguiria Barrymore e veria o que ele faz.

— Então vamos fazer isso juntos.

— Mas ele com certeza nos ouvirá.

— O homem é bastante surdo e, de qualquer maneira, devemos arriscar. Vamos ficar sentados em meu quarto esta noite e esperar até ele passar. — Sir Henry esfregou as mãos com prazer, e era evidente que ele saudava a aventura como um alívio para a vida um tanto monótona no pântano.

O baronete havia se comunicado com o arquiteto que preparara os projetos para sir Charles e com um empreiteiro de Londres, de modo que podemos esperar o início de grandes reformas aqui em breve. Apareceram decoradores e vendedores de móveis de Plymouth, e é evidente que o nosso amigo tem grandes ideias e meios para não poupar qualquer sacrifício ou despesa a fim de restaurar a grandeza da família. Quando a casa estiver reformada e mobiliada de novo, ele só precisará de uma esposa para torná-la completa. Cá entre nós, há sinais bastante claros de que isso não deve demorar se a dama estiver disposta, porque poucas vezes vi um homem mais enamorado por uma mulher do que ele pela nossa linda vizinha, a senhorita Stapleton. Mesmo assim o fluxo do verdadeiro amor não corre com tanta suavidade como se poderia esperar nessas circunstâncias. Hoje, por exemplo, a superfície dele foi perturbada por uma agitação bastante inesperada que deixou o nosso amigo perplexo e aborrecido.

Após a conversa que mencionei sobre Barrymore, sir Henry pôs o chapéu e preparou-se para sair. Naturalmente, fiz o mesmo.

— O quê!? Você vem, Watson? — perguntou, olhando para mim de uma forma curiosa.

— Se você estiver indo para o pântano — falei.

— Sim, vou.

— Bem, você sabe quais as instruções que eu recebi. Lamento me intrometer, mas você ouviu como Holmes insistiu com seriedade para eu não me afastar e, sobretudo, para você não ir sozinho até o pântano.

Sir Henry pôs a mão no meu ombro com um sorriso simpático.

— Meu caro amigo, Holmes, com toda a sabedoria dele, não previu algumas coisas que aconteceram desde que estou no pântano — disse ele. — Você me compreende? Tenho certeza de que você é o último homem do mundo que desejaria ser um desmancha-prazeres. Preciso sair sozinho.

Isso me deixou numa situação muito esquisita. Eu não sabia o que dizer ou fazer, e antes que eu decidisse, ele pegou a bengala e foi embora.

Mas, quando comecei a pensar no assunto, minha consciência me reprovou com amargura por ter permitido, sob algum pretexto, que ele sumisse da minha vista. Imaginei quais seriam os meus sentimentos se tivesse de confessar a você que havia ocorrido uma desgraça devido ao meu pouco caso pelas suas instruções. Minha face corou ao pensar nisso. Mesmo naquele momento podia não ser tarde demais para alcançá-lo, de modo que parti de imediato na direção da Casa de Merripit.

Corri pela estrada na minha velocidade máxima sem ver sinal de sir Henry até chegar ao ponto onde o caminho do pântano se bifurca. Ali, receando ter tomado a direção errada, subi numa colina de onde podia ter uma visão ampla, a mesma colina cortada pela pedreira escura. Dali, eu o vi na mesma hora. Ele estava no caminho do pântano, a uns quatrocentos metros de distância, e ao lado havia uma dama que só podia ser a senhorita Stapleton. Era evidente que havia um entendimento prévio entre eles e que o encontro fora marcado.

Eles caminhavam devagar, absorvidos por inteiro numa conversa, e eu a vi fazendo pequenos movimentos rápidos com as mãos como se estivesse sendo muito enfática no que estava dizendo, enquanto ele ouvia com atenção, e uma ou duas vezes sacudiu a cabeça em sinal de discordância. Eu estava parado entre as rochas observando-os, sem saber direito o que devia fazer em seguida. Segui-los e interromper a conversa íntima deles pareceu-me uma ofensa, mas o meu dever era não perdê-lo de vista um instante sequer. Agir como espião com um amigo era uma tarefa odiosa. No entanto, não consegui ver qualquer alternativa melhor do que observá-lo da colina e aliviar minha consciência confessando a ele depois o que havia feito. É verdade que, se qualquer perigo súbito o tivesse ameaçado, eu estava longe demais para ajudá-lo, mas, apesar disso, tenho certeza de que você concordará comigo que a situação era muito difícil, e que não havia mais nada que eu pudesse fazer.

O nosso amigo, sir Henry, e a dama pararam no caminho e ficaram profundamente absorvidos na conversa quando percebi de repente que eu não era a única testemunha do encontro deles. Um farrapo verde flutuando no ar atraiu minha atenção, e outra olhada me mostrou que este era carregado numa vara por um homem que estava se movendo no meio do terreno irregular. Era Stapleton com a rede de borboletas. Ele estava muito mais perto do par do que eu, e parecia estar indo na direção deles. Nesse instante, sir Henry puxou a senhorita Stapleton para o lado dele. O braço a envolveu, mas pareceu-me que ela estava fazendo força para se afastar dele com o rosto virado. Ele inclinou a cabeça para a dela, e ela ergueu uma mão como se estivesse protestando. No momento seguinte os vi se separarem de repente e se virarem apressados. Stapleton era a causa da interrupção. Ele estava correndo como um louco na direção deles, com a rede ridícula pendurada atrás. Gesticulava e quase dançava de agitação diante dos amantes. O que a cena significava eu não conseguia imaginar, mas pareceu-me que Stapleton estava repreendendo sir Henry, que dava explicações que se tornaram mais irritadas quando o outro se recusou a aceitá-las. A dama estava parada ao lado num silêncio altivo. Por fim Stapleton girou nos calcanhares e fez um sinal chamando a irmã de maneira categórica, e ela, após um olhar hesitante para sir Henry, afastou-se ao lado do irmão. Os gestos irritados do naturalista mostraram que a dama estava incluída na indignação dele. O baronete ficou parado por um minuto olhando para eles e depois caminhou devagar de volta pelo mesmo caminho da ida, com a cabeça baixa, a própria imagem do abatimento.

Eu não podia imaginar o que tudo isso significava, mas estava profundamente envergonhado de ter testemunhado uma cena tão íntima sem o meu amigo saber. Desci a colina correndo e encontrei-me com o baronete embaixo. O rosto estava rubro de cólera e a fronte enrugada, como alguém que está sem saber o que fazer.

— Olá, Watson! De onde você surgiu? — perguntou. — Você não quer dizer que veio atrás de mim, apesar de tudo?

Expliquei tudo a ele: que eu tinha achado impossível ficar atrás, que eu o havia seguido e que havia testemunhado tudo que ocorrera. Por um instante os olhos dele me fuzilaram, mas a minha franqueza dissipou sua raiva, e ele acabou dando um sorriso triste.

— Podia-se pensar que o meio dessa pradaria fosse razoavelmente seguro para um homem ter privacidade, mas, com os diabos, todas as pessoas da região parecem ter saído para me ver fazer a corte, e uma corte lamentável! Onde você conseguiu um lugar? — disse ele.

— Eu estava naquela colina.

— Na última fila, hein? Mas o irmão dela estava bem na frente. Você viu quando ele apareceu de repente?

— Sim, vi.

— Você já teve alguma vez a impressão de que ele é louco, esse irmão dela?

— Não posso dizer que sim.

— Ouso dizer que não. Sempre o considerei bastante são até hoje, mas pode acreditar que um de nós dois devia estar numa camisa de força. O que é que há comigo, afinal de contas? Você viveu perto de mim por algumas semanas, Watson. Diga-me com sinceridade, agora! Existe alguma coisa que me impeça de ser um bom marido para uma mulher que eu ame?

— Eu diria que não.

— Ele não pode ter objeções quanto à minha posição na vida, portanto deve ser de mim mesmo que ele tem birra. O que ele tem contra mim? Que eu saiba, nunca magoei nenhum homem ou mulher na vida. Mas, apesar disso, ele não me deixaria tocar na ponta dos dedos dela.

— Ele disse isso?

— Isso e muito mais. Vou lhe contar, Watson. Só a conheço há algumas semanas, mas desde o início senti que ela era feita para mim, e ela, também. Fica feliz quando está comigo, e isso eu juro. Há uma luz nos olhos de uma mulher que fala mais alto do que as palavras. Mas ele nunca nos deixa ficar juntos, e foi só hoje que pela primeira vez vi uma possibilidade de trocar algumas palavras com ela sozinho. Ela estava contente de se encontrar comigo, mas quando se encontrou não foi de amor que ela falou, e ela não me deixaria falar disso também se pudesse ter impedido. Ela ficou repetindo que este era um lugar perigoso e que ela nunca seria feliz enquanto eu não fosse embora daqui. Eu disse a ela que desde que a vira não estava com pressa alguma de ir embora e que, se ela quisesse que de fato eu fosse, a única maneira de conseguir isso seria indo comigo. Com isso ofereci em outras tantas palavras para casar-me com ela, mas antes que ela pudesse responder apareceu esse irmão dela, correndo para nós com a cara de louco. Ele estava simplesmente branco de raiva, e aqueles olhos claros dele estavam incendiados de fúria. O que eu estava fazendo com a moça? Como eu me atrevia a dar-lhe atenções que eram desagradáveis para ela? Será que eu pensava que por ser um baronete podia fazer o que quisesse? Se ele não fosse irmão dela, eu saberia como responder melhor a ele. De qualquer modo, eu disse a ele que eu não tinha motivo para me envergonhar dos meus sentimentos para com a irmã e que esperava que ela pudesse me dar a honra de tornar-se minha esposa. Isso não pareceu melhorar as coisas, de modo que também perdi as estribeiras e respondi-lhe de modo mais acalorado do que devia, talvez, considerando que ela estava ao lado. Portanto, tudo terminou com ele indo embora com ela, como você viu, e aqui estou, um homem mais confuso do que qualquer outro neste condado. Diga-me apenas o que tudo isso significa, Watson, e ficarei lhe devendo mais do que posso esperar pagar-lhe.

Tentei uma ou duas explicações, mas, de fato, eu estava mesmo confuso. O título do nosso amigo, a idade, a fortuna, o caráter e a aparência estão todos a favor dele, e não sei de nada contra ele, a menos que seja o destino tenebroso que pesa sobre sua família. Que as investidas dele fossem rejeitadas de forma tão brusca sem qualquer referência aos desejos da própria dama, e que ela aceitasse a situação sem protesto, é bastante surpreendente. Mas nossas conjecturas foram postas de lado por uma visita do próprio Stapleton naquela mesma tarde. Ele tinha vindo para se desculpar pela grosseria da manhã, e, após uma longa entrevista particular com sir Henry no escritório, a conclusão da conversa deles foi que o rompimento de relações estava sanado por completo e que devíamos ir jantar na casa de Merripit na próxima sexta-feira como prova disso.

— Eu não digo agora que ele não seja louco — comentou sir Henry. — Não posso esquecer o olhar dele quando correu para mim esta manhã, mas devo admitir que nenhum homem podia pedir desculpas de maneira mais elegante do que ele.

— Ele deu alguma explicação para a conduta?

— A irmã é tudo na vida dele, ele diz. Isso é bastante natural, e fico satisfeito de ele compreender o valor dela. Eles sempre estiveram juntos, e, segundo o que disse, ele é um homem muito solitário e tem apenas ela como companhia, de modo que a ideia de perdê-la foi decerto terrível para ele. Ele não havia percebido, disse ele, que eu estava criando um vínculo com ela, mas quando viu com os próprios olhos que de fato era isso, e que ela poderia ser levada para longe dele, ficou tão chocado que durante algum tempo deixou de ser responsável pelo que disse ou fez. Ele lamentava muito tudo que se passara e reconhecia que era tolice e egoísmo imaginar que podia conservar uma mulher bonita como a irmã para si mesmo por toda a vida. Se ela tivesse que deixá-lo, ele preferia que fosse por um vizinho como eu, e não por qualquer outro. Mas, de qualquer maneira, isso era um golpe para ele, e levaria algum tempo até que ele estivesse preparado para enfrentá-lo. Ele deixaria de se opor se eu prometesse deixar as coisas como estavam por três meses e me contentasse em cultivar a amizade da moça, sem exigir o amor dela. Isso eu prometi, o caso está nesta situação.

Portanto, aí está esclarecido um dos nossos pequenos mistérios. É uma coisa que chegou ao final em algum lugar deste pântano no qual estamos nos debatendo. Sabemos agora por que Stapleton encarava com hostilidade o pretendente à mão da sua irmã, mesmo quando esse pretendente era tão aceitável como sir Henry. E agora passo para outro fio que puxei da meada embaraçada, o mistério dos soluços durante a noite, do rosto manchado de lágrimas da sra. Barrymore, da ida secreta do mordomo até a janela de treliça a oeste. Felicite-me, meu caro Holmes, e diga-me que não o desapontei como agente, que você não se arrepende da confiança que demonstrou ter em mim quando me mandou para cá. Todas essas coisas foram totalmente esclarecidas com o trabalho de uma noite.

Eu disse "com o trabalho de uma noite", mas, na verdade, foi com o trabalho de duas noites, porque na primeira não conseguimos nada. Eu fiquei sentado com sir Henry no quarto dele até quase três horas, mas não ouvimos qualquer tipo de ruído, exceto do carrilhão no andar de cima. Foi uma vigília muito melancólica e terminou com cada um adormecendo na cadeira. Felizmente não desanimamos, e resolvemos tentar outra vez. Na noite seguinte diminuímos a luz da lâmpada e ficamos sentados fumando cigarros, sem fazer o menor ruído. Foi incrível como as horas se arrastaram devagar, mas fomos ajudados pelo mesmo tipo de interesse paciente que o caçador deve sentir ao vigiar a armadilha na qual espera que a caça possa cair. Uma badalada, e duas, e já estávamos quase desistindo pela segunda vez quando num instante nós dois nos endireitamos em nossas cadeiras, com todos os nossos sentidos cansados alertados com vivacidade mais uma vez. Tínhamos ouvido o estalido de um passo no corredor.

Ouvimos quando ele passou por nós de maneira muito furtiva até desaparecer na distância. Depois o baronete abriu a porta devagar e partimos em perseguição. O nosso homem já havia contornado a galeria, e o corredor estava todo escuro. Seguimos em frente com cuidado até alcançarmos outra ala. Chegamos bem a tempo de ver de relance um vulto alto, de barba preta, com os ombros curvos, enquanto ele seguia pé ante pé pelo corredor. Depois ele passou pela mesma porta de antes, e a luz da vela o emoldurou na escuridão e lançou um único raio amarelo pelo corredor sombrio. Seguimos de forma discreta na direção dele, experimentando cada tábua do assoalho antes de nos atrevermos a pôr todo o nosso peso sobre ela. Havíamos tomado a precaução de tirar as botas, mas, mesmo assim, as velhas tábuas gemeram e estalaram sob os nossos passos. Algumas vezes parecia impossível que ele deixasse de ouvir a nossa aproximação. Mas, felizmente, o homem é bastante surdo e estava concentrado por inteiro no que fazia. Quando enfim chegamos à porta e olhamos para dentro, vimos que ele estava agachado junto à janela, com a vela na mão, o rosto branco e atento comprimido contra a vidraça, exatamente como eu o vira duas noites antes.

Não tínhamos combinado qualquer plano de ação, mas o baronete é um homem para quem a maneira mais direta é sempre a mais natural. Ele entrou no quarto e, ao fazer isso, Barrymore deu um salto, com um silvo agudo da respiração, e ficou de pé, lívido e tremendo diante de nós. Os olhos escuros, brilhando na máscara branca que era o rosto, estavam cheios de horror e espanto ao olharem de modo fixo de sir Henry para mim.

— O que você está fazendo aqui, Barrymore?

— Nada, senhor. — A agitação era tão grande que ele mal podia falar, e as sombras saltavam para cima e para baixo com o tremor da vela. — Era a janela, senhor. Eu revisto à noite para ver se todas as janelas estão bem fechadas.

— No segundo andar?

— Sim, senhor, todas as janelas.

— Olhe aqui, Barrymore — disse sir Henry com severidade. — Decidimos arrancar a verdade de você, de modo que lhe evitará problemas se contar o mais rápido possível. Vamos, agora! Nada de mentiras! O que você estava fazendo nessa janela?

O sujeito olhou para nós com uma expressão desamparada e torceu as mãos como alguém que está no auge da dúvida e da aflição.

— Eu não estava fazendo nada de errado, senhor. Estava segurando uma vela perto da janela.

— E por que você estava segurando uma vela junto à janela?

— Não me pergunte, sir Henry, não me pergunte! Dou-lhe minha palavra, senhor, que o segredo não me pertence e que não posso contá-lo. Se ele não dissesse respeito a ninguém, só a mim mesmo, eu não tentaria escondê-lo do senhor.

Uma ideia súbita ocorreu-me, e tirei a vela da mão trêmula do mordomo.

— Ele devia estar segurando-a como um sinal — disse eu. — Vamos ver se há alguma resposta.

Ergui-a como ele tinha feito e fiquei olhando para a escuridão da noite lá fora. Pude perceber de forma vaga a massa sombria das árvores e a extensão mais clara do pântano, porque a lua estava atrás das nuvens. E então dei um grito de regozijo, porque um ponto minúsculo de luz amarela atravessou de repente o véu escuro, e brilhava com firmeza no centro do quadrado preto emoldurado pela janela.

— Lá está ela! — exclamei.

— Não, não, senhor, isso não é nada, absolutamente nada! — interrompeu o mordomo. — Garanto-lhe, senhor...

— Mexa a vela de um lado para outro, Watson! — exclamou o baronete. — Viu, a outra também se move! Agora, seu patife, você nega que isso seja um sinal? Fale, vamos! Quem é o seu cúmplice lá fora, e que conspiração é esta que vem ocorrendo?

O rosto do homem adquiriu uma expressão de desafio.

— Isso é assunto meu, e não seu. Não direi.

— Então você está despedido já.

— Muito bem, senhor. Se tenho de sair, sairei.

— E você sai desacreditado. Com os diabos, você devia ter vergonha de si mesmo. Sua família viveu com a minha durante mais de cem anos sob este teto, e eu encontro você aqui metido em alguma trama misteriosa contra mim.

— Não, não senhor; não, não contra o senhor! — Era uma voz de mulher, e a sra. Barrymore, mais pálida e mais horrorizada do que o marido, estava parada na porta. A figura volumosa envolta num xale e numa saia seria cômica se não fosse a intensidade da emoção no rosto dela.

— Temos de ir, Eliza. Isto é o fim de tudo. Você pode arrumar nossas coisas — disse o mordomo.

— Oh, John, John, levei você a isto? A culpa é minha, sir Henry, toda minha. Ele não fez nada, a não ser para mim, e porque eu pedi.

— Fale, então! O que significa isso?

— Meu infeliz irmão está morrendo de fome no pântano. Não podemos deixá-lo morrer em nossos próprios portões. A luz é um sinal para ele de que a comida está pronta, e a luz dele lá fora é para indicar o lugar para onde levá-la.

— Então o seu irmão é...

— O condenado fugido, senhor: Selden, o criminoso.

— Essa é a verdade, senhor — disse Barrymore. — Eu disse que o segredo não me pertencia e que eu não podia contá-lo ao senhor. Mas agora o senhor o ouviu, e verá que, se existe uma trama, ela não é contra o senhor.

Esta, então, era a explicação das expedições furtivas à noite e da luz na janela. Sir Henry e eu ficamos olhando espantados para a mulher. Seria possível que essa pessoa imperturbavelmente respeitável tivesse o mesmo sangue que um dos criminosos mais notórios do país?

— Sim, senhor, meu nome era Selden, e ele é meu irmão caçula. Nós o mimamos demais quando ele era menino e cedemos tudo a ele até que passou a pensar que o mundo fora feito para o prazer dele, e que podia fazer o que quisesse nele. Depois, quando ele cresceu, se meteu com más companhias e ficou com o diabo no corpo até partir o coração da minha mãe e arrastar o nosso nome na sarjeta. De crime em crime ele afundou cada vez mais, até que só a misericórdia de Deus livrou-o do cadafalso; mas para mim, senhor, ele foi sempre o garotinho de cabelo anelado que criei e com quem brinquei, como uma irmã mais velha faria. Foi por isso que ele fugiu da prisão, senhor. Ele sabia que eu estava aqui e que não iria recusar-me a ajudá-lo. Quando ele se arrastou até aqui uma noite, cansado e esfomeado, com os guardas nos calcanhares, o que podíamos fazer? Nós o recebemos, alimentamos e cuidamos dele. Depois o senhor voltou, e meu irmão achou que ficaria mais seguro no pântano do que em qualquer outro lugar até passar o clamor público, de modo que ficou escondido ali. Mas de duas em duas noites nós nos certificávamos de que ele ainda estava lá pondo uma luz na janela e, se houvesse resposta, meu marido levava um pouco de pão e carne para ele. Cada dia esperávamos que ele tivesse ido embora, mas, enquanto ele estivesse ali, não podíamos abandoná-lo. Essa é toda a verdade, já que sou uma mulher cristã honesta, e o senhor verá que, se há culpa no caso, ela não é do meu marido, mas minha, porque foi por mim que ele fez tudo isso.

As palavras da mulher saíram com grande seriedade e impregnadas de convicção.

— Isto é verdade, Barrymore?

— Sim, sir Henry. Cada palavra.

— Bem, não posso culpá-lo por apoiar sua própria mulher. Esqueça o que eu disse. Vão para o seu quarto, vocês dois, e falaremos mais sobre esse assunto de manhã.

Depois que eles foram embora, olhamos pela janela outra vez. Sir Henry a abrira, e o vento frio da noite bateu em nossos rostos. Ao longe, na distância sombria, ainda brilhava aquele ponto minúsculo de luz amarela.

— Fico imaginando como ele se atreve — disse sir Henry.

— Ela deve estar colocada de maneira que só possa ser vista daqui.

— É bem provável. A que distância você acha que está?

— Longe, junto à Rocha da Fenda, eu acho.

— Entre 1,5 a três quilômetros de distância.

— Mal chega a tanto.

— Bem, não pode ser longe, se Barrymore tinha de levar a comida até lá. E ele está esperando, esse vilão, ao lado daquela vela. Com os diabos, Watson, eu vou sair para pegar esse homem!

A mesma ideia havia me ocorrido. Não era como se os Barrymore nos tivessem feito uma confidência. O segredo deles fora confessado à força. O homem era um perigo para a comunidade, um patife consumado para quem não havia piedade nem desculpa. Estaríamos apenas cumprindo o nosso dever se aproveitássemos essa oportunidade de pô-lo de volta no lugar onde não pudesse fazer mal algum. Com a natureza brutal e violenta dele, outras pessoas teriam de pagar o preço se lavássemos nossas mãos. Qualquer noite, por exemplo, nossos vizinhos, os Stapleton, poderiam ser atacados por ele, e deve ter sido este pensamento que deixou sir Henry tão entusiasmado pela aventura.

— Também vou — falei.

— Então pegue o seu revólver e calce suas botas. Quanto mais cedo partirmos, melhor, já que o sujeito pode apagar a luz e ir embora.

Em cinco minutos estávamos do lado de fora da casa, começando a nossa expedição. Corremos por entre os arbustos escuros, cercados pelo gemido monótono do vento do outono e o farfalhar das folhas que caíam. O ar da noite estava pesado com o cheiro de umidade e podridão. De vez em quando a lua aparecia entre as nuvens por um instante, mas elas estavam se movendo pelo céu, e assim que saímos no pântano uma chuva fina começou a cair. A luz ainda brilhava firmemente adiante.

— Você está armado? — perguntei.

— Tenho um chicote de caça.

— Precisamos nos aproximar dele com rapidez, porque dizem que é um sujeito desesperado. Devemos pegá-lo de surpresa e dominá-lo antes que ele possa resistir.

— Eu pergunto, Watson, o que Holmes diria a respeito disso? E quanto à hora da escuridão em que a força do mal está exaltada? — disse o baronete.

Como se fosse uma resposta às palavras dele, ergueu-se de repente da vasta sombra do pântano aquele estranho grito que eu já ouvira nas margens do grande charco de Grimpen. Ele veio com o vento através do silêncio da noite, um murmúrio longo e profundo, depois um uivo crescente, e em seguida o gemido triste que desapareceu aos poucos. Ele repetiu-se várias vezes, com todo o ar pulsando com ele, estridente, selvagem e ameaçador. O baronete agarrou minha manga e o rosto dele surgia branco na escuridão.

— Meu Deus, o que é isso, Watson?

— Não sei. É um som que eles têm no pântano. Eu o ouvi uma vez antes.

Ele desapareceu, e um silêncio absoluto nos envolveu. Ficamos parados, prestando atenção, mas não ouvimos mais nada.

— Watson, foi o grito de um cão — disse o baronete.

Meu sangue gelou nas veias, porque houve uma pausa em sua voz que revelou o horror súbito que havia se apoderado dele.

— Como eles chamam este som? — perguntou ele.

— Quem?

— Os moradores da região?

— Oh, eles são pessoas ignorantes. Por que você deveria se importar com o modo como eles o chamam?

— Diga-me, Watson. O que dizem dele?

Hesitei, mas não pude fugir à pergunta.

— Eles dizem que é o grito do Cão dos Baskerville.

Ele gemeu e ficou em silêncio por alguns instantes.

— Era um cão, mas parecia vir de quilômetros de distância, lá de longe, acho — disse ele, por fim.

— Era difícil dizer de onde vinha.

— Ele aumentava e diminuía com o vento. Não é essa a direção do grande charco de Grimpen?

— Sim, é.

— Bem, foi lá. Diga, Watson, você não acha que era o grito de um cão? Não sou criança. Você não precisa ter medo de dizer a verdade.

— Stapleton estava comigo quando o ouvi da última vez. Ele disse que podia ser o chamado de uma ave estranha.

— Não, não, era um cão. Meu Deus, será que há alguma verdade em todas essas histórias? Será possível que eu esteja mesmo em perigo por um motivo tão misterioso? Você não acredita nisso, acredita, Watson?

— Não, não.

— Mas uma coisa é rir disso em Londres, e outra é ficar parado aqui fora na escuridão do pântano e ouvir um grito desses. E meu tio! Havia a pegada do cão ao lado dele no lugar onde estava caído. Tudo se encaixa. Não acho que eu seja um covarde, Watson, mas esse som pareceu congelar meu próprio sangue. Sinta a minha mão!

Estava fria como um bloco de mármore.

— Você estará bem amanhã.

— Acho que não vou conseguir tirar esse grito da minha cabeça. O que você acha que devemos fazer agora?

— Vamos voltar?

— Não, com os diabos; saímos para pegar o nosso homem e faremos isso. Nós atrás do condenado, e um cão do inferno, muito provavelmente, atrás de nós. Venha! Levaremos isso até o fim mesmo que todos os demônios do inferno estejam soltos no pântano.

Fomos caminhando, aos tropeções, devagar pela escuridão, com o vulto das colinas escarpadas à nossa volta e o pontinho amarelo de luz aceso de modo firme adiante. Não há nada tão ilusório quanto a distância de uma luz numa noite escura como breu, e às vezes o brilho parecia estar longe no horizonte e outras, a alguns passos de nós. Mas, enfim, conseguimos ver de onde ele vinha, e então ficamos sabendo que estávamos muito perto. Uma vela gotejante estava enfiada numa fenda das rochas que a ladeavam para evitar o vento e também para impedir que fosse vista, a não ser na direção da Mansão Baskerville. Um pedaço enorme de granito ocultou a nossa aproximação, e agachados atrás dele, olhamos para o sinal luminoso. Era estranho ver essa única vela queimando ali no meio do pântano, sem qualquer sinal de vida perto dela, apenas a chama isolada, reta, amarela, e o brilho da pedra de cada lado dela.

— O que faremos agora? — sussurrou sir Henry.

— Espere aqui. Ele deve estar perto desta luz. Vamos ver se conseguimos enxergá-lo.

Mal as palavras saíram da minha boca, nós dois o vimos. Sobre as rochas, na fenda em que a vela queimava, projetava-se um rosto amarelo perverso, um rosto terrível de animal, todo enrugado e marcado de paixões vis. Sujo de lama, com uma barba eriçada e cabelo emaranhado, podia ter pertencido a um daqueles antigos selvagens que habitavam nas tocas das encostas das colinas. A luz embaixo dele refletia-se nos olhos pequenos e astutos, que miravam com ferocidade para a direita e a esquerda através da escuridão, como um animal manhoso e selvagem que ouviu os passos dos caçadores.

Alguma coisa, evidentemente, havia despertado as suspeitas dele. Talvez Barrymore tivesse algum sinal particular que deixara de dar, ou o sujeito podia ter algum outro motivo para achar que nem tudo estava bem, mas pude perceber os receios no seu rosto cruel. A qualquer momento ele poderia apagar a luz e desaparecer na escuridão. Portanto, saltei para a frente, e sir Henry fez o mesmo. No mesmo instante o condenado gritou uma praga para nós e atirou uma pedra que se espatifou contra o granito que havia nos protegido. Vi de relance o vulto baixo dele, agachado, de constituição forte, quando ficou de pé num pulo e virou-se para fugir. No mesmo momento, por um acaso feliz, a lua apareceu entre as nuvens. Corremos pelo alto da colina, e lá estava o nosso homem descendo a grande velocidade pelo outro lado, saltando sobre as pedras no caminho com a agilidade de um cabrito-montês. Um tiro certeiro do meu revólver poderia tê-lo aleijado, mas eu o trouxera apenas para me defender se fosse atacado, e não para atirar num homem desarmado que estava fugindo.

Nós dois éramos corredores velozes e razoavelmente bem treinados, mas logo vimos que não tínhamos possibilidade alguma de alcançá-lo. Nós o vimos durante muito tempo ao luar, até ele se transformar apenas num pontinho que corria entre as rochas na encosta de uma colina distante. Corremos até ficarmos sem qualquer fôlego, mas a distância entre nós era cada vez maior. Por fim, paramos e nos sentamos, ofegantes, sobre duas rochas, enquanto o víamos desaparecendo à distância.

E foi nesse momento que ocorreu uma coisa muito estranha e inesperada. Havíamos nos levantado das pedras e estávamos nos virando para ir para casa depois de desistirmos da nossa perseguição inútil. A lua estava baixa à direita e o pico irregular de um monte de granito erguia-se contra a curva inferior daquele disco prateado. Ali, numa silhueta tão preta quanto uma estátua de ébano naquele pano de fundo brilhante, vi o vulto de um homem sobre o pico rochoso. Não pense que era uma ilusão, Holmes. Afirmo-lhe que nunca em minha vida vi nada com maior nitidez. Até onde posso julgar, o vulto era de um homem alto e magro. Estava parado com as pernas um pouco afastadas, os braços cruzados, a cabeça inclinada, como se estivesse meditando acima daquela vastidão deserta de turfa e granito que se estendia diante dele. Ele podia ser o próprio espírito daquele lugar terrível. Não era o condenado. Esse homem estava longe do lugar onde o condenado havia desaparecido. Além disso, era um homem muito mais alto. Com um grito de surpresa, fiz sinal para o baronete, mas durante o instante em que eu me virara para segurar o braço dele o homem desapareceu. Lá estava o pico de granito ainda cortando a borda inferior da lua, mas o cume não tinha vestígio algum daquele vulto silencioso e imóvel.

Eu quis ir naquela direção e examinar o pico, mas ele estava a uma certa distância. Os nervos do baronete ainda estavam tremendo por causa daquele grito, que relembrava a história sinistra da família dele, e ele não estava disposto a novas aventuras. Ele não vira esse homem solitário sobre o pico rochoso e não pôde sentir a inquietude que a estranha presença e a atitude dominadora haviam provocado em mim.

— Um guarda, sem dúvida — disse ele. — O pântano está cheio deles desde que esse sujeito fugiu.

Bem, talvez a explicação dele possa ser a verdadeira, mas eu gostaria de ter alguma outra prova disso. Hoje pretendemos avisar ao pessoal de Princetown onde eles devem procurar o homem desaparecido, mas é duro não termos de fato tido a glória de trazê-lo de volta como nosso prisioneiro. Essas são as aventuras de ontem à noite, e você tem de reconhecer, meu caro Holmes, que me saí muito bem na questão do relatório. Muita coisa do que conto a você é, sem dúvida, bastante irrelevante, mas ainda acho que é melhor comunicar-lhe todos os fatos e deixá-lo escolher por si mesmo aqueles que sejam mais úteis para você, ajudando-o em suas conclusões. Estamos sem dúvida fazendo algum progresso. No que diz respeito aos Barrymore, descobrimos o motivo dos atos deles, e isso esclareceu muito a situação. Mas o pântano com os mistérios e os estranhos habitantes dele continua tão inescrutável como sempre. Talvez em meu próximo relatório eu consiga esclarecer alguma coisa sobre isso também. O melhor de tudo seria se você pudesse vir até aqui. De qualquer maneira você terá notícias minhas outra vez nos próximos dias.

10

Resumo do diário do dr. Watson

Até agora eu pude citar os relatórios que enviei durante esses primeiros dias para Sherlock Holmes. Mas agora cheguei a um ponto em que sou obrigado a abandonar esse método e confiar mais uma vez nas minhas lembranças, ajudado pelo diário que mantive na época. Alguns trechos dele me levarão de volta àquelas cenas que estão fixadas de modo indelével com todos os detalhes na minha memória. Continuo, então, a partir da manhã que se seguiu à nossa perseguição frustrada do condenado e às nossas outras experiências estranhas no pântano.

16 de outubro — Um dia triste e nublado com garoa. A casa está envolta em rolos de nuvens que se erguem de vez em quando para mostrar as curvas monótonas do pântano, com veias finas, prateadas, nas encostas das colinas e as rochas distantes brilhando nos pontos onde a luz bate sobre as faces molhadas delas. A melancolia reina do lado de fora e de dentro. O baronete teve uma reação lúgubre após as emoções da noite. Eu mesmo estou consciente de um peso no coração e uma sensação de perigo iminente, perigo sempre presente, que é mais terrível ainda porque não consigo defini-lo.

E será que eu não tenho motivos para essa sensação? Considere a longa sequência de incidentes que apontam para alguma influência sinistra que está agindo à nossa volta. Há a morte do último ocupante da mansão, preenchendo com tanta exatidão as condições da lenda da família, e há as repetidas informações dos camponeses sobre o aparecimento de uma estranha criatura no pântano. Duas vezes ouvi com os meus próprios ouvidos o som que parecia o latido distante de um cão. É incrível, impossível, que isso esteja de verdade fora das leis normais da natureza. Um cão espectral que deixa pegadas visíveis e enche o ar com o uivo com certeza não é de se imaginar. Stapleton pode acreditar nessa superstição e Mortimer também; mas, se eu tenho uma qualidade, é o bom senso, e nada me fará acreditar numa coisa dessas. Fazê-lo seria descer ao nível desses pobres camponeses, que não se satisfazem com um simples cão diabólico, mas precisam descrevê-lo com a boca e os olhos vomitando o fogo do inferno. Holmes não daria ouvidos a essas fantasias, e eu sou o agente dele. Mas fatos são fatos, e já ouvi duas vezes esse grito no pântano. Suponhamos que houvesse de fato um cão enorme solto ali; isso explicaria boa parte das coisas. Mas onde um cão desses poderia ficar escondido, onde conseguiria comida, de onde ele vinha, como é que ninguém o vira de dia? É preciso confessar que a explicação natural apresenta quase tantas dificuldades quanto a outra. E sempre, fora o cão, há o fato da influência humana em Londres, o homem no cabriolé e a carta que preveniu sir Henry a respeito do pântano. Isso, pelo menos, era real, mas tanto podia ter sido obra de um amigo protetor como de um inimigo. Onde está esse amigo ou inimigo agora? Ele ficou em Londres ou nos seguiu até aqui? Será que ele podia ser o estranho que vi sobre o pico rochoso?

É verdade que só o vi uma vez de relance, e mesmo assim há algumas coisas pelas quais estou pronto a jurar. Ele não é ninguém que eu já tenha visto aqui, e agora já conheci todos os vizinhos. O vulto era muito mais alto do que Stapleton, muito mais magro do que Frankland. Poderia ter sido Barrymore, mas nós o havíamos deixado para trás, e estou certo de que ele não poderia ter-nos seguido. Um estranho, então, ainda está nos seguindo, da mesma forma que um estranho nos seguiu em Londres. Nunca conseguimos nos livrar dele. Se eu pudesse pôr as mãos nesse homem, então poderíamos enfim estar no fim das nossas dificuldades. Devo agora dedicar todas as minhas energias a esse único objetivo.

Meu primeiro impulso foi contar a sir Henry todos os meus planos. Meu segundo impulso, e o mais prudente, é jogar o meu próprio jogo e falar o mínimo possível com qualquer pessoa. Ele é silencioso e distraído. Os nervos dele ficaram abalados de uma forma estranha por aquele som no pântano.

Não direi nada que aumente a ansiedade dele, mas adotarei minhas próprias medidas para alcançar minha finalidade.

Tivemos uma pequena cena esta manhã após o café. Barrymore pediu licença para falar com sir Henry, e eles ficaram fechados no escritório por algum tempo. Sentado na sala de bilhar, eu ouvi mais de uma vez o som das vozes se elevar e pude ter ideia do assunto que estava em discussão. Depois de algum tempo, o baronete abriu a porta e me chamou.

— Barrymore acha que tem motivo de queixa — disse. — Ele acha que foi injusto de nossa parte sair caçando o cunhado dele quando ele, por livre e espontânea vontade, contou-nos o segredo.

O mordomo estava parado muito pálido, mas muito controlado diante de nós.

— Talvez eu tenha me exaltado, senhor, e nesse caso peço que me perdoe — disse ele. — Ao mesmo tempo, fiquei muito surpreso quando ouvi os dois cavalheiros voltarem esta manhã e soube que estiveram perseguindo Selden. O coitado já tem muito contra o que lutar sem que eu ponha mais gente na pista dele.

— Se você tivesse nos contado por sua livre e espontânea vontade, teria sido uma coisa diferente — disse o baronete. — Você só nos contou, ou melhor, sua mulher nos contou, quando você foi obrigado e não pôde evitar.

— Eu não pensei que os senhores fossem se aproveitar disso, sir Henry, de verdade não pensei.

— O homem é um perigo público. Há casas isoladas espalhadas pelo pântano, e ele é um sujeito que não se detém diante de nada. Basta olhar para o rosto dele para se compreender isso. Veja, a casa do sr. Stapleton, por exemplo, sem ninguém a não ser ele próprio para defendê-la. Não há segurança para ninguém até que ele esteja trancado a sete chaves.

— Ele não vai invadir casa alguma, senhor. Dou-lhe a minha palavra de honra quanto a isso. Ele nunca mais incomodará qualquer pessoa neste país outra vez. Garanto-lhe, sir Henry, que dentro de muito poucos dias os arranjos necessários serão concluídos e ele estará a caminho da América do Sul. Pelo amor de Deus, senhor, peço-lhe para não deixar a polícia saber que ele ainda está no pântano. Eles desistiram da busca aqui, e ele pode ficar escondido quieto até poder embarcar. O senhor não pode denunciá-lo sem causar problemas para mim e para minha mulher. Peço-lhe, senhor, para não dizer nada à polícia.

— O que você acha, Watson?

Encolhi os ombros.

— Se ele de fato saísse do país, isso aliviaria os contribuintes de um fardo.

— Mas e quanto à possibilidade de ele assaltar alguém antes de ir embora?

— Ele não faria uma loucura dessas, senhor. Fornecemos a ele tudo de que ele possa precisar. Cometer um crime seria revelar onde ele está escondido.

— Isso é verdade — disse sir Henry. — Bem, Barrymore...

— Deus o abençoe, senhor, e obrigado do fundo do meu coração! Se ele fosse preso outra vez, isso mataria minha pobre mulher.

— Imagino que estamos ajudando e favorecendo um crime, Watson. Mas, depois do que ouvimos, acho que não posso entregar o homem, portanto, está encerrado. Está bem, Barrymore, você pode ir.

Com algumas palavras entrecortadas de gratidão o homem se virou, mas hesitou e então voltou.

— O senhor foi tão bom para nós que eu gostaria de fazer o máximo para o senhor em retribuição. Eu sei uma coisa, sir Henry, e talvez devesse tê-la dito antes, mas foi muito depois do inquérito que eu a descobri. Eu ainda não disse uma palavra sequer sobre isso a ninguém. É sobre a morte do pobre sir Charles.

O baronete e eu ficamos de pé.

— Você sabe como ele morreu?

— Não, senhor, isso não sei.

— O que é, então?

— Eu sei por que ele estava no portão àquela hora. Foi para se encontrar com uma mulher.

— Encontrar-se com uma mulher? Ele?

— Sim, senhor.

— E o nome da mulher?

— Não posso dar-lhe o nome, senhor, mas posso dar-lhe as iniciais. As iniciais dela eram L.L.

— Como você sabe disso, Barrymore?

— Bem, sir Henry, o seu tio recebeu uma carta naquela manhã. Ele costumava receber muitas cartas, porque ele era um homem público e conhecido pelo coração bondoso, de modo que todo mundo que estava com problemas gostava de recorrer a ele. Mas naquela manhã, por acaso, havia apenas essa carta, de modo que reparei mais nela. Vinha de Coombe Tracey e estava endereçada com letra de mulher.

— Bem?

— Bem, senhor, não pensei mais no assunto, e nunca teria pensado se não fosse por minha mulher. Algumas semanas atrás ela estava limpando o escritório de sir Charles (ele nunca fora mexido desde a morte dele) e encontrou as cinzas de uma carta queimada no fundo da grade. A maior parte dela estava carbonizada, mas uma pequena tira, o fim de uma página, ficou inteira, e o que estava escrito ainda podia ser lido, embora estivesse cinzento num fundo preto. Parecia ser um pós-escrito no fim da carta, e dizia: "Por favor, como o senhor é um cavalheiro, queime esta carta e esteja no portão às dez da noite". Embaixo estavam assinadas as iniciais L.L.

— Você tem essa tira?

— Não, senhor, ela esfarelou-se depois que mexemos nela.

— Sir Charles recebeu alguma outra carta com a mesma letra?

— Bem, senhor, eu não prestava muita atenção às cartas. Eu não notaria essa se por acaso ela não tivesse chegado sozinha.

— E você não tem ideia alguma de quem seja L.L.?

— Não, senhor. Mas tenho esperança de que, se pudermos encontrar essa dama, saberemos mais sobre a morte de sir Charles.

— Não consigo compreender, Barrymore, como você escondeu essa informação importante.

— Bem, senhor, isso foi logo depois que tivemos aquele nosso próprio problema. E também, senhor, nós dois gostávamos muito de sir Charles, considerando tudo que ele tinha feito por nós. Revolver isso não iria ajudar nosso pobre patrão, e é bom ter cuidado quando há uma dama envolvida no caso. Mesmo o melhor de nós...

— Você achou que isso poderia prejudicar a reputação dele?

— Bem, senhor, achei que nada de bom podia resultar disso. Mas agora o senhor foi bom para nós, e achei que estaria sendo injusto com o senhor se não lhe contasse tudo que sei a respeito.

— Muito bem, Barrymore, pode ir. — Depois que o mordomo saiu, sir Henry virou-se para mim. — Bem, Watson, o que você acha dessa nova informação?

— Parece que ela deixa a escuridão mais sombria do que antes.

— Também acho. Se pelo menos conseguíssemos identificar L.L., isso poderia esclarecer a coisa toda. Teríamos avançado um pouco. Sabemos que há uma pessoa que conhece os fatos, basta encontrá-la. O que você acha que devemos fazer?

— Comunicar isso tudo agora mesmo a Holmes. Isso dará a ele a pista que vem procurando. Ou eu muito me engano, ou isso fará com que ele venha para cá.

Fui no mesmo instante para o meu quarto e fiz o relatório da conversa da manhã para Holmes. Era evidente para mim que ele estivera muito ocupado nos últimos tempos, porque os bilhetes que recebi da Baker Street eram poucos e curtos, sem comentário algum sobre as informações que eu havia fornecido e raras referências à minha missão. Sem dúvida o caso de chantagem está exigindo todo o talento dele. Mesmo assim, esse novo fator sem dúvida atrairá a atenção e renovará o interesse dele. Gostaria que ele estivesse aqui.

17 de outubro — Caiu uma chuva forte hoje o dia inteiro, fazendo a hera farfalhar e pingando água dos beirais. Pensei no condenado lá no pântano, frio e sem abrigo. Pobre-diabo! Quaisquer que fossem os crimes dele, ele havia sofrido o bastante para expiá-los. E depois pensei naquele outro, o rosto do cabriolé, o do vulto contra a lua. Será que ele também estaria lá fora naquele dilúvio, o vigilante invisível, o homem da escuridão? À noite, vesti o meu impermeável e dei uma longa caminhada pelo pântano encharcado, cheio de pensamentos sombrios, com a chuva batendo no meu rosto e o vento assobiando nos meus ouvidos. Que Deus ajude àqueles que vagam pelo grande pântano agora, porque até as terras altas firmes estão se transformando em atoleiro. Encontrei o pico rochoso preto sobre o qual vira o vigilante solitário e do cume irregular olhei para as depressões melancólicas. Pancadas de chuva passavam pela superfície avermelhada dele, e as nuvens pesadas, cor de ardósia, pairavam baixas sobre a paisagem, cobrindo com espirais cinzentas os lados das colinas fantásticas. Na depressão distante à esquerda, meio escondidas pela neblina, as duas torres finas da Mansão Baskerville surgiam sobre as árvores. Elas eram os únicos sinais de vida humana que eu podia ver, com exceção apenas daquelas cabanas pré-históricas que se aglomeravam nas encostas das colinas. Em parte alguma havia qualquer sinal daquele homem solitário que eu vira no mesmo lugar duas noites antes.

Quando caminhava de volta, fui alcançado pelo dr. Mortimer, que conduzia a charrete dele por uma trilha irregular do pântano que saía da casa de fazenda isolada de Foulmire. Ele tem sido muito atencioso conosco e passa quase todos os dias na mansão para saber como estamos indo. Ele insistiu para que eu subisse na charrete e me deu uma carona até em casa. Achei que ele estava muito perturbado pelo desaparecimento do seu pequeno spaniel. Ele havia fugido para o pântano e não voltara. Consolei-o como pude, mas pensei no pônei no charco de Grimpen, e imagino que ele não verá o cachorrinho outra vez.

— A propósito, Mortimer, suponho que haja poucas pessoas que morem nas redondezas que você não conheça — disse eu quando nos sacudíamos pela estrada irregular.

— Acho que nenhuma.

— Então você pode me dizer o nome de alguma mulher cujas iniciais sejam L.L.?

Ele pensou por alguns minutos.

— Não — disse ele. — Há alguns ciganos e trabalhadores cujos nomes eu não sei, mas entre os fazendeiros ou a pequena nobreza não há pessoa alguma cujas iniciais sejam essas. Espere um pouco — acrescentou após uma pausa. — Há Laura Lyons, as iniciais dela são L.L., mas ela mora em Coombe Tracey.

— Quem é ela? — perguntei.

— É a filha de Frankland.

— O quê!? Do velho Frankland, o maluco?

— Exato. Ela se casou com um artista chamado Lyons que veio desenhar no pântano. Ele era um patife e a abandonou. A culpa, pelo que ouvi, podia não estar por inteiro de um lado. O pai dela cortou relações com ela porque ela se casara sem o consentimento dele, e talvez por um ou dois outros motivos também. De modo que, entre o velho pecador e o jovem, a garota passou por um mau bocado.

— De que ela vive?

— Imagino que o velho Frankland lhe dê uma mesada insignificante, mas não pode ser mais, porque os próprios negócios dele estão bastante complicados. O que quer que ela possa ter merecido, não se pode permitir que ela vá irremediavelmente para o mal. A história dela se espalhou, e várias pessoas daqui fizeram alguma coisa para permitir-lhe ganhar a vida de forma honesta. Stapleton foi um e sir Charles, outro. Eu mesmo dei uma ninharia. Era para estabelecê-la num negócio de datilografia.

Ele quis saber o objetivo das minhas perguntas, mas consegui satisfazer a curiosidade dele sem contar-lhe muita coisa, porque não há qualquer motivo para que tenhamos confiança em alguém. Amanhã de manhã irei até Coombe Tracey, e se eu puder ver essa sra. Laura Lyons, de reputação equívoca, será dado um longo passo no sentido de esclarecer um incidente nessa série de mistérios. Com certeza estou adquirindo a sabedoria da serpente, porque, quando Mortimer insistiu nas perguntas a ponto de ficar inconveniente, perguntei-lhe de modo casual de que tipo era o crânio de Frankland, e assim só ouvi ele falar sobre craniologia durante o resto da nossa viagem. Não foi à toa que morei anos com Sherlock Holmes.

Tenho apenas um outro incidente para registrar a respeito desse dia tempestuoso e melancólico. Foi a minha conversa com Barrymore ainda há pouco, que me dá mais um trunfo que poderei usar no devido tempo.

Mortimer havia ficado para jantar, e ele e o baronete jogaram écarté depois. O mordomo levou o meu café até a biblioteca, e aproveitei a oportunidade para fazer-lhe algumas perguntas.

— Bem, esse seu estimado parente partiu ou ainda está escondido lá longe? — disse eu.

— Não sei, senhor. Espero em Deus que tenha ido, porque ele só nos trouxe problemas aqui! Não tive notícias dele desde que deixei comida para ele da última vez, e isso foi há três dias.

— Você o viu nesse dia?

— Não, senhor, mas a comida tinha desaparecido quando fui lá da vez seguinte.

— Então ele estava lá com certeza?

— Parece que sim, a menos que o outro homem a tenha apanhado.

Fiquei sentado com a xícara de café no ar e olhei para Barrymore.

— Então você sabe que há outro homem?

— Sim, senhor; há outro homem no pântano.

— Você o viu?

— Não, senhor.

— Como sabe disso então?

— Selden me falou sobre ele, senhor, há uma semana ou mais. Ele está escondido também, mas não é um condenado, pelo que entendi. Não gosto disso, dr. Watson, digo-lhe com franqueza, senhor, que não gosto disso — falou com uma súbita seriedade.

— Agora, ouça-me, Barrymore! Não tenho qualquer interesse neste assunto, a não ser o do seu patrão. Vim para cá apenas com o objetivo de ajudá-lo. Diga-me francamente do que é que você não gosta.

Barrymore hesitou por um momento, como se estivesse arrependido da explosão ou achasse difícil exprimir em palavras os próprios sentimentos.

— São todas essas extravagâncias, senhor — exclamou ele por fim acenando em direção à janela batida pela chuva que dava para o pântano. — Há traição em algum lugar, e há perversidade fervendo, quanto a isso eu juro! Eu ficaria muito satisfeito, senhor, de ver sir Henry voltando para Londres outra vez!

— Mas o que é que o assusta?

— Veja a morte de sir Charles! Isso foi péssimo, apesar de tudo o que o magistrado disse. Lembre-se dos ruídos no pântano à noite. Não há um único homem que o atravesse após o pôr do sol, mesmo que seja pago para isso. Veja esse estranho escondido lá longe, observando e esperando! O que ele está esperando? O que significa isso? Não significa nada de bom para ninguém com o nome de Baskerville, e eu gostaria muito de largar isso tudo no dia em que os novos empregados de sir Henry estivessem prontos para cuidar da Mansão.

— Mas quanto a este estranho — falei. — Você pode me dizer alguma coisa sobre ele? O que diz Selden? Ele descobriu onde ele se esconde, ou o que ele está fazendo?

— Ele o viu uma ou duas vezes, mas ele é um finório e não conta nada. A princípio pensou que ele fosse da polícia, mas logo descobriu que ele tinha alguma posição própria. Ele era uma espécie de cavalheiro, pelo que ele pôde ver, mas não conseguiu saber o que ele estava fazendo.

— E onde foi que ele disse que o homem vivia?

— Entre as casas antigas na encosta da colina, as cabanas de pedra onde o povo antigo morava.

— Mas e quanto à sua comida?

— Selden descobriu que ele tem um menino que trabalha para ele, que leva e traz tudo de que ele precisa. Ouso dizer que ele vai buscar em Coombe Tracey as coisas que quer.

— Muito bem, Barrymore. Podemos falar mais sobre isso em outra ocasião.

Depois que o mordomo saiu, fui até a janela escura e olhei através de uma vidraça manchada para as nuvens que passavam e para a silhueta agitada das árvores varridas pelo vento. A noite estava tempestuosa lá fora, e imaginei como devia estar numa cabana de pedra acima do pântano. Que ódio pode ser esse que leva um homem a se esconder num lugar desses numa ocasião dessas! E que objetivo profundo e sério pode ele ter que exija uma tal provação! Lá, naquela cabana acima do pântano, parece estar o próprio centro daquele problema que me perturba de forma tão dolorosa. Jurei que não se passaria outro dia sem que eu fizesse tudo que um homem pode fazer para chegar ao âmago do mistério.

11

O homem sobre o pico rochoso

O trecho do meu diário particular que constitui o último capítulo atualizou a minha narrativa até o dia 18 de outubro, momento em que esses estranhos acontecimentos começaram a se encaminhar com rapidez para a terrível conclusão. Os incidentes dos dias seguintes estão gravados de maneira indelével na minha memória, e posso contá-los sem recorrer às anotações feitas na ocasião. Começo, portanto, no dia seguinte àquele em que eu havia estabelecido dois fatos de grande importância, um que a sra. Laura Lyons, de Coombe Tracey, havia escrito a sir Charles Baskerville e marcado um encontro com ele no lugar e na hora em que ele veio a morrer, o outro que o homem escondido no pântano podia ser encontrado entre as cabanas de pedra na encosta da colina. De posse desses dois fatos, achei que a minha inteligência ou a minha coragem deviam ser insuficientes se eu não conseguisse lançar mais alguma luz sobre esses lugares misteriosos.

Não tive oportunidade de contar ao baronete o que soubera a respeito da sra. Lyons na noite anterior, porque o dr. Mortimer ficou jogando cartas com ele até muito tarde. Mas no café da manhã falei-lhe sobre a minha descoberta e perguntei a ele se queria me acompanhar até Coombe Tracey. A princípio ele ficou muito ansioso para ir, mas, pensando bem, achamos que se eu fosse sozinho os resultados podiam ser melhores. Quanto mais formal fosse a visita, menos informações conseguiríamos obter. Deixei sir Henry para trás, portanto, não sem alguns escrúpulos de consciência, e parti de charrete para a minha nova investigação.

Quando cheguei a Coombe Tracey, disse a Perkins para guardar os cavalos e fiz perguntas sobre a dama a quem eu viera interrogar. Não tive qualquer dificuldade em descobrir onde morava, um lugar central e conhecido. Uma criada deixou-me entrar sem cerimônia, e, quando cheguei à sala, uma dama que estava sentada diante de uma máquina de escrever Remington ergueu-se com vivacidade e um sorriso agradável de boas-vindas. Mas ficou desapontada quando viu que eu era um estranho e sentou-se de novo, perguntando-me o objetivo da minha visita.

A primeira impressão deixada pela sra. Lyons foi de extrema beleza. Os olhos e o cabelo eram do mesmo tom vivo castanho-avermelhado, e a face, embora bastante sardenta, estava corada pela frescura encantadora de um moreno trigueiro, como o rosa delicado que se esconde no centro da rosa amarela. De admiração foi, repito, a primeira impressão. Mas a segunda foi de crítica. Havia alguma coisa sutilmente errada no rosto, certa aspereza de expressão, certa dureza, talvez, do olhar, certa frouxidão da boca que perturbavam a beleza perfeita. Mas estes, com naturalidade, são pensamentos posteriores. Naquele momento fiquei apenas consciente de que estava na presença de uma mulher muito bonita e que ela estava perguntando o motivo da minha visita. Eu não tinha compreendido na totalidade, até aquele instante, como a minha missão era delicada.

— Tenho o prazer de conhecer o seu pai — disse eu.

Foi uma apresentação desajeitada, e a dama me fez sentir isso.

— Não há nada em comum entre mim e meu pai — disse ela. — Não devo nada a ele e os amigos dele não são meus amigos. Se não fosse o falecido sir Charles Baskerville e alguns outros corações compassivos, eu podia morrer de fome que meu pai pouco se importaria.

— É a respeito do falecido sir Charles Baskerville que vim procurá-la.

As sardas se projetaram no rosto da dama.

— O que posso dizer-lhe sobre ele? — perguntou ela, e os dedos tocaram com nervosismo nas teclas da máquina de escrever.

— A senhora o conhecia, não?

— Eu já disse que devo muito à bondade dele. Se consigo me manter, é em grande parte devido ao interesse que ele demonstrou pela minha situação infeliz.

— A senhora se correspondia com ele?

A dama ergueu rápido os olhos com um brilho de raiva.

— Qual é o objetivo destas perguntas? — perguntou ela com vivacidade.

— O objetivo é evitar um escândalo público. É melhor eu fazê-las aqui do que o assunto escapar do nosso controle.

Ela ficou em silêncio e o rosto ainda estava muito pálido. Por fim ergueu os olhos com um jeito um tanto desafiador e temerário.

— Bem, vou responder — disse ela. — Quais são as suas perguntas?

— A senhora se correspondia com sir Charles?

— Sem dúvida escrevi-lhe uma ou duas vezes para agradecer a delicadeza e a generosidade.

— A senhora sabe as datas dessas cartas?

— Não.

— A senhora alguma vez se encontrou com ele?

— Sim, uma ou duas vezes, quando ele veio a Coombe Tracey. Ele era um homem muito reservado, e preferia fazer o bem de forma discreta.

— Mas, se a senhora o viu tão pouco e escreveu tão pouco, como ele soube o suficiente sobre os seus negócios para poder ajudá-la, como a senhora diz que ele fez?

Ela enfrentou a minha objeção com a máxima presteza.

— Havia vários cavalheiros que conheciam a minha triste história e que se uniram para me ajudar. Um foi o sr. Stapleton, um vizinho e amigo íntimo de sir Charles. Ele foi bondoso ao extremo, e foi por intermédio dele que sir Charles soube do meu caso.

Eu já sabia que sir Charles Baskerville havia usado Stapleton como intermediário na ajuda dele aos outros em várias ocasiões, de modo que a afirmação da dama tinha cunho de verdade.

— A senhora alguma vez escreveu a sir Charles pedindo a ele para encontrar-se com a senhora? — continuei.

A sra. Lyons corou de raiva outra vez.

— De fato, senhor, essa é uma pergunta muito estranha.

— Desculpe, madame, mas sou forçado a repeti-la.

— Então eu respondo, com certeza não.

— Nem no próprio dia da morte de sir Charles?

A cor desapareceu num instante, e um rosto cadavérico estava diante de mim. Os lábios secos não conseguiam dizer o “não” que eu mais vi do que ouvi.

— Com certeza sua memória a engana — falei. — Posso até citar um trecho da sua carta. Ela diz: "Por favor, por favor, já que o senhor é um cavalheiro, queime esta carta e esteja no portão às dez da noite".

Pensei que ela tivesse desmaiado, mas ela se recuperou com um esforço supremo.

— Será que não existem mais cavalheiros? — perguntou ela, ofegante.

— A senhora faz uma injustiça a sir Charles. Ele *queimou* a carta. Mas às vezes uma carta pode ser legível mesmo quando queimada. A senhora admite agora que a escreveu?

— Sim, escrevi — exclamou ela, despejando a alma numa torrente de palavras. Eu a escrevi. Por que deveria negar? Não tenho motivo algum para me envergonhar disso. Eu queria que ele me ajudasse. Eu acreditava que, se falasse com ele, poderia conseguir a ajuda dele, de modo que pedi a ele para se encontrar comigo.

— Mas por que numa hora dessas?

— Porque eu tinha acabado de saber que ele ia para Londres no dia seguinte e podia ficar fora durante meses. Havia motivos que me impediam de chegar lá mais cedo.

— Mas por que um encontro no jardim em vez de uma visita à casa?

— O senhor acha que uma mulher pode ir sozinha a essa hora à casa de um solteirão?

— Bem, o que aconteceu quando a senhora chegou lá?

— Eu não fui.

— Sra. Lyons!

— Não, juro-lhe por tudo que me é sagrado. Não fui. Uma coisa interferiu para impedir a minha ida.

— O que foi?

— Isso é assunto particular. Não posso contar.

— A senhora reconhece então que marcou um encontro com sir Charles na própria hora e no lugar em que ele morreu, mas nega ter comparecido.

— Essa é a verdade.

Interroguei-a repetidas vezes, mas não consegui ir além desse ponto.

— Sra. Lyons, a senhora está assumindo uma responsabilidade muito grande e colocando-se numa posição bastante falsa por não confessar tudo o que sabe — disse eu ao me levantar depois dessa entrevista longa e inconclusiva. — Se eu tiver de pedir o auxílio da polícia, a senhora descobrirá que está seriamente comprometida. Se a senhora é inocente, por que negou no início ter escrito a sir Charles naquela data?

— Porque eu receava que fosse tirada alguma conclusão falsa disso e que eu me visse envolvida num escândalo.

— E por que a senhora insistiu tanto para que sir Charles destruísse a sua carta?

— Se o senhor tivesse lido a carta, saberia.

— Eu não disse que havia lido toda a carta.

— O senhor citou uma parte dela.

— Citei o pós-escrito. A carta, como disse, foi queimada e ela não era inteiramente legível. Pergunto-lhe mais uma vez por que insistiu para que sir Charles destruísse essa carta que ele recebeu no dia da morte dele?

— O assunto é muito particular.

— É mais um motivo para a senhora evitar uma investigação pública.

— Vou contar ao senhor, então. Se o senhor ouviu alguma coisa sobre a minha infeliz história, saberá que fiz um casamento precipitado e tive motivos para me arrepender dele.

— Ouvi dizer isso.

— Minha vida tem sido uma perseguição incessante de um marido que detesto. A lei está do lado dele, e cada dia enfrento a possibilidade de ele poder me obrigar a ir viver com ele. Na ocasião em que escrevi essa carta a sir Charles, eu soubera que havia uma perspectiva de recuperar a minha liberdade se pudesse fazer face a certas despesas. Isso significava tudo para mim, paz de espírito, felicidade, amor-próprio, tudo. Eu conhecia a generosidade de sir Charles, e achei que, se ele ouvisse a história dos meus próprios lábios, me ajudaria.

— Então por que a senhora não foi?

— Porque, nesse meio-tempo, recebi ajuda de outra fonte.

— Então por que a senhora não escreveu a sir Charles e explicou isso?

— Era o que eu faria se não tivesse visto a notícia da morte dele no jornal na manhã seguinte.

A história da mulher era coerente, e as minhas perguntas foram incapazes de abalá-la. Eu só podia confirmá-la descobrindo se ela de fato iniciara a ação de divórcio contra o marido na ocasião da tragédia ou por volta dessa época.

Era pouco provável que ela se atrevesse a dizer que não esteve na Mansão Baskerville se de verdade tivesse estado, porque seria necessária uma charrete para levá-la até lá, e só poderia ter voltado a Coombe Tracey nas primeiras horas da manhã. Uma excursão dessas não podia ser mantida em segredo. Portanto, a probabilidade era de que ela estivesse dizendo a verdade ou, pelo menos, parte da verdade. Eu saí confuso e desanimado. Mais uma vez havia chegado àquele beco sem saída que parecia existir em todos os caminhos pelos quais eu tentava chegar ao objetivo da minha missão. Mas, apesar disso, quanto mais eu pensava no rosto da moça e no comportamento dela, mais eu sentia que alguma coisa estava sendo escondida de mim. Por que ela ficara tão pálida? Por que lutara contra cada confissão até que esta fosse extraída dela à força? Por que fora tão reticente na época da tragédia? Sem dúvida a explicação de tudo isso não podia ser tão inocente como ela queria me fazer crer. No momento eu não podia continuar naquela direção, mas devia me voltar para aquela outra pista que tinha de ser procurada entre as cabanas de pedra acima do pântano.

E esse era um rumo muito vago. Percebi isso quando voltava de charrete e notei que colina após colina exibiam vestígios do povo antigo. A única indicação de Barrymore era de que o estranho morava numa dessas cabanas abandonadas, e centenas delas estão espalhadas por todo o pântano. Mas eu tinha a minha própria experiência como guia, já que ela havia me mostrado o homem de pé sobre o cume do pico rochoso. Esse, então, deveria ser o centro da minha busca. A partir dali eu devia explorar cada cabana do pântano até encontrar a certa. Se esse homem estivesse dentro dela, eu tinha de descobrir pelos lábios dele, apontando o meu revólver se necessário, quem era ele e por que nos seguira por tanto tempo. Ele podia escapar de nós no meio da multidão da Regent Street, mas ficaria embaraçado para fazer isso no pântano deserto. Por outro lado, se eu encontrasse a cabana e o inquilino não estivesse dentro dela, eu teria de ficar lá, por mais longa que fosse a vigília, até ele voltar. Holmes o havia perdido em Londres. Seria decerto um triunfo para mim se pudesse achá-lo, coisa em que meu mestre havia falhado.

A sorte tinha estado contra nós várias vezes nesta investigação, mas agora enfim ela veio em meu auxílio. E o mensageiro da boa nova não era outro senão o sr. Frankland, que estava parado, com as suíças grisalhas e o rosto vermelho, do lado de fora do portão do jardim dele, que dava para a estrada pela qual eu seguia.

— Bom dia, dr. Watson — exclamou ele com um bom humor incomum. — O senhor precisa de fato dar um descanso aos seus cavalos e entrar para tomar um cálice de vinho e me felicitar.

Meus sentimentos em relação a ele estavam longe de ser amistosos depois do que eu ouvira a respeito do modo como tratara a filha, mas eu estava ansioso para mandar Perkins e a charrete para casa, e a oportunidade era boa. Desci e mandei um recado para sir Henry de que voltaria a pé a tempo para o jantar. Depois segui Frankland até a sala de jantar.

— É um grande dia para mim, dr. Watson, um dos dias mais memoráveis da minha vida! — exclamou ele com muitas risadinhas. — Realizei uma façanha dupla. Quero mostrar a eles nesta região que lei é lei e que há um homem aqui que não tem medo de invocá-la. Estabeleci uma servidão de passagem pelo meio do velho parque de Middleton, bem no meio dele, dr. Watson, a noventa metros da sua própria porta da frente. O que acha disso? Ensinaremos a esses magnatas que eles não podem passar de modo tirano sobre os direitos dos plebeus, diabos os levem! E fechei o bosque no lugar onde a família Fernworthy costumava fazer piqueniques. Essa gente infernal parece pensar que não há qualquer direito de propriedade e que eles podem invadir o lugar que quiserem com os papéis e as garrafas deles. Os dois casos decididos, dr. Watson, e os dois a meu favor. Não tinha um dia desses desde que processei sir John Morland por invasão, porque ele atirou no próprio parque.

— Como diabo o senhor conseguiu isso?

— Procurei referências nos livros, dr. Watson. Vale a pena ler: Frankland versus Morland, Tribunal Superior de Justiça. Custou-me duzentas libras, mas consegui minha sentença.

— Isso lhe trouxe algum benefício?

— Nenhum, senhor, nenhum. Orgulho-me de dizer que não tenho interesse algum na questão. Ajo inteiramente por um senso de dever público. Não tenho qualquer dúvida, por exemplo, de que a família Fernworthy vai queimar minha efígie esta noite. Eu disse à polícia, na última vez que eles fizeram isso, que devia impedir essas exibições vergonhosas. A polícia do condado está numa situação escandalosa, senhor, e não me deu a proteção a que tenho direito. O caso Frankland *versus* Regina levará o assunto ao conhecimento do público. Eu avisei que eles iriam lamentar o tratamento que me dispensaram, e as minhas palavras já se tornaram realidade.

— Como assim? — perguntei.

O velho assumiu uma expressão muito astuta.

— Porque eu poderia contar a eles o que eles estão loucos para saber; mas nada me convencerá a ajudar os patifes de alguma maneira.

Eu estivera procurando alguma desculpa para poder me livrar dos mexericos dele, mas comecei a querer ouvir mais. Eu já vira o suficiente da natureza caprichosa do velho pecador para compreender que qualquer sinal de interesse seria a maneira mais correta de interromper as confidências dele.

— Algum caso de invasão, sem dúvida? — falei, de maneira indiferente.

— Ha, ha, meu rapaz, um assunto muito mais importante do que esse! É quanto ao condenado no pântano.

Levei um susto.

— O senhor não quer dizer que sabe onde ele está? — perguntei.

— Talvez eu não saiba exatamente onde ele está, mas tenho certeza absoluta de que posso ajudar a polícia a pôr as mãos nele. Nunca lhe ocorreu que a maneira de pegar esse homem é descobrir onde ele consegue a comida, e assim segui-la até ele?

Ele com certeza parecia estar chegando de forma incômoda perto da verdade.

— Sem dúvida — falei. — Mas como o senhor sabe que ele está em algum lugar do pântano?

— Sei porque vi com os meus próprios olhos o mensageiro que leva a comida para ele.

Meu coração ficou apertado por causa de Barrymore. Era uma coisa séria cair em poder desse velho abelhudo vingativo. Mas o comentário seguinte tirou um peso da minha alma.

— O senhor ficaria surpreso de saber que a comida dele é levada por uma criança. Eu o vejo todo dia pelo meu telescópio do telhado. Ele passa pelo mesmo caminho à mesma hora, e para quem ele estaria levando senão para o condenado?

Isso era sorte, decerto! Mas controlei todo sinal de interesse. Uma criança! Barrymore havia dito que o nosso desconhecido era abastecido por um rapaz. Foi na pista dele, e não na do condenado, que Frankland havia tropeçado. Se eu conseguisse extrair o que ele sabia, isso podia me poupar uma busca longa e cansativa. Mas incredulidade e indiferença eram, sem dúvida, minhas cartas mais fortes.

— Eu diria que é muito mais provável que seja o filho de algum dos pastores do pântano levando o jantar do pai.

O melhor sinal de objeção pôs fogo no velho autocrata. Os olhos adquiriram uma expressão maligna para mim e as suíças grisalhas se eriçaram como as de um gato enfurecido.

— Ora, dr. Watson! — disse ele apontando para a vastidão do pântano. — Está vendo aquele pico rochoso escuro lá longe? Bem, está vendo a colina baixa mais adiante, com o espinheiro em cima? Aquela é a parte mais rochosa de todo pântano. Acha que um pastor teria probabilidade de ficar num lugar daquele? A sua sugestão, dr. Watson, é completamente absurda.

Respondi com humildade que havia falado sem conhecer todos os fatos. Minha modéstia agradou-lhe e levou-o a fazer outras confidências.

— Pode estar certo, dr. Watson, de que tenho muito bons fundamentos antes de chegar a uma opinião. Vi o menino várias vezes com a trouxa. Todos os dias, e ocasionalmente duas vezes por dia, pude... mas espere um instante, dr. Watson. Os meus olhos me enganam ou há no momento alguma coisa se movendo na encosta daquela colina?

Estava a vários quilômetros de distância, mas pude ver com nitidez um pontinho preto contra o verde e o cinzento.

— Venha, venha! — exclamou Frankland, ao subir a escada correndo. — O senhor verá com seus próprios olhos e julgará por si mesmo.

O telescópio, um instrumento enorme montado sobre um tripé, estava sobre as folhas de chumbo do telhado. Frankland grudou o olho nele e deu um grito de satisfação.

— Depressa, dr. Watson, depressa, antes que ele passe por cima da colina!

Lá estava ele, de fato, um menino com uma pequena trouxa sobre o ombro, subindo devagar a colina com esforço. Quando chegou ao topo, vi o vulto misterioso delineado por um instante contra o frio céu azul. Ele olhou em volta com um jeito furtivo e dissimulado, como alguém que receia ser seguido. Depois desapareceu sobre a colina.

— Bem! Estou certo?

— Há um menino, sem dúvida, que parece ter alguma missão secreta.

— E qual é a missão até um policial de condado pode imaginar. Mas eles não ouvirão de mim nem uma palavra, e imponho-lhe a obrigação do segredo, também, dr. Watson. Nem uma palavra! O senhor entende!

— Como quiser.

— Eles têm me tratado de um modo vergonhoso. Quando os fatos surgirem no processo Frankland *versus* Regina, acho que uma onda de indignação percorrerá o país. Nada me convenceria a ajudar a polícia em qualquer sentido. Eles pouco se importariam que fosse eu, em vez da minha efígie, que esses patifes queimassem na estaca. O senhor com certeza não está indo embora! O senhor me ajudará a esvaziar a garrafa para comemorar esta grande ocasião!

Mas eu resisti a todos os apelos e consegui dissuadi-lo da anunciada intenção dele de me acompanhar até em casa. Fui andando pela estrada enquanto os olhos dele me seguiam, e depois entrei pelo pântano e me dirigi para a colina rochosa sobre a qual o menino havia desaparecido. Tudo estava agindo a meu favor, e jurei que não seria por falta de energia ou perseverança que eu perderia a oportunidade que o destino havia lançado no meu caminho.

O sol já estava se pondo quando cheguei ao alto da colina, e as longas encostas abaixo estavam verde-douradas de um lado e cinzentas do outro. Uma neblina baixa pairava sobre o horizonte distante, do qual se projetavam as formas fantásticas dos picos rochosos de Belliver e Vixen. Na vasta extensão não havia qualquer som ou movimento. Uma grande ave cinzenta, uma gaivota ou um maçarico, pairava no espaço azul do céu. Ela e eu parecíamos ser as únicas coisas vivas entre a abóbada enorme do céu e o deserto abaixo. O cenário árido, a sensação de isolamento e mistério e a urgência da minha tarefa provocaram um calafrio no meu coração. O menino não podia ser visto em lugar algum. Mas abaixo de mim, numa fenda das colinas, havia um círculo de antigas cabanas de pedra, e no meio delas havia uma que conservava uma cobertura suficiente para servir como proteção contra o vento. Meu coração deu um salto quando a vi. Esse devia ser o abrigo onde o estranho se escondia. Por fim meu pé estava no limiar daquele esconderijo, seu segredo estava ao meu alcance.

Quando me aproximei da cabana, caminhando com tanto cuidado quanto Stapleton teria ao se aproximar da borboleta escolhida com a rede preparada, certifiquei-me de que o lugar havia de fato sido usado como habitação. Um caminho impreciso por entre as rochas levava até a abertura dilapidada que servia de porta. Tudo estava em silêncio lá dentro. O desconhecido podia estar escondido ali ou podia estar vagando pelo pântano. Meus nervos vibravam com a sensação de aventura. Jogando meu cigarro para o lado, segurei a coronha do revólver, fui com rapidez até a porta e olhei para dentro. O lugar estava vazio.

Mas havia muitos sinais de que eu não seguira um rastro falso. Ali era com certeza o lugar onde o homem morava. Alguns cobertores enrolados num impermeável estavam sobre aquela mesma laje de pedra na qual o homem neolítico certa vez dormira. As cinzas de uma fogueira estavam amontoadas numa grade rústica. Ao lado dela havia alguns utensílios de cozinha e um balde com água pela metade. Uma confusão de latas vazias mostrava que o lugar havia sido ocupado por algum tempo, e vi, quando meus olhos ficaram acostumados à luz fraca, uma canequinha e uma garrafa pela metade de aguardente colocadas num canto. No meio da cabana, uma pedra chata servia de mesa, e sobre ela estava uma pequena trouxa de pano, a mesma, sem dúvida, que eu vira pelo telescópio no ombro do menino. Continha um pedaço de pão, uma língua em lata e duas latas de pêssegos em conserva. Quando as deixei de novo no lugar, após tê-las examinado, meu coração deu um pulo ao ver que embaixo havia uma folha de papel com algo escrito. Peguei-a, e foi isto o que li, rabiscado de maneira tosca a lápis:

O dr. Watson foi até Coombe Tracey.

Durante um minuto fiquei parado ali com o papel na mão refletindo sobre o sentido dessa curta mensagem. Era eu, então, e não sir Henry, quem estava sendo seguido por esse homem misterioso. Ele não havia me seguido em pessoa, mas havia posto um agente, o menino, talvez, na minha pista, e esse era o relatório dele. Provavelmente eu não tinha dado um passo, desde que estava no pântano, que não tivesse sido observado e relatado. Sempre havia aquela sensação de uma força invisível, uma rede fina puxada em volta de nós com habilidade e delicadeza infinitas, segurando-nos de forma tão suave que só em algum momento supremo é que se podia perceber que se estava emaranhado nas malhas dela.

Se havia um relatório, podia haver outros, de modo que examinei a cabana em busca deles. Mas não havia vestígio algum de nada parecido, nem consegui descobrir qualquer sinal que pudesse indicar o caráter ou as intenções do homem que morava nesse lugar estranho, a não ser que ele devia ter hábitos espartanos e dava pouca importância aos confortos da vida. Quando pensei nas chuvas fortes e olhei para o teto escancarado, compreendi como devia ser forte e imutável o objetivo que o havia mantido naquela habitação inóspita. Seria ele o nosso inimigo maligno, ou era ele por acaso o nosso anjo da guarda? Jurei que não deixaria a cabana até saber.

Do lado de fora o sol estava se pondo e o horizonte a oeste exibia chamas escarlates e douradas. O reflexo dele era enviado de volta em manchas avermelhadas pelos charcos distantes que ficavam no meio do grande Pântano de Mire. Lá estavam as duas torres da Mansão Baskerville, e ali uma mancha distante de fumaça que indicava a aldeia de Grimpen. Entre as duas, atrás da colina, estava a casa dos Stapleton. Tudo era bonito, suave e tranquilo à luz dourada do anoitecer, mas, apesar disso, eu olhava para eles e minha alma não participava da paz da natureza, mas tremia diante da incerteza e do terror daquele encontro que cada minuto deixava mais próximo. Com os nervos vibrando, mas um propósito firme, sentei-me no interior escuro da cabana e esperei com paciência a chegada do morador.

E então, por fim, eu o ouvi. De longe veio o ruído vivo de uma bota batendo numa pedra. Depois outro e mais outro, chegando cada vez mais perto. Encolhi-me no canto mais escuro e engatilhei a pistola no meu bolso, resolvido a não me mostrar até ter a oportunidade de ver alguma coisa do estranho. Houve uma longa pausa que indicou que ele havia parado. Depois, mais uma vez os passos se aproximaram e uma sombra caiu atravessada na abertura da cabana.

— Está uma noite encantadora, meu caro Watson — disse uma voz muito conhecida. — Acho de fato que você ficará mais confortável fora do que dentro.

12

Morte no pântano

Por um momento fiquei sentado sem fôlego, mal conseguindo acreditar nos meus ouvidos. Depois meus sentidos e minha voz voltaram, enquanto um peso esmagador de responsabilidade pareceu ter sido tirado dos meus ombros num instante. Aquela voz fria, incisiva e irônica só podia pertencer a um homem no mundo.

— Holmes! — exclamei. — Holmes!

— Saia e, por favor, tome cuidado com o revólver — disse ele.

Abaixei-me sob a trave da entrada e lá estava ele sentado sobre uma pedra do lado de fora com os olhos cinzentos exibindo uma expressão divertida ao verem o meu espanto. Ele estava magro e cansado, mas sereno e alerta, com o rosto perspicaz bronzeado pelo sol e maltratado pelo vento. Com o terno de tweed e boné de pano, parecia um turista no pântano, e havia conseguido, com aquele amor felino pela limpeza pessoal que era uma das características dele, que o queixo ficasse tão liso e a roupa branca tão perfeita como se estivesse na Baker Street.

— Nunca fiquei mais satisfeito de ver alguém em minha vida — falei ao apertar-lhe a mão.

— Ou mais espantado, hein?

— Bem, devo confessar que sim.

— A surpresa não foi só sua, garanto-lhe. Eu não sabia que você havia descoberto o meu retiro ocasional, e menos ainda que você estivesse dentro dele, até que cheguei a vinte passos da porta.

— A marca dos meus pés, suponho?

— Não, Watson, acho que não conseguiria reconhecer as suas pegadas entre todas as pegadas do mundo. Se você quiser mesmo me enganar, deve mudar de charutaria, porque quando vejo a ponta de um cigarro da marca Bradley, Oxford Street, sei que o meu amigo Watson está nas vizinhanças. Você a verá ali, ao lado do caminho. Você jogou-a ali, sem dúvida, naquele momento supremo em que invadiu a cabana vazia.

— Exato.

— Foi o que pensei e, conhecendo a sua tenacidade admirável, fiquei convencido de que você estava sentado de tocaia, com uma arma ao seu alcance, esperando que o morador voltasse. Então você pensou realmente que eu fosse o criminoso?

— Eu não sabia quem era você, mas estava decidido a descobrir.

— Excelente, Watson! E como você me localizou? Será que você me viu na noite da caçada ao condenado, quando fui tão imprudente a ponto de permitir que a lua ficasse por trás de mim?

— Sim, eu o vi aquela noite.

— E sem dúvida revistou todas as cabanas até chegar a esta?

— Não, o seu menino foi observado, e isso me deu uma indicação de onde procurar.

— O velho cavalheiro com o telescópio, sem dúvida. Na primeira vez não consegui entender o que era quando vi a luz brilhando nas lentes. — Ele se levantou e olhou para dentro da cabana. — Ah, vejo que Cartwright trouxe alguns mantimentos. O que é este papel? Então você esteve em Coombe Tracey, não esteve?

— Estive.

— Para ver a sra. Laura Lyons?

— Exato.

— Muito bem! É evidente que nossas pesquisas têm sido paralelas, e quando juntarmos os nossos resultados teremos um conhecimento bastante completo do caso.

— Bem, estou sinceramente satisfeito com o fato de você estar aqui, porque a responsabilidade e o mistério estavam se tornando grandes demais para os meus nervos. Mas que milagre trouxe você aqui, e o que tem feito? Pensei que você estivesse na Baker Street trabalhando naquele caso de chantagem.

— Foi isso que eu quis que você pensasse.

— Então você me usou e mesmo assim não confia em mim! — exclamei com certa mágoa. — Acho que merecia melhor tratamento de sua parte, Holmes.

— Meu caro amigo, você tem sido inestimável para mim neste e em muitos outros casos, e peço-lhe que me perdoe se dei a impressão de fazer um truque com você. Na verdade, foi em parte para seu próprio bem que fiz isso e foi a minha avaliação do perigo que você corria que me fez vir até aqui e examinar o caso em pessoa. Se eu estivesse com sir Henry e você, com certeza o meu ponto de vista teria sido igual ao seu, e minha presença teria prevenido os nossos tremendos adversários, que ficariam em guarda. Como está, pude andar por aí como provavelmente não poderia ter feito se estivesse morando na mansão, e continuo sendo um fator desconhecido no negócio, pronto a lançar todo o meu peso num momento decisivo.

— Mas por que se esconder de mim?

— Porque o fato de você saber não podia me ajudar, e é provável que resultasse na descoberta sobre mim. Você poderia querer me contar alguma coisa, ou, em sua bondade, teria me trazido um ou outro conforto, e assim correríamos um risco desnecessário. Trouxe Cartwright comigo para cá (você se lembra do sujeito baixinho do escritório de mensageiros), e ele tem cuidado dos meus desejos simples: um pedaço de pão e um colarinho limpo. O que um homem quer mais? Ele me proporcionou um par de olhos extra sobre um par de pés muito ágeis, e ambos têm sido inestimáveis.

— Então meus relatórios foram desperdiçados! — Minha voz tremeu quando me lembrei das dificuldades e do orgulho com que os havia redigido.

Holmes tirou um maço de papéis do bolso.

— Aqui estão os seus relatórios, meu caro amigo, e bastante manuseados, garanto-lhe. Tomei providências excelentes, e eles só se atrasam um dia em seu caminho. Devo cumprimentá-lo calorosamente pelo zelo e a inteligência que você demonstrou num caso de extraordinária dificuldade.

Eu ainda estava bastante magoado por ter sido logrado, mas o carinho do elogio de Holmes afastou a raiva da minha mente. Senti também no meu íntimo que ele tinha razão no que dissera e que era de fato melhor para o nosso objetivo que eu não soubesse que ele estava no pântano.

— Assim é melhor — disse ele, vendo a sombra desaparecer do meu rosto. — E agora conte-me o resultado da sua visita à sra. Laura Lyons. Não foi difícil, para mim, imaginar que foi para vê-la que você tinha ido, porque sei que ela é a única pessoa em Coombe Tracey que pode nos ajudar nesse assunto. Na verdade, se você não tivesse ido hoje, é muito provável que eu fosse amanhã.

O sol havia se posto e o crepúsculo caía sobre o pântano. O ar esfriara e nós entramos na cabana para nos aquecer. Ali, sentados juntos na semiescuridão, contei a Holmes a minha conversa com a mulher. Ele ficou tão interessado que tive que repetir uma parte duas vezes antes que ele se desse por satisfeito.

— Isso é muito importante — disse ele quando eu terminei. — Preenche uma lacuna que eu não conseguira transpor nesse caso bastante complexo. Você sabe que existe uma grande intimidade entre essa dama e Stapleton?

— Eu não sabia da grande intimidade.

— Não pode haver dúvida a respeito disso. Eles se encontram, eles se escrevem, há um entendimento completo entre eles. Agora, isso coloca uma arma muito poderosa em nossas mãos. Se eu pudesse usá-la pelo menos para afastar a mulher dele...

— Sua mulher?

— Estou dando a você uma informação em troca de todas que você me deu. A dama que tem passado aqui por senhorita Stapleton é, na verdade, mulher dele.

— Santo Deus, Holmes! Tem certeza do que está dizendo? Como ele pode ter permitido que sir Henry se apaixonasse por ela?

— O fato de sir Henry se apaixonar não podia fazer mal a ninguém, exceto a sir Henry. Ele tomou cuidado para que sir Henry não tivesse relações com ela, como você mesmo observou. Repito que a dama é a mulher e não a irmã dele.

— Mas por que essa impostura elaborada?

— Por que ele previu que ela seria muito mais útil para ele no papel de uma mulher livre.

Todos os meus instintos não manifestados, minhas desconfianças vagas, tomaram forma de repente e se concentraram no naturalista. Naquele homem impulsivo, pálido, com o chapéu de palha e a rede de borboletas, tive a impressão de ver alguma coisa terrível, uma criatura de paciência e astúcia infinitas, com um rosto sorridente e um coração assassino.

— É ele, então, o nosso inimigo. Foi ele que nos seguiu em Londres?

— Foi assim que decifrei o enigma.

— E o aviso deve ter vindo dela!

— Exato.

A forma de alguma vilania monstruosa, entrevista, meio imaginada, surgiu através da escuridão que havia me rodeado por tanto tempo.

— Mas você tem certeza disso, Holmes? Como você sabe que a mulher é casada com ele?

— Porque ele até agora esqueceu-se de contar a você um trecho verdadeiro de autobiografia por ocasião do primeiro encontro com você, e arrisco-me a dizer que se arrependeu disso muitas vezes. Ele foi diretor de um colégio no norte da Inglaterra. Bem, nada é mais fácil do que seguir a pista de um diretor de colégio. Existem agências escolares por meio das quais se pode identificar qualquer homem que tenha estado na profissão. Uma pequena investigação mostrou-me que um colégio acabou arruinado em circunstâncias atrozes e que o homem que era o proprietário, o nome era diferente, havia desaparecido com a mulher. As descrições combinam. Quando eu soube que o homem desaparecido se dedicava à entomologia, a identificação ficou completa.

A escuridão estava diminuindo, mas muita coisa ainda estava escondida pelas sombras.

— Se essa mulher é de fato casada com ele, onde entra a sra. Laura Lyons? — perguntei.

— Esse é um dos pontos sobre os quais as suas próprias pesquisas lançaram uma luz. A sua entrevista com ela esclareceu muito a situação. Eu não sabia sobre o planejado divórcio entre ela e o marido. Nesse caso, considerando Stapleton um homem livre, ela sem dúvida pretendia tornar-se mulher dele.

— E quando ela abrir os olhos?

— Ora, então podemos encontrar uma dama prestativa. Deve ser a nossa primeira tarefa ir vê-la, nós dois, amanhã. Você não acha, Watson, que está longe do seu pupilo há bastante tempo? O seu lugar deve ser na Mansão Baskerville.

As últimas riscas vermelhas haviam desaparecido a oeste, e a noite caíra sobre o pântano. Algumas estrelas desmaiadas estavam brilhando num céu violeta.

— Uma última pergunta, Holmes — falei ao me levantar. — Com certeza não há necessidade alguma de segredo entre mim e você. Qual é o significado disso tudo? O que ele procura?

A voz de Holmes ficou mais baixa quando respondeu.

— É assassinato, Watson, refinado, a sangue-frio, assassinato premeditado. Não me pergunte detalhes. Minhas redes estão se fechando sobre ele, assim como as dele estão sobre sir Henry, e com a sua ajuda ele já está quase à minha mercê. Só há um perigo que pode nos ameaçar. É ele atacar antes de estarmos prontos para fazê-lo. Mais um dia, dois no máximo, e tenho o meu caso completo, mas até lá cuide do seu pupilo com tanta atenção quanto uma mãe extremosa vigia o filho doente. A sua missão hoje está justificada, e apesar disso quase cheguei a desejar que você não tivesse saído do lado dele. Ouça!

Um grito terrível, um brado de horror e angústia, explodiu no silêncio do pântano. Esse grito medonho gelou o sangue em minhas veias.

— Oh, meu Deus! — falei, ofegante. — O que é isso? O que significa isso?

Holmes levantara-se de um salto, e vi o vulto escuro e atlético dele na porta da cabana, com os ombros curvados, a cabeça esticada para a frente e os olhos perscrutando a escuridão.

— Silêncio! — sussurrou. — Silêncio!

O grito fora alto devido à veemência dele, mas havia ressoado de algum lugar afastado na planície escura. Agora explodia nos nossos ouvidos, mais perto, mais alto, mais urgente do que antes.

— Onde ele está? — sussurrou Holmes, e eu percebi pela euforia da voz que ele, o homem de ferro, estava abalado até a alma. — Onde ele está, Watson?

— Lá, eu acho. — Apontei para a escuridão.

— Não, lá!

Mais uma vez o grito de agonia atravessou a noite silenciosa, mais alto e muito mais perto do que nunca. E um novo som misturou-se com ele, um troar sussurrado e profundo, musical e, mesmo assim, ameaçador, aumentando e diminuindo como o murmúrio baixo e constante do mar.

— O cão! — exclamou Holmes. — Venha, Watson, venha! Deus nos livre de chegarmos tarde demais!

Ele tinha começado a correr pelo pântano, e eu o seguia de perto. Mas agora, de algum lugar em meio ao terreno irregular bem à nossa frente, veio um último grito desesperado e depois uma pancada forte e ensurdecedora. Nós paramos e ficamos ouvindo. Nenhum outro som rompeu o silêncio pesado da noite sem vento.

Vi Holmes pôr a mão na testa como um homem distraído. Ele bateu com os pés no chão.

— Ele chegou antes de nós, Watson. Estamos atrasados demais.

— Não, não, com certeza não!

— Como fui tolo em me conter. E você, Watson, veja no que dá abandonar o seu pupilo! Mas, por Deus, se o pior aconteceu, nós o vingaremos!

Corremos cegamente pela escuridão, esbarrando em rochas, abrindo caminho por entre as moitas de tojo, subindo ofegantes as colinas e descendo encostas correndo, sempre na direção do lugar de onde aqueles sons horríveis tinham vindo. Em cada elevação, Holmes olhava em volta, ansioso, mas as sombras eram densas sobre o pântano e nada se movia na superfície erma.

— Consegue ver alguma coisa?

— Nada.

— Mas, puxa, o que é aquilo?

Um gemido baixo havia chegado aos nossos ouvidos. Lá estava ele mais uma vez à nossa esquerda! Naquele lado, uma crista de rochas terminava numa escarpa íngreme que dominava uma encosta juncada de pedras. Na superfície desigual estava estendido um objeto escuro, irregular. Quando corremos na direção dele, o contorno vago assumiu uma forma definida. Era um homem prostrado de bruços no chão, com a cabeça dobrada embaixo dele num ângulo horrível, os ombros arredondados e o corpo encolhido como se estivesse no ato de dar um salto mortal. A postura era tão grotesca que não percebi no momento que aquele gemido tinha sido a entrega da alma dele. Nem um sussurro, nem um farfalhar vinha agora do vulto escuro sobre o qual nos curvamos. Holmes pôs a mão sobre ele e ergueu-a de novo com uma exclamação de horror. A chama do fósforo que ele riscou iluminou os dedos melados e a poça horrível que se ampliava devagar, saindo do crânio esmagado da vítima. E iluminou mais uma coisa que revirou nossas entranhas: o corpo de sir Henry Baskerville!

Não havia possibilidade de algum de nós esquecermos aquele terno peculiar de tweed avermelhado, o mesmo que ele usara na primeira manhã em que o víramos na Baker Street. Nós o vimos de relance, e depois a chama do fósforo piscou e se apagou, ao tempo em que a esperança abandonava nossas almas. Holmes gemeu e o rosto pálido brilhava na escuridão.

— O animal! O animal! — exclamei com os punhos cerrados. — Oh, Holmes, nunca me perdoarei por tê-lo deixado entregue à própria sorte.

— A culpa é mais minha do que sua, Watson. Para conseguir que o caso ficasse esclarecido e completo, desperdicei a vida do meu cliente. É o maior golpe que já sofri em minha carreira. Mas como eu poderia saber, como eu poderia saber que ele iria arriscar a vida sozinho no pântano apesar de todos os meus avisos?

— O fato de termos ouvido os gritos dele, meu Deus, aqueles gritos, e mesmo assim sermos incapazes de salvá-lo! Onde está esse cão feroz que o levou à morte? Ele pode estar escondido entre estas rochas neste momento. E Stapleton, onde ele está? Ele responderá por isto.

— Vai responder. Cuidarei disso. Tio e sobrinho foram assassinados, o primeiro morreu de pavor pela própria visão de uma fera que ele pensava ser sobrenatural, o outro levado ao fim na fuga louca para escapar dela. Mas agora temos de provar a relação entre o homem e a fera. A não ser pelo que ouvimos, não podemos nem mesmo jurar que ela exista, já que sir Henry, é evidente, morreu da queda. Mas, por Deus, por mais astuto que ele seja, o sujeito estará em meu poder antes que termine mais um dia!

Ficamos ali com os corações amargurados ao lado do corpo desfigurado, esmagados por esse desastre repentino e irrevogável que havia levado todos os nossos esforços prolongados e cansativos a um fim tão lamentável. Depois, quando a lua se ergueu, subimos até o alto das rochas de cima das quais o nosso pobre amigo havia caído, e do cume contemplamos o pântano escuro, meio prateado e meio sombrio. Ao longe, a quilômetros de distância, na direção de Grimpen, uma luz amarela firme estava brilhando. Ela só podia vir da casa isolada dos Stapleton. Com uma praga amarga sacudi meu punho para ela enquanto olhava.

— Por que não podemos pegá-lo logo?

— O nosso caso não está completo. O sujeito é desconfiado e astuto até o último grau. Não se trata do que nós sabemos, mas do que podemos provar. Se fizermos um movimento em falso, o vilão ainda pode nos escapar.

— O que podemos fazer?

— Teremos muita coisa para fazer amanhã. Esta noite só podemos realizar os últimos ritos para o nosso pobre amigo.

Descemos juntos a encosta escarpada e nos aproximamos do corpo, negro e nítido contra as pedras prateadas. A agonia daquelas pernas retorcidas provocara em mim um espasmo de dor e encheram meus olhos de lágrimas.

— Temos de pedir ajuda, Holmes! Nós não podemos carregá-lo até a mansão. Santo Deus, você está louco?

Ele havia soltado um grito e se inclinado sobre o corpo. Agora estava dançando, rindo e apertando a minha mão. Poderia ser este o meu amigo sério e controlado? Estes eram fogos escondidos, de fato!

— Uma barba! Uma barba! O homem tem uma barba!

— Uma barba?

— Não é o baronete, ora, é o meu vizinho, o condenado!

Com pressa febril viramos o corpo de frente, e aquela barba gotejante estava apontada para a lua fria e clara no alto. Não podia haver dúvida alguma quanto à testa saliente e aos olhos afundados de animal. Era, de fato, o mesmo rosto que havia olhado com ferocidade para mim, à luz da vela, de cima da pedra, o rosto de Selden, o criminoso.

Depois, num instante, tudo ficou claro para mim. Lembrei-me de que o baronete havia me contado que dera o velho guarda-roupa a Barrymore. Este o havia passado adiante a fim de ajudar Selden na fuga. Botas, camisa, boné, era tudo de sir Henry. A tragédia ainda era terrível, mas este homem havia pelo menos merecido a morte pelas leis do país dele. Contei a Holmes o que acontecera, com o meu coração borbulhando de gratidão e alegria.

— Então as roupas causaram a morte do pobre-diabo — disse ele. — É evidente que o cão foi lançado na pista de algum objeto de sir Henry, provavelmente a bota que foi surrupiada do hotel, e assim descobriu este homem. Mas há uma coisa muito estranha: como foi que Selden, no escuro, soube que o cão estava na pista dele?

— Ele deve ter ouvido alguma coisa.

— Ouvir um cão no pântano não provocaria num homem duro como este condenado esse paroxismo de terror, a ponto de se arriscar a ser recapturado gritando de forma desesperada por socorro. Pelos gritos, ele deve ter corrido uma longa distância depois de saber que o animal estava na pista dele. Como ele soube?

— Um mistério maior para mim é o motivo por que esse cão, supondo que todas as nossas conjecturas estejam corretas...

— Não suponho nada.

— Bem, então, por que esse cão estava solto esta noite? Suponho que nem sempre ele corra solto pelo pântano. Stapleton não o deixaria ir a menos que tivesse motivos para pensar que sir Henry estaria lá.

— Minha dificuldade é a maior das duas, porque eu acho que teremos muito em breve uma explicação para a sua, ao passo que a minha pode permanecer para sempre um mistério. A questão agora é: o que devemos fazer com o corpo deste pobre-diabo? Não podemos abandoná-lo aqui para as raposas e os corvos.

— Sugiro que o deixemos dentro de uma das cabanas até conseguirmos nos comunicar com a polícia.

— Exato. Não tenho dúvida de que você e eu conseguiremos carregá-lo até lá. Ei, Watson, o que é isto? É o próprio homem! Nem uma palavra que revele as suas suspeitas, nem uma palavra, ou meus planos irão por água abaixo.

Um vulto estava se aproximando de nós pelo pântano, e eu vi o brilho vermelho fraco de um charuto. A lua brilhava sobre ele, e pude distinguir a forma agitada e o andar lépido do naturalista. Ele parou quando nos viu, e depois avançou de novo.

— Ora, dr. Watson, não é o senhor, é? O senhor é o último homem que eu esperaria ver aqui no pântano a esta hora da noite. Mas, meu Deus, o que é isto? Alguém ferido? Não, não me diga que é o nosso amigo sir Henry! — Ele passou rápido por mim e curvou-se sobre o homem morto. Ouvi uma respiração áspera e o charuto caiu dos dedos dele. — Quem, quem é este? — gaguejou.

— É Selden, o homem que fugiu de Princetown.

Stapleton virou para nós um rosto horrível, mas com um esforço supremo havia superado o espanto e o desapontamento. Ele olhou com vivacidade de Holmes para mim.

— Meu Deus! Que caso mais chocante! Como foi que ele morreu?

— Parece que partiu o pescoço caindo sobre estas pedras. Meu amigo e eu estávamos passeando pelo pântano quando ouvimos um grito.

— Eu ouvi um grito também. Foi isso que me fez sair. Eu estava preocupado com sir Henry.

— Por que com sir Henry em particular? — perguntei.

— Porque eu havia sugerido que ele fosse lá em casa. Quando não apareceu, fiquei surpreso e naturalmente preocupado com a segurança dele quando ouvi gritos no pântano. A propósito, o senhor ouviu mais alguma coisa além de um grito? — Os olhos dele desviaram-se outra vez do meu rosto para o de Holmes.

— Não — disse Holmes. — O senhor ouviu?

— Não.

— O que quer dizer, então?

— Oh, o senhor conhece as histórias que os camponeses contam sobre um cão fantasma e assim por diante. Dizem que o ouvem à noite no pântano. Eu estava imaginando se tinham ouvido um som assim esta noite.

— Nós não ouvimos nada desse tipo — falei.

— E qual é a sua teoria sobre a morte deste pobre homem?

— Não tenho qualquer dúvida de que a ansiedade e o abandono o fizeram perder a cabeça. Ele correu pelo pântano como um desvairado e acabou caindo aqui e quebrando o pescoço.

— Essa parece a teoria mais razoável — disse Stapleton, e deu um suspiro que julguei indicar alívio. — O que acha disso, sr. Sherlock Holmes?

Meu amigo inclinou-se num cumprimento.

— O senhor é rápido na identificação — disse ele.

— Estivemos à sua espera por aqui desde que o dr. Watson chegou. O senhor chegou a tempo de ver uma tragédia.

— Sim, de fato. Não tenho dúvida de que a explicação do meu amigo abrange os fatos. Vou levar uma lembrança desagradável para Londres amanhã.

— Oh, o senhor volta amanhã?

— Essa é a minha intenção.

— Espero que sua visita tenha lançado alguma luz sobre essas ocorrências que têm nos deixado intrigados.

Holmes encolheu os ombros.

— Não se pode ter sempre o sucesso que se espera. Um investigador precisa de fatos, e não lendas ou rumores. Não foi um caso satisfatório.

Meu amigo falou do jeito mais franco e despreocupado dele. Stapleton ainda olhava de forma fixa para ele. Depois virou-se para mim.

— Eu ia sugerir que levássemos este pobre sujeito para a minha casa, mas minha irmã ficaria com tanto medo que não me sinto no direito de fazer isso. Acho que se pusermos alguma coisa sobre o rosto ele ficará em segurança até de manhã.

E assim fizemos. Resistindo ao oferecimento de hospitalidade de Stapleton, Holmes e eu partimos para a Mansão Baskerville, deixando que o naturalista voltasse sozinho. Olhando para trás, vimos o vulto afastando-se devagar pelo vasto pântano, e atrás dele aquela mancha preta sobre a encosta prateada que mostrava onde estava caído o homem que chegara ao fim de uma maneira tão horrível.

13

Prendendo as redes

— Estamos quase pegando o homem, enfim — disse Holmes enquanto caminhávamos pelo pântano. — Que descaramento o sujeito tem! Como ele se recompôs diante do que deve ter sido um choque quando descobriu que o homem errado fora a vítima da trama dele. Eu disse a você em Londres, Watson, e digo-lhe agora outra vez, que nunca tivemos um inimigo mais merecedor da nossa determinação.

— Lamento que ele o tenha visto.

— Eu também, a princípio. Mas não havia meio de evitar isso.

— Que consequência você acha que terá para os seus planos o fato de ele saber que você está aqui?

— Isso pode fazer com que ele fique mais cuidadoso, ou pode levá-lo de imediato a adotar medidas desesperadas. Como muitos criminosos espertos, ele pode confiar demais na própria esperteza e imaginar que nos enganou por completo.

— Por que não o prendemos agora mesmo?

— Meu caro Watson, você nasceu para ser um homem de ação. O seu instinto é sempre fazer alguma coisa enérgica. Mas supondo, só para argumentar, que mandemos prendê-lo esta noite, como diabos isso nos ajudaria? Não podemos provar nada contra ele. Essa é a astúcia diabólica da coisa! Se ele estivesse agindo por intermédio de um agente humano, poderíamos obter alguma prova, mas, se tivermos que arrastar esse cachorrão para a luz do dia, isso não nos ajudará a pôr uma corda em volta do pescoço do dono.

— Com certeza temos base para um processo.

— Nem para a sombra de um, apenas suspeitas e conjecturas. Vão rir de nós no tribunal se chegarmos lá com essa história e essas provas.

— Há a morte de sir Charles.

— Encontrado morto sem uma marca no corpo. Você e eu sabemos que ele morreu de puro pavor e sabemos também o que o assustou; mas como vamos fazer com que doze jurados impassíveis acreditem nisso? Que sinais existem de um cão? Onde estão as marcas dos dentes? É claro que sabemos que um cão não morde um cadáver e que sir Charles estava morto antes mesmo de o animal alcançá-lo. Mas temos que *provar* tudo isso e não estamos em condições de fazer isso.

— Bem, então esta noite?

— Não estamos em situação melhor esta noite. Mais uma vez, não há qualquer relação direta entre o cão e a morte do homem. Nós nem vimos o cão. Nós o ouvimos, mas não podemos provar que ele estava correndo na pista deste homem. Há uma ausência absoluta de motivo. Não, meu caro amigo; precisamos nos conformar com o fato de que não temos um caso policial no momento e que vale a pena corrermos qualquer risco a fim de estabelecer um.

— E como você se propõe a fazer isso?

— Eu deposito grandes esperanças no que a sra. Laura Lyons possa fazer por nós quando a situação ficar clara para ela. E tenho o meu próprio plano também. Espero enfim estar em posição vantajosa antes de o dia terminar.

Não consegui arrancar mais nada dele, e ele caminhou, perdido nos pensamentos, até os portões de Baskerville.

— Você vai entrar?

— Sim; não vejo motivo para me esconder mais. Mas uma última palavra, Watson. Não diga nada sobre o cão a sir Henry. Deixe-o pensar que a morte de Selden foi como Stapleton queria que acreditássemos. Ele terá maior coragem para a provação pela qual terá de passar amanhã, quando está convidado, se me lembro bem do seu relatório, para jantar com essas pessoas.

— E eu também.

— Então você deve se desculpar e ele precisa ir sozinho. Isso será conseguido com facilidade. E agora, se estamos atrasados demais para jantar, acho que estamos prontos para as nossas ceias.

Sir Henry ficou mais satisfeito do que surpreso ao ver Sherlock Holmes, porque, durante alguns dias, ele esperara que os acontecimentos recentes o trouxessem de Londres. Mas ele ergueu as sobrancelhas quando descobriu que o meu amigo não tinha bagagem alguma nem qualquer explicação para a falta dela. Nós dois atendemos logo às necessidades dele e depois, durante uma ceia tardia, explicamos ao baronete a parte da nossa experiência que achamos que ele devia saber. Mas primeiro tive o desagradável dever de dar a notícia a Barrymore e a mulher. Para ele isso pode ter sido um alívio completo, mas ela chorou com amargura no avental dela. Para todo mundo ele era o homem violento, meio animal e meio demônio, mas, para ela, Selden continuou sendo sempre o menininho teimoso da própria infância, a criança que segurara na mão dela. Mau, de fato, é o homem que não tem uma mulher para pranteá-lo.

— Fiquei me aborrecendo em casa o dia inteiro, desde que Watson saiu de manhã — disse o baronete. — Acho que mereço algum crédito, porque mantive minha promessa. Se eu não tivesse jurado que não ia sair sozinho, podia ter tido uma noite mais animada, porque recebi um recado de Stapleton convidando-me para ir até lá.

— Não tenho dúvida alguma de que o senhor teria tido uma noite mais animada — disse Holmes, seco. — A propósito, suponho que o senhor não gostaria que estivéssemos pranteando o seu corpo com o pescoço partido.

Sir Henry abriu os olhos.

— Como foi isso?

— Esse pobre desgraçado estava vestido com as suas roupas. Receio que o seu empregado, que as deu a ele, possa ter problemas com a polícia.

— Isso é pouco provável. Não havia marca em qualquer uma delas, pelo que sei.

— Isso é sorte dele. Na verdade, é sorte para vocês todos, já que vocês estão do lado errado da lei nesta questão. Não tenho certeza de que, como um detetive consciencioso, meu primeiro dever não seja prender todos os que moram nesta casa. Os relatórios de Watson são documentos muito incriminadores.

— Mas e quanto ao caso? — perguntou o baronete. — O senhor conseguiu deslindar alguma coisa? Acho que Watson e eu não sabemos muito mais desde que viemos para cá.

— Acho que estarei em condições de esclarecer muita coisa para o senhor dentro de pouco tempo. É um caso extremamente difícil e complicado. Há vários pontos sobre os quais ainda precisamos de esclarecimentos, mas estes virão da mesma forma.

— Tivemos uma experiência, como Watson deve ter contado ao senhor. Ouvimos o cão no pântano, de modo que posso jurar que nem tudo é uma superstição vazia. Lidei um pouco com cães quando estava no Oeste, e conheço um quando ouço. Se o senhor puder amordaçar este e prendê-lo numa corrente, estarei pronto a jurar que o senhor é o maior detetive de todos os tempos.

— Acho que o amordaçarei e o porei numa corrente se o senhor me der a sua ajuda.

— Farei tudo que o senhor mandar.

— Muito bem, e vou pedir-lhe também para fazer isso cegamente, sem perguntar o motivo.

— Como quiser.

— Se o senhor fizer isso, acho que o nosso pequeno problema será resolvido em breve. Não tenho dúvida alguma...

Ele parou de repente e ficou olhando de modo fixo por cima da minha cabeça para o ar. A luz batia no rosto dele e ele estava tão atento e tão imóvel que podia ser o de uma estátua clássica nítida, uma personificação da vigilância e da expectativa.

— O que é? — exclamamos.

Pude perceber, quando baixou os olhos, que ele estava reprimindo alguma emoção interior. As feições ainda estavam compostas, mas os olhos brilhavam com um júbilo divertido.

— Desculpe a admiração de um *connoisseur* — disse ele ao apontar para a fila de retratos que cobria a parede oposta. — Watson não admite que eu conheça alguma coisa sobre arte, mas isso é simples ciúme, porque as nossas opiniões sobre o assunto diferem. Mas esta é na realidade uma série ótima de retratos.

— Bem, alegro-me de ouvi-lo dizer isso — disse sir Henry, olhando com certa surpresa para o meu amigo. — Não tenho a pretensão de conhecer muito sobre essas coisas, e seria melhor juiz de um cavalo ou de um novilho do que de um quadro. Eu não sabia que o senhor encontrava tempo para essas coisas.

— Conheço o que é bom quando vejo, e estou vendo agora. Esse é um Kneller, posso jurar, aquela dama de seda azul ali, e o cavalheiro robusto com a peruca deve ser um Reynolds. São todos retratos de família, suponho.

— Todos eles.

— O senhor sabe os nomes?

— Barrymore tem me instruído a respeito, e acho que posso recitar minha lição razoavelmente bem.

— Quem é o cavalheiro com o óculo de alcance?

— Esse é o contra-almirante Baskerville, que serviu com Rodney nas Índias Ocidentais. O homem com o casaco azul e o rolo de papel é sir William Baskerville, que foi presidente de Comissões da Câmara dos Comuns na época de Pitt.

— E este cavalheiro na minha frente, este com o veludo preto e as rendas?

— Ah, o senhor tem o direito de saber sobre ele. Este é a causa de todas as confusões, o malvado Hugo, que começou o Cão dos Baskerville. É provável que não o esqueçamos.

Fiquei olhando com interesse e uma certa surpresa para o retrato.

— Santo Deus! — disse Holmes. — Ele parece um homem bastante tranquilo e de hábitos pacíficos, mas ouso dizer que havia um demônio escondido nos olhos dele. Eu o havia imaginado como uma pessoa mais robusta e fanfarrona.

— Não há dúvida alguma quanto à autenticidade, porque o nome e a data, 1647, estão atrás da tela.

Holmes falou pouca coisa além disso, mas o retrato do velho pândego parecia exercer uma fascinação sobre ele, e seus olhos continuaram fixos nele durante a ceia. Só mais tarde, quando sir Henry já havia ido para o quarto, é que pude seguir a linha dos pensamentos dele. Ele me levou de volta ao salão de banquetes com a vela do seu quarto na mão e a aproximou do retrato manchado pelo tempo na parede.

— Você está vendo alguma coisa ali?

Olhei para o chapéu de plumas grandes, os cachos encaracolados, o colarinho de renda branca e o rosto severo e franco emoldurado por eles. Não era um semblante brutal, mas era afetado, rígido e severo, com uma boca de lábios finos resolutos e um olhar intolerante, frio.

— Parece-se com alguém que você conhece?

— Há alguma coisa de sir Henry no queixo.

— Apenas uma sugestão, talvez. Mas espere um instante! — Ele subiu numa cadeira e, segurando a luz na mão esquerda, cobriu com o braço direito o chapéu largo e os longos cachos.

— Santo Deus! — exclamei, espantado.

O rosto de Stapleton havia saltado da tela.

— Ah, você está vendo agora. Meus olhos foram treinados para examinar fisionomias e não os acessórios. A primeira qualidade de um investigador criminal é poder ver através de um disfarce.

— Mas isto é maravilhoso. Podia ser o retrato dele.

— Sim, esse é um exemplo interessante de reversão a um tipo ancestral, que parece ser tanto física como espiritual. Um estudo de retratos de família é suficiente para converter um homem à doutrina da reencarnação. O sujeito é um Baskerville, isso é evidente.

— Com pretensão na sucessão.

— Exato. Este acaso do retrato nos forneceu um dos elos perdidos mais óbvios. Nós o temos, Watson, nós o temos, e arrisco-me a jurar que antes de amanhã à noite ele estará esvoaçando em nossa rede tão impotente quanto uma das próprias borboletas dele. Um alfinete, uma rolha e um cartão, e nós o acrescentaremos à coleção da Baker Street! — Ele teve um dos raros ataques de riso dele enquanto se afastava do retrato. Eu não o ouvira rir muitas vezes, e isso sempre resultou em mau presságio para alguém.

Acordei cedo de manhã, mas Holmes levantou-se mais cedo ainda, porque eu o vi subindo pelo caminho enquanto me vestia.

— Devemos ter um dia cheio hoje — comentou e esfregou as mãos com a alegria da ação. — As redes estão em posição, e o arrastão está prestes a começar. Saberemos, antes de o dia terminar, se pegamos o nosso lúcio grande de queixo fino, ou se ele fugiu através das malhas.

— Você já esteve no pântano?

— Mandei um relatório de Grimpen para Princetown a respeito da morte de Selden. Acho que posso prometer que nenhum de vocês será incomodado nesse caso. E comuniquei-me também com o meu fiel Cartwright, que com certeza estaria grudado na porta da minha cabana como um cão na sepultura do dono se eu não o tivesse tranquilizado em relação à minha segurança.

— Qual é o próximo passo?

— Ver sir Henry. Ah, aqui está ele!

— Bom dia, Holmes — disse o baronete. — Você parece um general planejando uma batalha com o chefe do seu estado-maior.

— Essa é a situação exata. Watson estava perguntando pelas ordens.

— E eu também.

— Muito bem. Você tem um compromisso, pelo que sei, de jantar com os nossos amigos Stapleton esta noite.

— Espero que você venha também. Eles são pessoas muito hospitaleiras, e tenho certeza de que ficariam muito satisfeitos em vê-lo.

— Acho que Watson e eu teremos de ir para Londres.

— Para Londres?

— Sim, acho que poderíamos ser mais úteis lá, nas atuais circunstâncias.

O rosto do baronete se encompridou de modo perceptível.

— Eu esperava que vocês fossem me ajudar neste caso até o fim. A Mansão e o pântano não são lugares muito agradáveis quando se está sozinho.

— Meu caro amigo, você tem de confiar em mim de forma implícita e fazer exatamente o que eu mandar. Pode dizer aos seus amigos que ficaríamos felizes de ter ido com você, mas que negócios urgentes exigiram a nossa presença na cidade. Esperamos voltar logo ao Devonshire. Você se lembrará de dar a eles esse recado?

— Se você insiste nisso.

— Não há alternativa alguma, garanto-lhe.

Vi pela fronte anuviada do baronete que ele estava profundamente magoado pelo que considerava uma deserção nossa.

— Quando vocês desejam ir? — perguntou ele com frieza.

— Logo após o café. Iremos de charrete até Coombe Tracey, mas Watson deixará as coisas dele como garantia de que voltará para a sua companhia. Watson, mande um bilhete para Stapleton dizendo-lhe que lamenta não poder ir.

— Estou com vontade de ir para Londres com vocês — disse o baronete. — Por que deveria ficar aqui sozinho?

— Porque este é o seu posto de serviço. Porque você me deu a sua palavra de que faria o que lhe mandassem, e estou dizendo para você ficar.

— Está bem, então ficarei.

— Mais uma instrução! Quero que vá de charrete para a Casa de Merripit. Mas mande a charrete de volta e diga-lhes que pretende voltar a pé para casa.

— A pé pelo pântano?

— É.

— Mas isso é exatamente o que você me avisou tantas vezes para não fazer.

— Desta vez você pode fazer isso com segurança. Se eu não tivesse absoluta confiança na sua coragem e sua determinação, não sugeriria isso, mas é essencial que o faça.

— Então farei.

— E se você dá valor à sua vida, só atravesse o pântano pelo caminho direto que vai da Casa de Merripit até a estrada de Grimpen, que é o seu caminho natural para casa.

— Farei exatamente o que você diz.

— Muito bem. Gostaria de ir embora logo depois do café, para chegar a Londres à tarde.

Eu fiquei muito espantado com este programa, embora me lembrasse de Holmes ter dito a Stapleton na noite anterior que a visita dele terminaria no dia seguinte. Mas não passara pela minha cabeça que ele iria querer que eu fosse com ele, nem conseguia compreender como nós dois poderíamos ficar ausentes num momento que ele próprio afirmara ser decisivo. Mas não havia nada a fazer exceto obedecer de forma implícita, de modo que dissemos adeus ao nosso amigo pesaroso, e duas horas depois estávamos na estação de Coombe Tracey e havíamos mandado a charrete de volta. Um garotinho estava esperando na plataforma.

— Alguma ordem, senhor?

— Você vai tomar este trem para a cidade, Cartwright. Quando chegar, mandará um telegrama para sir Henry Baskerville em meu nome, para dizer que, se ele encontrar o caderninho de notas que deixei cair, deve mandá-lo registrado pelo correio para a Baker Street.

— Sim, senhor.

— E pergunte no escritório da estação se há um recado para mim.

O menino voltou com um telegrama, que Holmes me entregou. Ele dizia: "Telegrama recebido. Indo para aí com mandado não assinado. Chego às 17h40. Lestrade".

— Este é uma resposta ao meu desta manhã. Ele é o melhor dos profissionais, eu acho, e podemos precisar da ajuda dele. Agora, Watson, acho que não podemos usar melhor o nosso tempo do que visitando a nossa conhecida, sra. Laura Lyons.

O plano de ação dele estava começando a ficar evidente. Ele usaria o baronete para convencer os Stapleton de que havíamos de fato ido embora, enquanto na verdade voltaríamos no momento em que provavelmente seríamos necessários. Aquele telegrama de Londres, se mencionado por sir Henry aos Stapleton, deveria afastar as últimas suspeitas das mentes deles. Eu já tinha a impressão de ver as nossas redes se apertando em torno daquele lúcio de queixo fino.

A sra. Laura Lyons estava no escritório, e Sherlock Holmes iniciou a entrevista com uma franqueza e uma objetividade que a deixaram muito espantada.

— Estou investigando as circunstâncias que cercaram a morte de sir Charles Baskerville — disse ele. — Meu amigo aqui, o dr. Watson, contou-me o que a senhora havia comunicado a ele e também o que a senhora escondeu em relação a esse assunto.

— O que foi que eu escondi? — perguntou ela de modo desafiador.

— A senhora confessou que pediu a sir Charles para estar no portão às dez da noite. Nós sabemos que esse foi o lugar e a hora da sua morte. A senhora escondeu qual a relação que há entre esses fatos.

— Não há qualquer relação.

— Nesse caso a coincidência de fato deve ser extraordinária. Mas acho que conseguiremos estabelecer uma relação, afinal de contas. Desejo ser absolutamente franco com a senhora. Consideramos este caso como assassinato, e a prova pode implicar não só o seu amigo sr. Stapleton, mas também a mulher dele.

A dama saltou da cadeira.

— Sua mulher! — exclamou ela.

— O fato não é mais segredo. A pessoa que tem passado pela irmã é, na verdade, a mulher dele.

A sra. Lyons havia se sentado de novo. As mãos estavam agarradas aos braços da cadeira, e vi que as unhas cor-de-rosa tinham ficado brancas com a pressão.

— A mulher dele! — repetiu ela. — A mulher! Ele não é casado.

Sherlock Holmes encolheu os ombros.

— Prove-me! Prove-me! E se conseguir fazer isso... — O brilho feroz dos olhos dela foi mais eloquente do que quaisquer palavras.

— Vim preparado para isso — disse Holmes, tirando vários documentos do bolso. — Aqui está uma fotografia do casal tirada em York há quatro anos. Está endossada "sr. e sra. Vandeleur", mas a senhora não terá dificuldade alguma em reconhecê-lo, e a ela também, se a conhece de vista. Aqui estão três descrições por escrito, de testemunhas dignas de confiança, do sr. e da sra. Vandeleur, que nessa época tinham o colégio particular de St. Oliver. Leia-as e diga se pode duvidar da identidade destas pessoas.

Ela olhou para elas e depois ergueu os olhos para nós com o rosto imóvel e rígido de uma mulher desesperada.

— Sr. Holmes, este homem ofereceu-se para se casar comigo com a condição de eu conseguir o divórcio do meu marido — disse ela. — Ele mentiu para mim, o vilão, de todas as maneiras possíveis. Ele jamais me disse uma palavra verdadeira. E por quê, por quê? Imaginei que tudo fosse para o meu próprio bem. Mas agora vejo que nunca fui nada além de um instrumento nas mãos dele. Por que devo continuar fiel a ele, que nunca foi fiel a mim? Por que devo tentar protegê-lo das consequências dos próprios atos perversos? Pergunte-me o que quiser, e não esconderei nada. Uma coisa eu juro ao senhor, e essa é que, quando escrevi a carta, nunca imaginei prejudicar o velho cavalheiro, que foi o meu amigo mais bondoso.

— Acredito totalmente na senhora, madame — disse Sherlock Holmes. — A narração desses acontecimentos deve ser muito penosa para a senhora, e talvez seja mais fácil se eu lhe contar o que ocorreu, e a senhora pode me corrigir se eu cometer algum erro. O envio dessa carta foi sugerido à senhora por Stapleton?

— Ele a ditou.

— Suponho que o motivo que ele deu foi que a senhora receberia ajuda de sir Charles para as despesas legais relativas ao seu divórcio.

— Exato.

— E depois que a senhora enviou a carta, ele fez com que desistisse de comparecer ao encontro?

— Ele me disse que ficaria com o orgulho ferido se algum outro homem desse o dinheiro com esse objetivo e que, embora ele fosse um homem pobre, empregaria até o último pêni para remover os obstáculos que nos separavam.

— Ele parece ter um caráter muito coerente. E depois a senhora não soube de mais nada até ler as notícias da morte no jornal?

— Não.

— E ele a fez jurar que não iria contar nada sobre o seu encontro marcado com sir Charles?

— Fez. Ele disse que a morte foi muito misteriosa e que com certeza desconfiariam de mim se os fatos fossem revelados. Ele me assustou para que eu ficasse em silêncio.

— Exato. Mas a senhora nunca desconfiou?

Ela hesitou e baixou os olhos.

— Eu o conhecia — disse ela. — Mas, se ele tivesse sido fiel a mim, eu seria sempre fiel a ele.

— Acho que, de modo geral, a senhora escapou com sorte — disse Sherlock Holmes. — A senhora o teria em seu poder e ele sabia disso, e contudo a senhora está viva. A senhora andou durante alguns meses muito perto da beira do precipício. Devemos desejar-lhe bom-dia agora, sra. Lyons, e é provável que a senhora muito em breve tenha notícias nossas outra vez.

"Nosso caso está se completando e, dificuldade após dificuldade, está se desvanecendo diante de nós — disse Holmes quando estávamos esperando a chegada do expresso da cidade. — Logo estarei em condição de colocar numa única narrativa articulada um dos crimes mais estranhos e sensacionais dos últimos tempos. Os estudantes de criminologia irão se lembrar de incidentes análogos em Godno, na Pequena Rússia*, no ano de 1866, e com naturalidade há os assassinatos de Anderson na Carolina do Norte, mas este caso possui algumas características que são próprias por inteiro. Mesmo agora, não temos uma base definida para um processo contra esse homem astuto. Mas ficarei muito surpreso se ele não estiver bastante definido antes de irmos para a cama esta noite."

O expresso de Londres entrou resfolegando na estação, e um homem pequeno e forte, parecido com um buldogue, saltou de um vagão da primeira classe. Nós três apertamos as mãos, e vi logo, pelo modo reverente como Lestrade olhava para o meu amigo, que ele aprendera um bocado desde o tempo em que haviam trabalhado juntos pela primeira vez. Pude me lembrar bem do desprezo que as teorias do intelectual costumavam despertar então no homem prático.

— Alguma coisa boa? — perguntou.

— A maior de muitos anos — disse Holmes. — Temos duas horas antes de precisarmos pensar em partir. Acho que devemos usá-las para jantar, e depois, Lestrade, vamos tirar a cerração de Londres da sua garganta dando-lhe um pouco do ar puro da noite de Dartmoor. Nunca esteve lá? Ah, bem, acho que você não vai se esquecer de sua primeira visita.

---

* Antiga área com fronteiras indefinidas, incluindo a Rutênia Carpática, a Polônia Oriental, a Ucrânia e as margens ocidentais do mar Negro. [N.T.]

14

O cão dos Baskerville

Um dos defeitos de Sherlock Holmes, se é que de verdade se pode chamar isso de defeito, era o fato de ser avesso de maneira excessiva a comunicar os planos completos a qualquer outra pessoa até o momento da execução deles. Em parte isso vinha sem dúvida da própria natureza autoritária, que adorava dominar e surpreender aqueles que estavam à volta. Em parte, também, da cautela profissional, que o impedia sempre de correr qualquer risco. Mas o resultado era muito penoso para aqueles que estavam agindo como agentes e assistentes dele. Eu havia sofrido com isso muitas vezes, mas nunca tanto quanto durante aquela longa viagem de charrete na escuridão. A grande provação estava diante de nós; pelo menos estávamos prestes a fazer o nosso esforço final, e apesar disso Holmes não havia dito nada, e pude apenas imaginar qual seria o curso da sua ação. Meus nervos formigaram de expectativa quando, enfim, o vento frio em nossos rostos e os espaços vazios, escuros, dos dois lados da estrada estreita me indicaram que estávamos, mais uma vez, de volta ao pântano. Cada passo dos cavalos e cada volta das rodas estavam nos levando para mais perto da nossa aventura suprema.

Nossa conversa foi dificultada pela presença do cocheiro da charrete alugada, de modo que fomos obrigados a falar de assuntos banais quando os nossos nervos estavam tensos de emoção e expectativa. Foi um alívio para mim, após essa limitação pouco natural, quando por fim passamos pela casa de Frankland e vimos que estávamos chegando perto da mansão e do local da ação. Nós não fomos de charrete até a porta, mas descemos perto do portão da avenida. A charrete foi paga e mandada no mesmo instante de volta para Coombe Tracey, enquanto começamos a caminhar para a Casa de Merripit.

— Você está armado, Lestrade?

O pequeno detetive sorriu.

— Enquanto estiver com as minhas calças, tenho um bolso traseiro e, enquanto tiver meu bolso traseiro, tenho algo dentro dele.

— Ótimo! Meu amigo e eu também estamos prontos para emergências.

— O senhor está muito reticente a respeito deste caso, sr. Holmes. Qual é o jogo agora?

— Um jogo de espera.

— Palavra, esse não parece um lugar muito animado — disse o detetive com um calafrio, olhando em volta para as encostas sombrias da colina e para a cerração que pairava sobre o charco de Grimpen. — Vejo as luzes de uma casa em nossa frente.

— Aquela é a Casa de Merripit e o fim da nossa jornada. Devo pedir-lhes que caminhem na ponta dos pés e que só falem por sussurros.

Seguimos com cautela pelo caminho como se estivéssemos nos dirigindo para a casa, mas Holmes nos deteve quando estávamos a cerca de 180 metros dela.

— Aqui está bom — disse ele. — Estas pedras à direita constituem uma proteção admirável.

— Vamos esperar aqui?

— Sim, faremos a nossa pequena emboscada aqui. Entre neste recuo, Lestrade. Você já esteve dentro da casa, não esteve, Watson? Pode dizer a posição das peças? De onde são aquelas janelas com treliças naquela extremidade?

— Acho que são as janelas da cozinha.

— E aquela ali, tão iluminada?

— Aquela com certeza é da sala de jantar.

— As cortinas estão levantadas. Você conhece melhor a disposição do terreno. Avance em silêncio e veja o que eles estão fazendo, mas, pelo amor de Deus, não deixe que eles percebam que estão sendo vigiados!

Desci pelo caminho na ponta dos pés e agachei-me atrás de um muro baixo que cercava o pomar raquítico. Entrando com cuidado na sombra dele, atingi um ponto de onde podia olhar direto pela janela sem cortina.

Havia apenas dois homens na sala, sir Henry e Stapleton. Estavam sentados de perfil para mim, em lados opostos de uma mesa. Os dois estavam fumando charutos, e havia café e vinho diante deles. Stapleton estava falando com animação, mas o baronete parecia pálido e distraído. Talvez a lembrança daquela caminhada solitária pelo pântano de mau agouro estivesse pesando muito na mente dele.

Enquanto eu os observava, Stapleton levantou-se e saiu da sala, enquanto sir Henry enchia o copo outra vez e recostava-se na cadeira, fumando o charuto. Ouvi uma porta rangendo e o ruído nítido de botas sobre o saibro. Os passos atravessaram o caminho do outro lado do muro atrás do qual eu estava agachado. Olhando por cima, vi o naturalista parar diante da porta de uma dependência no canto do pomar. Uma chave girou numa fechadura, e, quando ele entrou ali, ouvi um ruído curioso de luta vindo de dentro. Ele ficou apenas um minuto ali dentro; depois ouvi a chave girar outra vez, e ele passou por mim e entrou de novo em casa. Vi quando ele entrou na sala onde estava seu convidado e voltei cautelosamente para o lugar onde meus companheiros estavam esperando para contar-lhes o que vira.

— Você diz, Watson, que a mulher não está lá? — perguntou Holmes quando eu terminei meu relato.

— Não.

— Onde ela pode estar, então, já que não há luz em qualquer outro cômodo, exceto na cozinha?

— Não posso imaginar onde ela esteja.

Eu havia dito que sobre o grande charco de Grimpen pairava uma cerração branca e densa. Ela estava vindo devagar em nossa direção e se acumulava como um muro daquele lado, baixa mas espessa e bem definida. A lua brilhava sobre ela, e parecia um grande campo de gelo bruxuleante, com os cumes dos picos rochosos distantes como rochas colocadas sobre a superfície dela. O rosto de Holmes virou-se para ela e ele resmungou impaciente enquanto observava o seu avanço lento.

— Ela está vindo em nossa direção, Watson.

— Isso é grave?

— Muito grave, de fato. A única coisa na terra que poderia transtornar os meus planos. Ele não pode demorar muito agora. Já são dez da noite. O nosso êxito e até a vida dele podem depender da saída dele antes que a cerração cubra o caminho.

A noite estava clara e linda acima de nós. As estrelas brilhavam frias e nítidas, enquanto uma meia-lua banhava toda a cena com uma luz suave e hesitante. Diante de nós estava o contorno escuro da casa, com o telhado serrilhado e chaminés eriçadas delineados contra o céu prateado reluzente. Faixas largas de luz dourada das janelas de baixo estendiam-se pelo pomar e o pântano. Uma delas apagou-se de repente. Os criados haviam saído da cozinha. Restava apenas o lampião da sala de jantar onde os dois homens, o anfitrião assassino e o convidado inocente, ainda conversavam, fumando os charutos. A cada minuto aquela névoa branca feito lã que cobria metade do pântano arrastava-se um pouco mais para perto da casa. As primeiras espirais finas dela já estavam atravessando o quadrado dourado da janela iluminada. O muro oposto do pomar já estava invisível, e as árvores apareciam em meio a um redemoinho de vapor branco. Enquanto observávamos, as espirais da cerração envolveram os dois cantos da casa e rolaram devagar, formando uma barreira densa, sobre a qual o andar superior e o telhado flutuavam como uma embarcação estranha num mar sombrio. Holmes deu um soco colérico na pedra diante de nós e bateu com os pés com impaciência.

— Se ele não sair em quinze minutos, o caminho ficará coberto. Dentro de meia hora não conseguiremos ver nossas mãos diante de nós.

— Vamos recuar para mais longe, para um terreno mais elevado?

— Sim, acho que isso seria melhor.

Assim, à medida que a barreira de cerração deslocava-se para a frente, nós recuávamos, até ficarmos a oitocentos metros da casa, e aquele denso mar branco com a lua prateando a orla superior dele ainda avançava de forma lenta e inexorável.

— Estamos nos afastando muito — disse Holmes. — Não podemos correr o risco de ele ser alcançado antes de poder chegar até nós. Devemos ficar onde estamos a todo o custo. — Ele se ajoelhou e colou o ouvido no chão. — Graças a Deus, acho que o estou ouvindo chegar.

Um ruído de passos rápidos quebrou o silêncio do pântano. Agachados entre as pedras, olhávamos com atenção para a barreira com o topo prateado diante de nós. Os passos ficaram mais altos, e através da cerração, como através de uma cortina, surgiu o homem que estávamos esperando. Ele olhou em volta surpreso ao sair na noite clara e estrelada. Depois veio rápido pelo caminho, passou perto de onde estávamos e continuou subindo a longa encosta atrás de nós. Enquanto andava, ele olhava várias vezes por cima dos ombros, como um homem que estivesse pouco à vontade.

— Psiu! — fez Holmes, e ouvi o estalido metálico de uma pistola sendo engatilhada. — Cuidado! Ele está vindo!

Havia um ruído de patas, fraco, áspero e contínuo vindo de algum lugar no meio da barreira que se arrastava. A nuvem estava a quarenta metros de nós, e a fitamos, todos os três, sem saber qual o horror que estava prestes a surgir do meio dela. Eu estava junto ao cotovelo de Holmes, e observei por um instante o rosto dele. Ele estava pálido e exultante, com os olhos brilhando ao luar. Mas de repente eles se fixaram em frente num olhar rígido, e os lábios dele se abriram, estupefatos. No mesmo instante Lestrade soltou um grito de terror e jogou-se de bruços no chão. Eu me levantei de um salto, com minha mão inerte agarrada na pistola, minha mente paralisada pela aparição medonha que havia saltado sobre nós das sombras da cerração. Era um cão, um enorme cão preto como carvão, mas não um cão que olhos de algum mortal já tivessem visto. Saía fogo da boca dele, os olhos brilhavam, o focinho, pelos do pescoço e papada estavam delineados em chamas bruxuleantes. Nenhum sonho delirante de um cérebro perturbado podia conceber algo mais selvagem, mais aterrador, mais infernal do que a forma escura e a cara selvagem que surgiu do muro da cerração.

Com saltos longos, a imensa criatura preta estava descendo o caminho aos pulos, seguindo firme os passos do nosso amigo. Ficamos tão paralisados pela aparição que permitimos que ela passasse antes de recuperarmos a coragem. Então Holmes e eu atiramos juntos, e a criatura soltou um uivo medonho, que mostrou que pelo menos um de nós a havia atingido. Mas ela não parou, e continuou seguindo aos pulos. Mais adiante no caminho, vimos sir Henry olhando para trás com o rosto branco iluminado pelo luar, as mãos erguidas de terror, olhando indefeso para a coisa assustadora que o estava perseguindo.

Mas aquele grito de dor do cão fizera com que os nossos receios desaparecessem. Se ele era vulnerável, era mortal, e, se podíamos feri-lo, podíamos matá-lo. Nunca tinha visto um homem correr tanto como Holmes correu naquela noite. Sou considerado ligeiro, mas ele me ultrapassou tanto quanto eu ultrapassei o pequeno profissional. Diante de nós, enquanto voávamos pelo caminho, ouvimos grito após grito de sir Henry e o rosnar profundo do cão. Cheguei a tempo de ver a fera saltar sobre a vítima, atirá-la ao chão, e lançar-se à garganta. Mas no instante seguinte Holmes havia disparado cinco tiros do revólver dele no flanco da criatura. Com um último uivo de agonia e uma mordida enraivecida no ar, ela rolou de costas com as quatro patas agitando-se com fúria, e depois caiu de lado. Eu me abaixei, ofegante, e encostei minha pistola na cabeça horrível, que brilhava de maneira fraca, mas não foi necessário apertar o gatilho. O cão gigantesco estava morto.

Sir Henry jazia inconsciente no lugar onde havia caído. Arrancamos o colarinho dele, e Holmes murmurou uma prece de gratidão quando viu que não havia qualquer sinal de ferimento e que o socorro havia chegado a tempo. As pálpebras do nosso amigo já estremeciam e ele fez um esforço débil para se mexer. Lestrade enfiou o cantil de conhaque dele entre os dentes do baronete, e dois olhos assustados ficaram olhando para nós.

— Meu Deus! — sussurrou ele. — O que era isso? O que, em nome dos céus, era isso?

— Está morto, o que quer que seja — disse Holmes. — Liquidamos o fantasma da família de uma vez por todas.

Só no tamanho e na força era uma criatura terrível que estava estendida diante de nós. Não era um sabujo puro e não era um mastim puro, mas parecia uma combinação dos dois, ossudo, selvagem e com o tamanho de uma pequena leoa. Mesmo agora, na imobilidade da morte, as mandíbulas enormes pareciam gotejar uma chama azulada e os olhos pequenos, profundos e cruéis estavam orlados de fogo. Pus a mão no focinho brilhante, e quando a tirei, meus próprios dedos pareciam brasas e brilhavam na escuridão.

— Fósforo — disse ele.

— Um preparado feito com habilidade — disse Holmes, cheirando o animal morto. — Não há cheiro algum que pudesse interferir no faro dele. Devemos ao senhor muitas desculpas, sir Henry, por tê-lo exposto a este susto. Eu estava preparado para um cão, mas não para uma criatura como esta. E a cerração deu-nos pouco tempo para recebê-la.

— Você salvou a minha vida.

— Depois de ter posto a sua vida em perigo. Você tem força para se levantar?

— Dê-me mais um gole desse conhaque, e estarei preparado para qualquer coisa. Pronto! Agora, se você quiser me ajudar. O que você pretende fazer?

— Deixá-lo aqui. O senhor não está preparado para outras aventuras esta noite. Se esperar, um de nós voltará com o senhor para a Mansão.

Ele tentou levantar-se, cambaleando, mas ainda estava horrivelmente pálido e trêmulo. Nós o ajudamos a caminhar até uma pedra, onde ele se sentou tremendo, com o rosto mergulhado nas mãos.

— Temos de deixá-lo agora — disse Holmes. — O resto do nosso trabalho precisa ser feito, e cada minuto é importante. Temos o nosso caso completo, e agora queremos apenas o nosso homem.

"É de mil a uma a probabilidade de o encontrarmos em casa — continuou enquanto voltávamos rápido pelo caminho. — Aqueles tiros devem ter indicado a ele que o jogo terminou."

— Estávamos a uma certa distância, e esta cerração pode tê-los amortecido.

— Ele seguiu o cão para chamá-lo de volta, disso vocês podem ter certeza. Não, não, ele foi embora a esta altura! Mas revistaremos a casa para confirmar.

A porta da frente estava aberta, de modo que entramos correndo e fomos de cômodo em cômodo, para espanto de um velho criado trôpego que se encontrou conosco no corredor. Não havia luz alguma, a não ser na sala de jantar, mas Holmes apanhou o lampião e não deixou qualquer canto da casa inexplorado. Não conseguimos ver sinal do homem que estávamos perseguindo. Mas, no andar de cima, a porta de um dos quartos estava trancada.

— Há alguém aqui! — gritou Lestrade. — Estou ouvindo um movimento. Abra esta porta!

Um gemido e um farfalhar fraco vieram do interior. Holmes atingiu a porta logo acima da fechadura com a sola do pé, e ela se abriu. Com a pistola na mão, nós três entramos correndo no quarto.

Mas não havia ali qualquer sinal daquele vilão desesperado e desafiador que esperávamos ver. Em vez disso, nos deparamos com um objeto tão estranho e tão inesperado que ficamos parados por um momento olhando para ele, espantados.

O quarto estava arrumado como um pequeno museu, e as paredes eram cobertas por várias caixas com tampas de vidro cheias daquela coleção de borboletas e mariposas cuja formação tinha sido o passatempo desse homem complexo e perigoso. No meio desse quarto havia uma trave vertical, que fora colocada em alguma época como suporte das toras de madeira comidas pelo cupim que sustentavam o telhado. Nesse poste estava amarrado um vulto, tão enfaixado e encoberto pelos lençóis que tinham sido usados para amarrá-lo que não se podia dizer naquele momento se era de um homem ou de uma mulher. Uma toalha passava em volta da garganta e estava presa atrás do pilar. Outra cobria a parte inferior do rosto, e sobre ela dois olhos escuros, cheios de dor, vergonha e uma interrogação horrível, nos contemplavam. Num minuto arrancamos a mordaça, desamarramos os laços, e a sra. Stapleton caiu no chão diante de nós. Quando a bela cabeça dela caiu sobre o peito, vi o nítido vergão vermelho de uma chicotada no pescoço.

— O animal! — exclamou Holmes. — Aqui, Lestrade, sua garrafa de conhaque! Ponha-a na cadeira! Ela desmaiou de maus-tratos e exaustão.

Ela abriu os olhos outra vez.

— Ele está em segurança? — perguntou ela. — Ele escapou?

— Ele não pode escapar de nós, madame.

— Não, não, não me refiro ao meu marido. Sir Henry? Ele está em segurança?

— Está.

— E o cão?

— Está morto.

Ela soltou um longo suspiro de satisfação.

— Graças a Deus! Graças a Deus! Oh, este vilão! Veja como ele me tratava! — Ela estendeu os braços para fora das mangas e vimos com horror que estavam cobertos de contusões. — Mas isto não é nada, nada! Foram a minha mente e a minha alma que ele torturou e maculou. Eu podia suportar isso tudo, maus-tratos, solidão, uma vida de impostura, tudo, desde que pudesse me agarrar ainda à esperança de que tinha o amor dele, mas agora sei que nisto também fui um joguete e um instrumento. — Ela explodiu num choro emocionado enquanto falava.

— A senhora não deve a ele qualquer boa vontade, madame — disse Holmes. — Conte-nos, então, onde podemos encontrá-lo. Se a senhora alguma vez o ajudou no mal, ajude-nos agora, e assim pode se redimir.

— Só há um lugar para onde ele pode ter fugido — respondeu ela. — Há uma velha mina de estanho numa ilha no meio do pântano. Era ali que ele guardava o cão e foi ali também que ele fez preparativos para que pudesse ter um refúgio. Para lá é que ele fugiria.

A barreira de cerração parecia lã branca do lado de fora da janela. Holmes aproximou dela o lampião.

— Veja — disse ele. — Ninguém conseguiria encontrar o caminho para dentro do charco de Grimpen esta noite.

Ela riu e bateu palmas. Os olhos e dentes brilharam com alegria feroz.

— Ele pode encontrar o caminho para entrar, mas nunca para sair! — exclamou. — Como ele poderá ver as varas de orientação esta noite? Nós as plantamos juntos, ele e eu, para marcar o caminho por meio do pântano.

Oh, se eu pudesse ao menos tê-las arrancado hoje. Então realmente os senhores o teriam à mercê!

Era evidente para nós que qualquer perseguição seria inútil até que a cerração tivesse se dissipado. Enquanto isso, deixamos Lestrade de posse da casa enquanto Holmes e eu voltamos com o baronete para a Mansão Baskerville. A história dos Stapleton não podia mais ser escondida dele, mas ele recebeu o golpe de forma corajosa quando soube a verdade sobre a mulher que havia amado. Mas o choque das aventuras da noite havia abalado os nervos dele, e antes de amanhecer ele estava delirando e com febre alta, sob os cuidados do dr. Mortimer. Eles dois estavam destinados a viajar juntos numa volta ao mundo, antes de sir Henry se tornar mais uma vez o homem são e robusto que fora antes de se tornar dono daquela propriedade agourenta.

E agora chego logo à conclusão desta narrativa singular, na qual tentei fazer o leitor compartilhar aqueles receios sombrios e suspeitas vagas que toldaram as nossas vidas por tanto tempo e terminaram de maneira tão trágica. Na manhã após a morte do cão, a cerração havia se dissipado e fomos guiados pela sra. Stapleton até o ponto onde eles haviam encontrado o caminho por meio do lodaçal. A ansiedade e a alegria com que ela nos pôs na pista do marido nos ajudaram a compreender o horror da vida dessa mulher. Nós a deixamos parada na estreita península de terra firme e turfosa que se afunilava para dentro do vasto lodaçal. A partir do fim da península, uma pequena vara plantada aqui e ali mostrava onde o caminho ziguezagueava de tufo em tufo de juncos por entre esses buracos escumados de verde e atoleiros imundos que barravam o caminho para um estranho. Caniços aglomerados e plantas aquáticas viscosas exalavam um cheiro de podridão e um vapor mefítico e pesado em nossos rostos, enquanto um passo em falso nos deixou mergulhados mais de uma vez até a coxa no pântano escuro e pouco firme, que se agitava por vários metros em ondulações suaves ao redor dos nossos pés. A viscosidade tenaz segurava os nossos calcanhares quando andávamos, e, quando afundávamos nela, era como se alguma mão maligna estivesse nos puxando para baixo dentro daquelas profundezas obscenas, tão feroz e intencional era a pressão com que nos agarrava. Só uma vez vimos um vestígio de que alguém havia passado por aquele caminho perigoso antes de nós. Do meio de um tufo de capim que brotava do lodo, projetava-se uma coisa escura. Holmes abaixou-se até a cintura quando saiu do caminho para pegá-la, e se não estivéssemos ali para puxá-lo para fora talvez ele nunca mais pusesse os pés em terra firme outra vez. Ele segurava uma velha bota preta no ar. "Meyers, Toronto" estava impresso do lado de dentro do couro.

— Isso vale um banho de lama — disse ele. — É a bota desaparecida do nosso amigo, sir Henry.

— Atirada aqui por Stapleton em sua fuga.

— Exatamente. Ele ficou com ela na mão depois de usá-la para pôr o cão no rastro. Ele fugiu quando viu que o jogo havia terminado, ainda segurando-a. E a jogou fora neste ponto da fuga. Sabemos pelo menos que ele chegou até aqui em segurança.

Porém, nós não estávamos destinados a saber mais do que isso, embora houvesse muito mais que pudéssemos imaginar. Não havia qualquer possibilidade de encontrar pegadas no pântano, porque a lama que subia as cobria com rapidez, mas, quando chegamos por fim a um terreno mais firme além do brejo, todos nós as procuramos com ansiedade. Mas não vimos nem o mais leve sinal delas. Se a terra contava uma história verdadeira, então Stapleton nunca chegou àquela ilha de refúgio, em direção à qual ele saíra na noite anterior, enfrentando a cerração. Em algum lugar no coração do grande charco de Grimpen, no fundo da viscosidade imunda do enorme atoleiro que o sorvera, esse homem frio e de coração cruel está enterrado para sempre.

Encontramos muitos vestígios dele na ilha cercada de lodo onde ele havia escondido o aliado selvagem. Um volante enorme e um poço meio cheio de detritos indicavam a posição de uma mina abandonada. Ao lado dela estavam os restos em ruínas das cabanas dos mineiros, expulsos sem dúvida pelo cheiro infecto do pântano em torno. Em uma delas, um grampo de ferro e uma corrente com uma quantidade de ossos roídos mostravam onde o animal havia estado confinado. Um esqueleto com um emaranhado de pelos marrons presos a ele jazia entre os detritos.

— Um cachorro! — disse Holmes. — Por Deus, um spaniel de pelos encaracolados. O pobre Mortimer nunca verá o animal de estimação dele outra vez. Bem, pelo que sei, este lugar não contém qualquer outro segredo que já não tenhamos imaginado. Ele conseguiu esconder o cão, mas não conseguiu calar a voz dele, e daí aqueles gritos que, mesmo à luz do dia, não eram agradáveis de se ouvir. Numa emergência ele podia guardar o cão na dependência anexa de Merripit, mas era sempre um risco, e foi só no dia supremo, que ele considerou o fim de todos os esforços, que ousou fazer isso. Esta pasta na lata sem dúvida é a mistura luminosa com a qual a criatura era besuntada. Isso foi sugerido, é claro, pela história do cão diabólico da família, e pelo desejo de amedrontar o velho sir Charles até matá-lo. Não admira que o pobre-diabo do condenado corresse e gritasse, da mesma forma como o nosso amigo fez, e como nós mesmos teríamos feito, quando ele viu essa criatura saltando através da escuridão do pântano na pista dele. Foi um artifício esperto, porque, além da possibilidade de levar a vítima à morte, que camponês se arriscaria a investigar com muito empenho a respeito dessa criatura se a tivesse visto, como muitos viram, no pântano? Eu disse em Londres, Watson, e digo outra vez agora, que nunca tínhamos ajudado a caçar um homem mais perigoso do que esse que jaz lá longe.

Ele girou o braço comprido em direção à imensa extensão pantanosa, salpicada de manchas verdes que se estendiam até se fundir com as encostas avermelhadas do pântano.

15

Um retrospecto

Era fim de novembro, e Holmes e eu estávamos sentados, numa noite fria, úmida e nevoenta, ao lado de uma lareira resplandecente em nossa sala da Baker Street. Desde o desfecho trágico da nossa visita a Devonshire, ele esteve ocupado com dois casos da maior importância, no primeiro dos quais havia denunciado a conduta cruel do coronel Upwood em relação ao famoso escândalo das cartas do Clube Nonpareil, enquanto no segundo havia defendido a infeliz mme. Montpensier da acusação de assassinato que pesava sobre ela em relação à morte da enteada, mademoiselle Carère, a jovem que, como se deve lembrar, foi encontrada seis meses mais tarde viva e casada em Nova York. O meu amigo estava de excelente humor pelo sucesso obtido numa sucessão de casos difíceis e importantes, de modo que pude convencê-lo a discutir os detalhes do mistério de Baskerville. Eu havia esperado de maneira paciente pela oportunidade, porque sabia que ele nunca permitiria que os casos se superpusessem e que a mente clara e lógica fosse desviada do trabalho atual para ficar remoendo lembranças do passado. Mas sir Henry e o dr. Mortimer estavam em Londres, a caminho daquela longa viagem que fora recomendada para a recuperação dos nervos abalados. Eles haviam nos visitado naquela mesma tarde, de modo que era natural que o assunto surgisse para discussão.

— Todo o curso dos acontecimentos, do ponto de vista do homem que chamava a si mesmo de Stapleton, era simples e direto, embora para nós, que no começo não tínhamos qualquer meio de saber os motivos dos atos dele e podíamos conhecer apenas uma parte dos fatos, tudo parecesse complexo ao extremo — disse Holmes. — Eu tive a vantagem de duas conversas com a sra. Stapleton, e o caso agora foi esclarecido de forma tão completa que não sei se há alguma coisa que tenha permanecido secreta para nós. Você encontrará algumas anotações sobre o assunto na letra B da minha lista de casos.

— Talvez você pudesse fazer a gentileza de me dar, de memória, um resumo do curso dos acontecimentos.

— Com certeza, embora não possa garantir que tenha todos os fatos em mente. A concentração mental intensa tem uma maneira curiosa de apagar o que passou. O advogado que tem o caso na ponta da língua e pode discutir com um especialista sobre o próprio assunto descobre que uma semana ou duas de tribunal afastará isso tudo da cabeça mais uma vez. De modo que cada um dos meus casos substitui o último, e mademoiselle Carère apagou a minha lembrança da Mansão Baskerville. Amanhã algum outro probleminha pode ser submetido à minha atenção, o que, por sua vez, desalojará a bela dama francesa e o infame Upwood. No que diz respeito ao caso do cão, contudo, vou dar-lhe a sucessão dos fatos da maneira mais aproximada possível, e você sugerirá qualquer coisa que eu possa ter esquecido.

“Minhas investigações mostram, fora de qualquer dúvida, que o retrato de família não mentiu e que esse sujeito era de fato um Baskerville. Ele era filho daquele Rodger Baskerville, o irmão caçula de sir Charles, que fugiu com uma reputação sinistra para a América do Sul, onde dizem que morreu sem se casar. Na verdade, ele se casou e teve um filho, esse sujeito, cujo nome verdadeiro é o mesmo do pai. Ele se casou com Beryl Garcia, uma das beldades da Costa Rica e, tendo roubado uma soma considerável de dinheiro público, mudou o nome para Vandeleur e fugiu para a Inglaterra, onde instalou um colégio a leste de Yorkshire. O motivo para tentar esse ramo especial de negócio foi ter conhecido um tutor tuberculoso na viagem para casa e ter usado a capacidade desse homem para fazer do empreendimento um sucesso. Mas Fraser, o tutor, morreu, e o colégio que havia começado bem caiu do descrédito para a infâmia. Os Vandeleur acharam conveniente mudar o nome para Stapleton; e ele trouxe o resto da fortuna, os planos para o futuro e o gosto pela entomologia para o sul da Inglaterra. Eu soube no Museu Britânico que ele era uma autoridade reconhecida no assunto e que o nome de Vandeleur estava ligado de modo permanente a uma certa mariposa que ele, no tempo dele em Yorkshire, havia sido o primeiro a descrever.

"Chegamos agora àquela parte da vida dele que acabou tendo um interesse tão grande para nós. O sujeito, é claro, havia investigado e descoberto que só duas vidas se interpunham entre ele e uma propriedade valiosa. Quando foi para o Devonshire, os planos eram, creio, extremamente vagos, mas que ele estava com más intenções desde o início é evidente pela maneira como levou a mulher consigo disfarçada como irmã. A ideia de usá-la como chamariz já estava na mente dele, embora ele talvez não tivesse certeza de como os detalhes da trama deviam ser organizados. Ele pretendia no fim ter a propriedade e estava pronto a usar qualquer instrumento ou correr qualquer risco para esse fim. O primeiro ato foi estabelecer-se o mais perto possível do lar ancestral, e o segundo foi cultivar uma amizade com sir Charles Baskerville e com os vizinhos.

"O próprio baronete contou a ele sobre o cão da família e assim preparou o caminho para a própria morte. Stapleton, como continuarei a chamá-lo, sabia que o coração do velho era fraco e que um choque o mataria. Isso ele soubera pelo dr. Mortimer. Ele ouvira também que sir Charles era supersticioso e havia levado muito a sério essa lenda sinistra. A mente engenhosa sugeriu logo um meio de matar o baronete e mesmo assim dificilmente seria possível atribuir a culpa ao verdadeiro assassino.

"Depois de conceber a ideia, começou a executá-la com considerável finesse. Um planejador comum teria se contentado em trabalhar com um cão selvagem. O uso de meios artificiais para tornar a criatura diabólica foi um lampejo de gênio da parte dele. O cão ele comprou em Londres de Ross e Mangles, os comerciantes da Fulham Road. Era o mais forte e o mais selvagem que eles tinham. Ele o trouxe para o sul pela linha North Devon e caminhou um trecho grande pelo pântano para levá-lo até em casa sem despertar comentários. Nas caçadas de insetos ele já havia aprendido a penetrar no charco de Grimpen e assim encontrara um esconderijo seguro para a criatura. Ali ele o conservou e esperou uma oportunidade.

"Mas demorou algum tempo. O velho cavalheiro não podia ser atraído para fora das terras à noite. Várias vezes Stapleton escondeu-se por perto com o cão, mas sem resultado. Foi durante essas andanças infrutíferas que ele, ou melhor, seu aliado, foi visto pelos camponeses e que a lenda do cão diabólico ganhou uma nova confirmação. Ele esperava que a mulher dele pudesse levar sir Charles à ruína, mas ela se mostrou independente de forma inesperada.

Ela não tentaria enredar o velho cavalheiro numa ligação sentimental que pudesse entregá-lo ao inimigo. Nem ameaças nem, lamento dizer, pancadas conseguiram demovê-la. Ela não queria ter nada a ver com isso, e durante algum tempo Stapleton ficou num impasse.

"Ele encontrou uma saída para as dificuldades por meio da oportunidade que sir Charles, que havia expressado amizade por ele, proporcionara, encarregando-o de fazer caridade em nome dele no caso dessa infeliz mulher, a sra. Laura Lyons. Apresentando-se como solteiro, ele adquiriu influência absoluta sobre ela e deu-lhe a entender que, se ela obtivesse o divórcio do marido, se casaria com ela. Os planos foram levados de repente a uma fase decisiva quando ele soube que sir Charles estava prestes a deixar a mansão a conselho do dr. Mortimer, com cuja opinião ele próprio fingia concordar. Ele devia agir de imediato ou a vítima podia ficar fora do alcance. De modo que pressionou a sra. Lyons para escrever aquela carta, implorando ao velho para conceder-lhe uma entrevista na noite anterior à partida dele para Londres. Depois, por meio de um argumento capcioso, impediu-a de ir e assim teve a oportunidade que estava esperando.

"Voltando de charrete à noite de Coombe Tracey, ele chegou a tempo de pegar o cão, lambuzá-lo com aquela tinta infernal e levar o animal até o portão no qual tinha motivo para esperar encontrar o velho cavalheiro. O cão, incitado pelo dono, saltou por cima da cancela do portão e perseguiu o infeliz baronete, que fugiu gritando pela Aleia dos Teixos. Naquele túnel sombrio devia mesmo ter sido uma cena horrível ver aquela criatura imensa preta, com as mandíbulas em chamas e os olhos brilhantes, saltando atrás da vítima. Ele caiu morto no fim da aleia de ataque cardíaco e terror. O cão tinha ficado sobre a margem gramada enquanto o baronete correra pelo caminho, de modo que nenhuma pista era visível a não ser a do homem. Ao vê-lo caído imóvel, a criatura provavelmente aproximou-se para farejá-lo, mas, encontrando-o morto, havia se afastado de novo. Foi então que ela deixou a marca que foi de fato observada pelo dr. Mortimer. O cão foi chamado e levado às pressas para o covil no charco de Grimpen, e ficou um mistério que intrigou as autoridades, alarmou a região e por fim trouxe o caso para o âmbito da nossa observação.

"Isso quanto à morte de sir Charles Baskerville. Você percebe a astúcia diabólica disso, porque seria mesmo quase impossível instaurar um processo contra o verdadeiro assassino. O único cúmplice não poderia jamais denunciá-lo, e a natureza grotesca, inconcebível, do artifício só serviu para torná-lo mais eficaz. As duas mulheres relacionadas com o caso, a sra. Stapleton e a sra. Laura Lyons, ficaram muito desconfiadas de Stapleton. A sra. Stapleton sabia que ele tinha planos em relação ao velho e também da existência do cão. A sra. Lyons não sabia qualquer uma dessas coisas, mas ficara impressionada com o fato de a morte ocorrer na ocasião de um encontro não desmarcado, o que só ele sabia. Mas ambas estavam sob a influência dele, e ele não tinha nada a recear delas. A primeira metade da tarefa dele fora realizada com sucesso, mas faltava o mais difícil.

"É possível que Stapleton não soubesse da existência de um herdeiro no Canadá. De qualquer maneira ele saberia disso muito em breve pelo amigo, o dr. Mortimer, que contou a ele todos os detalhes da chegada de Henry Baskerville. A primeira ideia de Stapleton foi que esse jovem estranho do Canadá talvez pudesse ser morto em Londres, sem chegar a ir até Devonshire. Ele não confiava na mulher desde que ela se recusara a ajudá-lo a preparar uma armadilha para o velho e não se atrevia a deixá-la por muito tempo longe dele com medo de perder a influência sobre ela. Foi por esse motivo que a levou para Londres consigo. Eles se hospedaram, eu descobri, no Hotel Particular Mexborough, na Craven Street, que foi de fato um daqueles visitados pelo meu agente em busca de provas. Ali Stapleton manteve a mulher prisioneira no quarto enquanto ele, disfarçado com uma barba, seguiu o dr. Mortimer até a Baker Street e depois até a estação e ao Hotel Northumberland. A mulher tinha alguma ideia dos planos dele; mas tinha tanto medo do marido, medo baseado nos maus-tratos brutais, que não se atreveu a escrever para prevenir o homem que ela sabia que estava em perigo. Se a carta caísse nas mãos de Stapleton, a própria vida dela correria risco. Por fim, como sabemos, ela recorreu ao expediente de cortar as palavras que formariam a mensagem e endereçar a carta numa letra disfarçada. Ela chegou ao baronete e deu-lhe o primeiro aviso do perigo que corria.

"Era essencial para Stapleton arranjar alguma peça de vestuário de sir Henry para que, no caso de ser obrigado a usar o cão, pudesse ter os meios de lançá-lo na pista dele. Com presteza e audácia características, ele cuidou disso na mesma hora, e não podemos duvidar de que o engraxate ou a camareira do hotel foram bem subornados para ajudá-lo no plano. Mas, por acaso, a primeira bota que foi conseguida para ele era nova e, portanto, inútil para o objetivo. Então Stapleton fez com que ela fosse devolvida e obteve outra, um incidente muito instrutivo, já que provou que estávamos lidando com um cão verdadeiro, porque nenhuma outra hipótese poderia explicar essa ansiedade para obter uma bota velha e essa indiferença pela nova. Quanto mais grotesco é um incidente, com mais cuidado ele merece ser examinado, e o próprio detalhe que parece complicar um caso é, quando devidamente considerado e manipulado de modo científico, aquele que tem mais probabilidade de elucidá-lo.

"Depois tivemos a visita dos nossos amigos na manhã seguinte, seguidos sempre por Stapleton no cabriolé. Por conhecer o nosso endereço e a minha aparência, bem como pela conduta geral dele, estou inclinado a pensar que a carreira criminosa de Stapleton não está limitada de modo algum a esse caso isolado de Baskerville. É sugestivo o fato de durante os últimos três anos ter havido quatro roubos vultosos na região Oeste, e nenhum criminoso jamais foi preso por qualquer um deles. O último destes, em Folkestone Court, em maio, foi notável pelo disparo a sangue-frio do pajem, que surpreendeu o ladrão mascarado e solitário. Não tenho dúvida de que Stapleton obteve os recursos dele, que estavam acabando, dessa maneira e que durante anos ele tem sido um homem desesperado e perigoso.

"Tivemos um exemplo da presteza dos recursos dele naquela manhã em que se livrou de nós com tanto êxito e também da sua audácia ao mandar de volta o meu próprio nome por intermédio do cocheiro. A partir daquele momento ele compreendeu que eu havia assumido o caso em Londres e que, portanto, não havia qualquer chance para ele aqui. Ele voltou para Dartmoor e esperou a chegada do baronete."

— Um momento! — disse ele. — Você descreveu a sequência dos acontecimentos de maneira correta, mas há um detalhe que você deixou inexplicado. O que aconteceu com o cão quando o dono esteve em Londres?

— Dei alguma atenção a esse assunto, e ele de fato é importante. Não pode haver qualquer dúvida de que Stapleton tinha um confidente, embora seja pouco provável que ele chegasse a se colocar em poder dele compartilhando todos os planos com ele. Havia um velho empregado na Casa de Merripit cujo nome era Anthony. A ligação dele com os Stapleton era antiga, desde o tempo em que ele dirigiu o colégio, de modo que ele devia saber que o patrão e a patroa eram na realidade marido e mulher. Esse homem desapareceu e fugiu do país. É sugestivo o fato de que Anthony não é um nome comum na Inglaterra, mas Antônio é em todos os países hispânicos ou hispano-americanos. O homem, como a própria sra. Stapleton, falava inglês bem, mas com um curioso sotaque ciciado. Eu mesmo vi esse velho atravessar o charco de Grimpen pelo caminho que Stapleton havia demarcado. É muito provável, portanto, que na ausência do patrão fosse ele quem cuidasse do cão, embora talvez não soubesse com que objetivo o animal era usado.

"Os Stapleton depois foram para Devonshire, seguidos pouco tempo depois por sir Henry e você. Uma palavra agora quanto à minha própria posição na ocasião. É provável que você se recorde de que, quando analisei o papel no qual as palavras impressas foram coladas, fiz um exame minucioso da marca d'água. Ao fazer isso, segurei-o a poucos centímetros dos meus olhos e percebi um ligeiro aroma do perfume conhecido como jasmim branco. Há 75 perfumes e por isso é necessário que um especialista em crimes consiga distinguir uns dos outros, e mais de uma vez ocorreram casos em minha própria experiência que dependiam do rápido reconhecimento deles. A fragrância sugeria a presença de uma dama, e os meus pensamentos já começavam a se voltar para os Stapleton. Assim eu havia me certificado do cão e havia desconfiado do criminoso antes mesmo de irmos para a região Oeste.

"Meu plano era vigiar Stapleton. Mas era evidente que eu não poderia fazer isso se estivesse com vocês, já que ele ficaria em guarda. Portanto, enganei todo mundo, inclusive você, e fui para o sul em segredo, quando pensavam que eu estava em Londres. Minhas dificuldades não foram tão grandes como você imaginou, embora esses detalhes triviais nunca devam interferir na investigação de um caso. Fiquei a maior parte do tempo em Coombe Tracey e só usei a cabana do pântano quando foi necessário ficar perto do local da ação. Cartwright tinha vindo comigo e com o disfarce de menino do campo me deu uma grande ajuda. Eu dependia dele para a comida e a roupa branca limpa. Enquanto eu ficava observando Stapleton, Cartwright fica com frequência observando você, de modo que eu podia controlar todos os cordões.

"Eu já disse a você que os seus relatórios me chegavam rápido, sendo reenviados na mesma hora da Baker Street para Coombe Tracey. Eles me ajudaram muito, principalmente aquela sorte, por acidente verdadeira, da biografia dos Stapleton. Eu consegui determinar a identidade do homem e da mulher e saber afinal a quantas andava. O caso ficou mais complicado por causa do incidente do condenado foragido e das relações entre ele e os Barrymore. Isso também você esclareceu de modo muito eficiente, embora eu já tivesse chegado às mesmas conclusões pelas minhas próprias observações.

"Quando você me descobriu no pântano, eu tinha um conhecimento completo de todo o negócio, mas não tinha um caso que pudesse ser levado a um júri. Nem mesmo a tentativa de Stapleton de atacar sir Henry naquela noite que terminou com a morte do infeliz condenado nos ajudou a provar o assassinato contra o nosso homem. Parecia não haver alternativa alguma a não ser pegá-lo em flagrante, e para isso tínhamos de usar sir Henry como isca, sozinho e aparentemente desprotegido. Fizemos isso, e à custa de um grande choque para o nosso cliente conseguimos completar o nosso caso e levar Stapleton à destruição. Que sir Henry tivesse sido exposto a isso é, devo confessar, um fato condenável na minha condução do caso, mas não tínhamos meio de prever o espetáculo terrível e paralisante que o animal apresentou, nem podíamos prever a cerração que permitiu que ele avançasse sobre nós de forma tão inesperada. Alcançamos o nosso objetivo a um custo que tanto o especialista como o dr. Mortimer me garantem que é temporário. Uma viagem longa pode permitir que nosso amigo se recupere não só dos nervos abalados, mas também dos sentimentos feridos. O amor pela dama era profundo e sincero, e para ele a parte mais triste de todo esse caso sinistro foi ter sido enganado por ela.

"Falta apenas definir o papel que ela desempenhou em tudo isso. Não pode haver dúvida de que Stapleton exercia uma influência sobre ela que pode ter sido amor ou pode ter sido medo, ou, muito provavelmente, ambos, já que elas não são, de modo algum, emoções incompatíveis. Era, pelo menos, bastante eficaz. Por ordem dele, ela concordou em passar por irmã, embora ele esbarrasse nos limites do poder dele quando tentou fazer dela o acessório direto do assassinato. Ela estava disposta a avisar sir Henry, desde que pudesse fazê-lo sem implicar o marido, e ela tentou fazer isso várias vezes. O próprio Stapleton parece ter tido ciúmes, e quando viu o baronete fazendo a corte à dama, embora isso fizesse parte do próprio plano, não pôde deixar de interromper com uma explosão apaixonada que revelou a alma ardente que os modos retraídos dele escondiam de maneira tão esperta. Incentivando a intimidade, ele garantiria a presença frequente de sir Henry na Casa de Merripit, e assim teria, mais cedo ou mais tarde, a oportunidade que desejava. Mas, no dia da crise, a mulher voltou-se de repente contra ele. Ela ouvira alguma coisa sobre a morte do condenado e sabia que o cão estava sendo guardado na dependência anexa na noite em que sir Henry iria jantar lá. Ela responsabilizou o marido pelo crime planejado, e seguiu-se uma cena furiosa na qual ele revelou pela primeira vez que ela tinha uma rival no amor. A fidelidade dela transformou-se, num instante, num ódio amargo, e ele percebeu que ela ia traí-lo. Portanto, amarrou-a, para que ela não tivesse qualquer possibilidade de avisar sir Henry, e esperava, sem dúvida, que, quando toda a região atribuísse a morte do baronete à maldição da família, como decerto faria, poderia recuperar a fidelidade dela, fazendo-a aceitar o fato consumado e manter silêncio sobre o que sabia. Nisso acho que, de qualquer maneira, ele cometeu um engano, e que, se nós não estivéssemos lá, a sorte dele estaria selada mesmo assim. Uma mulher de sangue espanhol não perdoa um insulto desses tão fácil. E agora, meu caro Watson, sem recorrer aos meus apontamentos, não posso fazer a você um relato mais detalhado desse caso curioso. Não sei se alguma coisa essencial foi deixada sem explicação."

— Ele não podia ter esperado matar sir Henry de susto como havia feito com o velho tio, com o cão diabólico.

— O animal era selvagem e estava esfomeado. Se a aparência dele não matasse a vítima de susto, pelo menos paralisaria a resistência que ela pudesse oferecer.

— Sem dúvida. Resta apenas uma dificuldade. Se Stapleton herdasse, como ele poderia explicar o fato de que ele, o herdeiro, estava vivendo escondido, com outro nome, tão perto da propriedade? Como ele poderia reivindicá-la sem despertar suspeitas e dúvidas?

— Essa é uma grande dificuldade, e receio que você esteja pedindo demais quando espera que eu resolva isso. O passado e o presente estão dentro do campo da minha investigação, mas o que um homem pode fazer no futuro é uma pergunta difícil de responder. A sra. Stapleton ouviu o marido discutir o problema em várias ocasiões. Havia três condutas possíveis. Ele podia reivindicar a propriedade da América do Sul, estabelecer a identidade dele diante das autoridades inglesas lá e assim obter a fortuna sem jamais vir à Inglaterra; ou podia adotar um disfarce sofisticado durante o curto período em que precisasse estar em Londres; ou, de novo, poderia fornecer as provas e documentos a um cúmplice, apresentando-o como herdeiro, e conservando o direito a uma parcela da renda dele. Não podemos duvidar, pelo que sabemos dele, que ele teria encontrado algum meio de sair da dificuldade. E agora, meu caro Watson, tivemos algumas semanas de trabalho duro, e por uma noite, eu acho, devemos pensar em coisas mais agradáveis. Tenho um camarote para *Les Huguenots*. Voce já ouviu o De Reszkes? Posso pedir-lhe então para estar pronto em meia hora, e vamos parar no Marcini para um jantar no caminho?

Sobre o autor

Arthur Conan Doyle nasceu em 22 de maio de 1859, em Edimburgo, capital da Escócia. Em 1876, ingressou no curso de Medicina da Universidade de Edimburgo. Foi lá que conheceu o dr. Joseph Bell, cujos surpreendentes métodos de dedução e análise foram de grande influência na futura criação de seu detetive.

Além do dr. Bell, Doyle se inspirou em Émile Gaboriau e no detetive Dupin — de Edgar Allan Poe — para conceber a primeira versão do que seria o personagem que conhecemos hoje: um tal de Sherringford Holmes, posteriormente Sherlock Holmes.

Depois de muitas tentativas e frustrações, em 1887 Doyle conseguiu que sua primeira história com o detetive, *Um estudo em vermelho*, fosse publicada. A boa aceitação do público o levou a escrever um segundo conto protagonizado por Holmes, *O sinal dos quatro*.

Doyle acabou abandonando a Medicina para seguir definitivamente a carreira literária. As histórias de Sherlock Holmes tornaram-se mais e mais populares, obrigando o autor a continuar criando casos para o detetive. E, quanto mais Holmes expunha suas habilidades para um estupefato público, mais obscurecidas ficavam as outras obras de Doyle.

Para sua grande surpresa, a morte de Sherlock Holmes, publicada em 1893 no caso "O problema final", chocou milhares de pessoas. Assim, em meio a um turbilhão de protestos e insultos, o autor foi obrigado a ressuscitar o personagem em "A casa vazia", de 1903.

Em 1902, Doyle foi agraciado pelo governo inglês com o título de sir, pela produção do panfleto patriótico *The War in South Africa*.

Debilitado por um ataque cardíaco, sir Arthur Conan Doyle morreu em 7 de julho de 1930, em Crowborough, condado de Sussex, na Inglaterra.